PRÉVENTION DES TOXICOMANIES

PIERRE BRISSON

PRÉVENTION DES TOXICOMANIES

Aspects théoriques et méthodologiques

Université
de Montréal

Faculté de l'éducation permanente
Formation à distance

Les Presses de l'Université de Montréal

Catalogage avant publication de Bibliothèque et Archives nationales du Québec et Bibliothèque et Archives Canada

Brisson, Pierre, 1955-

Prévention des toxicomanies : aspects théoriques et méthodologiques

(Paramètres)
Comprend des réf. bibliogr.

ISBN 978-2-7606-2241-8

1. Toxicomanie - Québec (Province) - Prévention. 2. Toxicomanie - Prévention. 3. Toxicomanes, Services aux - Québec (Province). I. Titre. II. Collection: Paramètres.

HV5840.C32Q8 2011   362.29'1709714   C2010-942157-4

Dépôt légal : 3ᵉ trimestre 2010
Bibliothèque et Archives nationales du Québec
© Les Presses de l'Université de Montréal, 2010

Les Presses de l'Université de Montréal reconnaissent l'aide financière du gouvernement du Canada par l'entremise du Fonds du livre du Canada pour leurs activités d'édition.
Les Presses de l'Université de Montréal remercient de leur soutien financier le Conseil des arts du Canada et la Société de développement des entreprises culturelles du Québec (SODEC).

IMPRIMÉ AU CANADA EN OCTOBRE 2010

AVANT-PROPOS

Cet ouvrage est une introduction aux concepts, à la méthodologie et aux moyens d'action qui sous-tendent l'intervention préventive, appliquée au domaine de la toxicomanie. Il est le résultat d'une réflexion amorcée il y a plus de vingt ans dans le contexte de cours donnés à l'Université de Montréal et à l'Université de Sherbrooke, dans le cadre des programmes de toxicomanie de ces institutions. Nos premiers remerciements vont, pour leur inspiration et leur soutien, à mesdames Louise Nadeau et Lise Roy, responsables de ces programmes d'études au moment où on y a effectué l'organisation première de la matière. Par la suite, le corpus fut à l'origine d'une formation à distance, réalisée à la Faculté de l'éducation permanente de l'Université de Montréal. Nous voulons témoigner notre reconnaissance aux équipes présentes et passées du secteur de la formation à distance, tout particulièrement à monsieur Bernard Morin, qui en est l'actuel directeur, pour son apport déterminant dans l'élaboration et la concrétisation du produit final. En dernier lieu, nous avons bénéficié des commentaires judicieux de collègues, ce qui a permis d'assurer la justesse et la pertinence de notre propos: Pascale Bibeau, coordonnatrice au Centre Option Prévention T.V.D.S.; Michel Boyer, conseiller puis gestionnaire en programmes touchant la toxicomanie et la promotion de la santé durant trente années, à Santé Canada; Jean-Sébastien Fallu, professeur agrégé à l'École de psychoéducation de l'Université de Montréal ; Pierre Paquin, responsable du dossier prévention à la Direction de santé publique de la Montérégie. Nous remercions chaleureusement ces personnes, toutes actuellement responsables d'enseignements universitaires en prévention des toxicomanies.

PREMIÈRE PARTIE

CADRE THÉORIQUE

CHAPITRE 1

Prévention : aspects historiques et descriptifs

Apparu au début du xxᵉ siècle à travers le courant de l'hygiène publique, dans le but de contrer le surgissement des maladies physiques au sein de la population bien portante, le concept de prévention sera conceptualisé dans le domaine de la santé mentale et des troubles du comportement à partir des années 1960. Au fil de ces cinquante dernières années, la prévention a acquis une crédibilité, voire des lettres de noblesse, en matière d'intervention publique, notamment dans le contexte de la lutte contre les problèmes sociaux comme la toxicomanie. C'est dans ce contexte qu'est née l'idée d'un continuum d'intervention avec différents stades, continuum que le secteur de la toxicomanie a fait sien.

Dans ce chapitre, nous étudierons, dans un premier temps, l'évolution historique de l'intervention préventive au Québec à travers les courants de réduction de l'offre et de la demande, de promotion de la santé et de réduction des méfaits (*harm reduction*). Cette analyse historique nous permettra, dans un second temps, de définir les différents stades du secteur de l'intervention préventive et de les appliquer à la toxicomanie. Bref, nous répondrons dans ce chapitre aux questions suivantes: dans quel contexte est apparue la prévention et comment se situe-t-elle dans le cadre général de l'intervention en toxicomanie?

La prévention désigne au sens strict le premier stade du continuum de l'intervention en toxicomanie. Comme vous le lirez dans la seconde partie de ce chapitre, le terme peut également être utilisé pour qualifier l'ensemble du continuum: prévention primaire, prévention secondaire et prévention tertiaire.

L'évolution de l'intervention préventive au Québec[1]

Dans la première moitié du xxᵉ siècle, les premières véritables interventions en toxicomanie visent d'abord à venir en aide aux personnes souffrant du problème de l'alcoolisme. Il s'agit de prise en charge et non de prévention. Il n'est en effet guère question de prévention en matière d'usage ou d'abus de psychotropes, non plus que de continuum d'intervention avant les années 1960, au Québec comme dans le reste des pays occidentaux.

Dans cette première partie, nous analysons la naissance et le développement de la prévention en évoquant en conclusion les tendances à venir.

La prévention : une définition générale

Puisque nous introduisons le concept qui est l'objet central de notre exposé, nous en donnerons tout de suite une définition générale qui sera établie pour le reste de la démonstration. Nous l'empruntons au spécialiste canadien de la prévention et consultant en éducation, Ken Low. « La prévention est une mesure d'anticipation pour empêcher qu'un état de chose indésirable ne se produise[2]. » En fait, dans le cadre de programmes élaborés comme ceux dont il sera question plus loin, la prévention est définie comme un ensemble de mesures mises en œuvre pour empêcher l'indésirable. Cette définition a l'avantage d'être simple et complète : elle s'applique, comme on le verra, à chacun des stades et implique, dans ses termes mêmes, les trois premières étapes de la démarche méthodologique (chapitres 5 à 7).

L'intervention préventive s'articule autour de trois approches, apparues successivement mais toujours en application : la réduction de l'offre et de la demande, la promotion de la santé et la réduction des méfaits.

1. Cette section est une adaptation d'un texte antérieurement publié sur le sujet. Voir Brisson (2000) : p. 5-37.

2. Low, K. (1979). La prévention. *Connaissances de base en matière de drogue*, 5. Ottawa, Groupe de travail fédéral-provincial sur les problèmes liés à l'alcool, p. 11.

La réduction de l'offre et de la demande

À partir de la fin des années 1960 émerge une «idéologie» de la prévention. Le concept est dans l'air et à la mode en raison de divers facteurs que catalyse l'action de l'Office de la prévention et du traitement de l'alcoolisme et des toxicomanies (OPTAT)[3] : l'organisme inaugure la sensibilisation des intervenants et de la population à l'importance de la dimension préventive à travers brochures, dépliants, matériel audiovisuel et interventions publiques dans les médias.

Le modèle préventif en vigueur à la fin des années 1960 préconise prioritairement la réduction de la demande, soit l'abstention de l'usage des substances illicites, en congruence avec les premières initiatives d'application des lois sur les drogues par les forces policières où priment la répression de l'offre et de l'usage.

Les réformes gouvernementales en éducation (issu du rapport Parent, en 1963) et en santé valorisent et créent des lieux propices à la diffusion d'activités préventives dont le milieu scolaire devient l'espace privilégié : des intervenants communautaires, des infirmières, des travailleurs sociaux mais aussi des policiers «éducateurs» organisent ainsi les premières activités préventives à l'intérieur des écoles, à la fin des années 1970. La Commission des écoles catholiques de Montréal (CECM) mène de son côté, en 1976, la première d'une série d'enquêtes sur la consommation en milieu scolaire.

Plus tard, à la suite d'un rapport commandé par le gouvernement Bourassa (Rapport Bertrand, 1990), la diffusion du programme fédéral *Tes choix, ta Santé* et la formation de quelque 6000 enseignants à travers le Québec, de nouveaux intervenants en prévention sont désignés pour agir en milieu scolaire, dès 1992 : les éducateurs en prévention des toxicomanies (EPT). Leur mission est mal définie, varie selon les établissements, allant de la promotion de la santé à l'intervention précoce, de la prévention

3. Au cours de la décennie 1960, les multiples ressources engagées dans le domaine de l'alcoolisme sont unifiées au sein de l'OPTAT. Les acquis récents de l'intervention en toxicomanie (volets médical et social) y sont intégrés de même que des activités de prévention et de recherche. La philosophie et les réalisations de l'OPTAT – approche globale du traitement mais aussi approche intégrée du phénomène sur un continuum – sont diffusées dans le monde et font école.

classique à la réduction des méfaits. Le ratio est alors d'un EPT pour 3000 élèves.

À partir de 1995, le financement de la mesure est intégré à l'enveloppe de base des commissions scolaires et l'initiative d'embaucher des EPT est laissée au bon vouloir des établissements scolaires : la majorité des postes sont abolis bien que certaines commissions choisissent de prioriser l'embauche de ce type d'intervenant en dégageant les budgets en conséquence.

Cependant, la valorisation de la prévention s'est poursuivie et diversifiée, engendrant une profusion d'initiatives au cours des années 1980 : production de brochures, dépliants, vidéos et trousses ; actions sur le terrain, inventives et louables, mais présentant souvent un caractère éparpillé, éphémère et aucune préoccupation évaluative. Il existe à la fois une grande variété et une absence de coordination des pratiques. Si beaucoup d'énergie va à la production d'outils et d'activités ponctuelles, les premiers véritables programmes de prévention, fondés sur un ensemble d'activités structurées en fonction d'objectifs et découlant d'une analyse préalable de la situation, voient également le jour ; des organismes comme Éduc'alcool et la Société de l'assurance automobile du Québec (SAAQ) lancent des campagnes publiques de prévention en matière d'alcool. C'est aussi l'époque des affrontements philosophiques entre tenants du prohibitionnisme et ceux du libre choix, en pleine décennie de la « guerre à la drogue » et du *Just Say No*.

Au cours de ces années de recherche et de tâtonnements se forge un modèle québécois de la prévention qui intègre peu à peu la dimension de la promotion de la santé et les notions d'usage responsable et de gestion des risques, philosophiquement apparentées à l'approche de réduction des méfaits qui est sur le point d'éclore.

La promotion de la santé

Le modèle des déterminants de la santé et le courant de la promotion de la santé[4] apparaissent au milieu de la décennie 1970 et vont exercer une influence considérable sur la conceptualisation du pôle préventif en toxi-

---

4. Nous développons au chapitre 3 les origines, l'évolution et les caractéristiques de ce que l'on nomme la promotion de la santé.

comanie, à travers l'accent mis, au cours de ces années, sur la modification des habitudes de vie.

Le gouvernement fédéral, promoteur au Québec de la nouvelle approche de la promotion de la santé, entame, dans les années 1970, ses grandes campagnes « sanitaires » (activités physiques, alimentation) et, notamment, l'important marketing social antitabagiste qui s'est maintenu jusqu'à ce jour. Au cours de la même décennie, la création des Départements de santé communautaire (DSC) donne un rôle accru aux médecins spécialisés en santé publique, notamment du côté de la prévention sociale, de l'éducation à la santé et des services communautaires, préfigurant ainsi la place prépondérante qu'ils occuperont dans le champ de la toxicomanie avec l'avènement du sida.

Dans les années 1980, les concepts liés à la promotion de la santé collective sont en résonance avec les aspirations de plusieurs des groupes d'intervenants en prévention qui désirent faire de la prévention *avec* les principaux intéressés et faire porter leur action au niveau du milieu de vie et de l'environnement des consommateurs. Ces concepts s'incarnent en une série de mots clés : participation, concertation, partenariat, intersectorialité, pouvoir d'agir (*empowerment*), santé des populations.

À l'automne 1987, une vaste démarche d'élaboration de programmes-cadres régionaux en prévention des toxicomanies et en promotion de la santé, axés sur la concertation intra et inter-régionales, est lancée par le ministère à la grandeur du Québec. Deux ans plus tard, un ensemble sans précédent d'activités en prévention/promotion sont mises en œuvre dans quatorze régions administratives : cette période peut être considérée comme l'âge d'or de la prévention en toxicomanie au Québec. Elle se poursuit dans la première partie de la décennie 1990 avec les recommandations du Rapport Bertrand favorisant l'actualisation des programmes régionaux par la nomination de coordonnateurs en toxicomanie dans chacune des régions pour en gérer la mise en œuvre. En 1995, le ministère commande un bilan d'ensemble : l'évaluation des outils, des programmes et des projets ainsi que de l'action intersectorielle est alors entreprise.

Cependant, la propagation du sida au sein des usagers de drogues par injection (UDI) atteint le Québec à la fin des années 1980 et s'apprête à changer la pratique de la prévention.

La réduction des méfaits (*harm reduction*)

Avec l'apparition du sida, à côté des ressources spécialisées de prises en charge à bas seuil d'exigences[5] qui se développent, de nouvelles pratiques préventives, publiques et communautaires, prennent de l'expansion : sites d'échange de seringues, travail de proximité auprès des usagers, matériel d'information, d'éducation et de communication. Ces pratiques réactualisent des expériences antérieurement éprouvées ou alors développent plus largement des acquis. La nouveauté est leur intégration dans un cadre unificateur, soit une philosophie qui prône un humanisme pragmatique pour faire face socialement aux problèmes découlant de l'usage des substances psychoactives (SPA)[6].

La survenue du sida dans le champ des toxicomanies accroît le pouvoir de définition et d'intervention des intervenants en santé publique dans le secteur, pouvoir qu'ils exercent déjà presque entièrement en matière de lutte contre le tabagisme. L'approche de la réduction des méfaits accorde également une place importante à l'action des intervenants communautaires et des travailleurs de rue, déjà sollicités comme agents d'intervention précoce et d'accompagnement en milieu naturel, à la suite du virage ambulatoire et de la désinstitutionnalisation. C'est aussi l'occasion d'une prise de parole et de regroupement chez les usagers de drogues, à l'instar de ce qui se passe chez d'autres groupes marginalisés comme les itinérants (groupe l'Itinéraire) et les travailleuses du sexe (organisme Stella).

Il semble toutefois que l'intégration des pratiques « classiques » de prévention et de promotion de la santé (visant la réduction de l'offre et de la demande) et des pratiques nouvelles de réduction des méfaits (visant la réduction des usages inappropriés et de leurs conséquences) soit plus difficile. Un groupe de travail ministériel chargé de proposer un cadre intégré d'orientations et d'actions en prévention, au terme d'une large consultation, produit le document *Pour une approche pragmatique de prévention en toxicomanie*, en 2001, qui ne sera guère mis en valeur dans le *Plan d'action interministériel en toxicomanie* lancé par la suite, en 2006.

---

5. Nous expliquons cette dénomination au chapitre 4.
6. C'est dans cette perspective qu'une initiative québécoise comme le service bénévole et communautaire de raccompagnement pour buveurs *Opération Nez Rouge*, établi depuis 1980, fait office de pratique pionnière en réduction des méfaits.

Les années 2000 : remise en cause du virage préventif ?

À partir de la fin des années 1990, le « virage préventif » s'estompe au profit des approches davantage cliniques et d'un retour aux mesures coercitives. L'intervention en milieu scolaire est défavorisée avec la disparition progressive des EPT et se retrouve animée de diverses tendances, sans cohérence d'ensemble : programme émanant des forces policières, d'autres sous l'égide de la santé publique, d'autres indépendants comme Prisme[7].

Côté réduction des méfaits, malgré le lancement du programme de recherche NAOMI (North American Opiates Medication Initiative) de prescription d'héroïne et l'augmentation du nombre de seringues distribuées sur le territoire québécois, la progression des initiatives et des programmes novateurs ralentit. À preuve, le projet de site de consommation supervisé et la phase II de recherche sur la prescription d'hydromorphone (SALOME – Study to Assess Longer-term Opioid Medication Effectiveness) ont été remis en question et les ressources assurant la provision de matériel stérile de même que l'accompagnement des toxicomanes de la rue connaissent un certain essoufflement.

Pour les prochaines années, trois développements pourront avoir des répercussions importantes sur l'orientation et la forme que prendront les approches préventives :

1. la reconfiguration du réseau québécois de la santé autour des CSSS (Centres de Santé et de Services sociaux) qui, pour atteindre sa visée d'une intégration plus efficiente et efficace des soins et des services offerts aux populations, a l'immense défi de mettre en réseau collaboratif les cultures de la santé publique, du travail communautaire et de l'intervention en toxicomanie ;
2. l'évolution de la promotion de la santé vers un modèle dit de santé des populations qui implique la prise en compte des déterminants sociaux, économiques et culturels dans l'intervention auprès des populations ;
3. la reconnaissance des approches de réduction des méfaits comme moyens pragmatiques et efficaces d'intervention afin de protéger la santé publique et améliorer la qualité de vie des individus.

7. Programme fondé au début des années 1990 et prônant une approche originale dite de gestion « expérientielle ».

Nous venons de présenter le contexte historique dans lequel s'est développé l'un des deux axes fondateurs de l'intervention dans le domaine de la toxicomanie au Québec : la prévention. Avec l'axe de la prise en charge, elle ouvre à ce qu'il est aujourd'hui convenu de désigner comme le continuum de l'intervention en toxicomanie.

Le continuum de l'intervention en toxicomanie

Afin de clarifier notre vision du champ actuel des pratiques, nous les décrirons maintenant à partir du continuum qu'elles ont peu à peu constitué. Nous venons de constater que, historiquement, ce continuum s'est en quelque sorte construit à rebours, au gré de l'apparition de besoins nouveaux dans la société : d'abord le déploiement du curatif, puis l'émergence du préventif qui se complexifie avec la venue du promotionnel, pour finir avec l'approche intégrative de la réduction des méfaits qui, bien que pouvant être associée à la quasi-totalité du continuum, donnera sa véritable importance à l'intervention précoce, espace mitoyen entre prévention et prise en charge.

L'intervention, quelle qu'elle soit, est un acte posé dans le temps, à un moment ou l'autre d'une continuité d'événements. Intervenir en toxicomanie peut ainsi se concevoir sous forme d'un continuum où l'on trouve essentiellement trois stades : avant, pendant ou après la survenue d'une situation qui pose problème, qui a été socialement jugée indésirable et que l'on cherche à éviter (avant), contrôler (pendant) ou éliminer (après). À l'origine, ces stades vont être désignés en tant que prévention primaire, secondaire et tertiaire, puisqu'il est envisageable, à tout moment d'un continuum donné, d'intervenir « préventivement » pour empêcher que quelque chose de pire ne se produise.

Dans un premier temps, nous étudierons et analyserons la façon dont les auteurs définissent les trois stades de la prévention ou de l'intervention préventive. Nous montrerons, dans un deuxième temps, que la pratique a permis d'affiner la compréhension des trois stades de l'intervention. Ceci nous permettra de donner une définition synthèse de chacun des stades. Nous terminerons cette partie en évoquant le continuum des populations visées à travers un exemple précis.

Définitions des stades de la prévention

La désignation tripartite autour du terme central de prévention fut systématisée pour le domaine de la santé mentale au cours des années 1960 par le psychiatre américain Gerald Caplan. Depuis, cette catégorisation en trois stades a été adoptée par l'Organisation mondiale de la santé (OMS) et par toute une lignée d'auteurs et d'intervenants œuvrant dans le domaine large de la santé, incluant la toxicomanie.

Les définitions des auteurs

Le tableau 1.1 fournit un aperçu qui, au-delà des nuances et des styles, illustre depuis les années 1960 jusqu'aux années 1990 la convergence des définitions proposées pour qualifier les trois «moments» de l'intervention.

L'importance de la définition de la situation indésirable initiale

Les définitions attribuées à chacun des stades posent toutes l'idée d'un continuum d'interventions plus ou moins précoces, plus ou moins tardives, par rapport à un indésirable de départ, problème de santé physique ou mentale, abus de drogues, etc. Or, c'est précisément la définition de la situation indésirable initiale qui détermine la nature des interventions sur le continuum.

Prenons deux exemples. Si ce que la société considère indésirable est l'usage des drogues illicites, alors la prévention primaire visera l'ensemble des non-consommateurs afin d'empêcher l'apparition de l'usage ; la prévention secondaire concernera ceux qui ont déjà commencé en cherchant à les rejoindre avant qu'ils ne développent une consommation régulière ou abusive ; enfin, la prévention tertiaire touchera les consommateurs ayant développé un problème de consommation dans le but de les remettre en santé avant qu'ils n'encourent des conséquences trop graves. Par contre, si l'indésirable social de départ est, comme dans le cas de l'alcool, l'usage problématique, la prévention primaire visera l'ensemble des consommateurs modérés pour limiter l'incidence de surconsommation chez ces derniers ; la prévention secondaire ciblera les consommateurs présentant un problème en les incitant à réduire leur consommation ou à éviter d'aggraver leur situation (par exemple, en conduisant lorsqu'ils sont en état d'ébriété) ; la prévention tertiaire traitera des cas plus lourds que

TABLEAU 1.1

Définitions des stades de la prévention selon différents auteurs

	PRIMAIRE	SECONDAIRE	TERTIAIRE
Caplan, G. (1964). *Principles of preventive psychiatry.* N.Y. : Basic Book	Empêcher l'apparition d'un trouble.	Traiter au plus vite le trouble.	Limiter les dégâts des troubles irréversibles, éviter l'apparition de troubles secondaires.
Low, K. (1979). *Connaissances de base en matière de drogue.* Ottawa : SBESC	Il n'existe aucun indice quant à la probabilité de l'apparition d'un problème.	Certains indices précoces rendent probables l'apparition d'un problème.	L'apparition d'un problème est relativement certaine et imminente.
Vuylsteek, L. (1984). *Précis des toxico-manies.* Paris : Masson	Diminuer l'incidence d'une maladie dans une population en réduisant le risque d'apparition de cas nouveaux.	Diminuer la prévalence d'une maladie dans une population en réduisant l'évolution et la durée.	Diminuer la prévalence des incapacités chroniques dans une population en réduisant les invalidités fonctionnelles.
Comité de la santé mentale du Québec (1985). *La santé mentale des enfants et des adolescents.* Québec : MAS	Réduire l'incidence de nouveaux problèmes, empêcher des problèmes de santé mentale d'apparaître.	Diminuer la prévalence des problèmes par un dépistage précoce et la thérapie.	Amoindrir les effets ou les séquelles d'un problème ou d'une pathologie.
Torjman, S. (1986). *Prévention dans le domaine des drogues* (M-I). Ottawa : ASC (voir références)	Empêcher la survenue d'un événement ou d'une situation.	Interrompre l'événement ou enrayer le mal le plus tôt possible.	Empêcher l'aggravation de la situation ou de l'événement.
Angel, P. (1987). *L'éducation et les drogues : prévenir.* Paris : Unesco	Empêcher qu'un trouble, un processus, un problème ne se produise.	Reconnaître et supprimer ou modifier dans un sens positif, et le plus rapidement possible, un trouble, un processus, un problème.	Enrayer ou retarder la progression d'un trouble, d'un processus ou d'un problème et de ses séquelles alors même que persiste la situation qui l'a suscité.

	PRIMAIRE	SECONDAIRE	TERTIAIRE
Cormier, D., Brochu, S., Bergevin, J.P. (1991). *Prévention primaire et secondaire de la toxicomanie.* Montréal : Méridien	Actions anticipatoires visant à diminuer la probabilité d'apparition ou le développement d'une condition ou d'un événement.	Intervention rapide en vue d'enrayer un état, en voie d'établissement aux premiers signes du problème.	Traitement d'un état permanent, d'une maladie.

précédemment (par exemple, des alcooliques avec multiples problèmes de santé) en conservant l'objectif de remettre sur pied les individus atteints en limitant au maximum les dégâts.

Les controverses autour de l'appellation « prévention »

Un certain nombre d'intervenants et d'auteurs ont toutefois contesté l'extension abusive du concept de prévention qui ne devrait, étymologiquement, s'appliquer qu'à « ce qui vient avant ». Aussi, plusieurs sont-ils retournés à l'appellation traditionnelle – prévention, dépistage et traitement – issue de l'épidémiologie et des sciences médicales, pour qualifier les trois stades de l'intervention en toxicomanie. Si cela permet de reconnaître LA prévention comme celle qui se fait avant, au stade primaire, l'idée de progression et de continuité des pratiques est par contre moins présente et le danger que se perpétue le clivage classique entre les pôles préventif et curatif est bien réel.

En fait, l'évolution des façons de nommer le continuum et les controverses s'y rattachant, loin d'être de futiles guerres sémantiques, recouvrent le plus souvent des débats philosophiques de fond entre une lecture sociale et un lecture médicale des problèmes, entre la part de l'intervention dans le milieu et la part de l'intervention clinique, entre la priorisation des actions sur les causes et des actions sur les symptômes. Une catégorisation tripartite d'inspiration nettement médicale est aujourd'hui en vigueur avec la dernière reconfiguration du réseau québécois de la santé et des services sociaux, dans laquelle il n'est désormais plus question que de première, deuxième et troisième lignes d'intervention – la première englobant tout ce qui est en amont d'une prise en charge institutionnelle, donc la prévention. On ne s'étonne plus dès lors que, dans ce contexte, l'on désigne les projets préventifs, communautaires et d'intervention dans le milieu sous le vocable de… projets cliniques! De plus, cette typologie crée de la confusion avec les trois lignes traditionnelles du stade tertiaire que nous décrivons ci-après.

Appellation nouvelle et caractéristiques des trois stades

Les caractéristiques des trois stades

Les définitions des différents stades de l'intervention peuvent varier, mais la dénomination en trois stades demeure la façon usuelle de présenter le champ de l'intervention en toxicomanie. Au fil de l'évolution des pratiques s'est cependant dessinée une appellation plus fine qui tient compte des changements intervenus sur le plan de l'intervention. Cette appellation nouvelle désigne dorénavant les trois stades dans le secteur des toxicomanies de la façon suivante:

1. stade primaire: promotion de la santé et prévention
2. stade secondaire: repérage (identification)[8] et intervention précoce
3. stade tertiaire: désintoxication, réadaptation et suivi

Au niveau primaire, la configuration élargit la prévention en la couplant avec la promotion de la santé, ce qui ouvre non seulement sur la possibilité d'éviter l'indésirable, mais aussi sur la perspective d'encourager le désirable: en d'autres mots, l'intervention de stade primaire est située non plus simplement en rapport à un continuum de la maladie ou de la pathologie, mais aussi en rapport à celui de la santé; non plus strictement confinée à contrer des risques, mais aussi orientée vers la construction de forces. Nous explorons au chapitre 3 l'impact majeur de l'introduction du volet de la promotion de la santé sur les pratiques de prévention primaire.

Au stade secondaire, la nouvelle réalité est qu'il est non seulement important de détecter rapidement un problème lorsqu'il se manifeste (repérage), mais qu'il importe dorénavant d'intervenir de façon rapide pour limiter sa propagation ou la genèse de méfaits: il s'agira le plus souvent d'interventions menées dans le milieu, avant que le système curatif (ou coercitif), plus lourd, soit mis à contribution. L'intervention précoce est associée aux programmes et services à l'intention des grands buveurs

---

8. C'est le nouveau terme de santé publique en vigueur au Québec en remplacement de «dépistage», dorénavant limité au domaine des maladies physiques.

et pour la prévention de la conduite sous facultés affaiblies ; également, de plus en plus, on l'associe au travail de milieu ou de proximité qui s'est fortement développée depuis l'éclosion des pratiques en réduction des méfaits : nous y revenons en détail au chapitre 4.

Finalement, la nouvelle désignation du tertiaire décompose les étapes de prise en charge en trois temps : désintoxication, réadaptation et suivi, aussi désignés comme première, seconde et troisième lignes de l'intervention curative (à ne pas confondre, nous le rappelons, avec la typologie d'inspiration médicale mentionnée précédemment). La figure 1.1 présente les éléments du continuum en précisant, à chacun des stades, la visée épidémiologique (d'un point de vue de contrôle de la distribution collective des pathologies) ainsi que les objectifs poursuivis en matière de santé.

FIGURE 1.1

Stades de l'intervention, appellations et caractéristiques associées

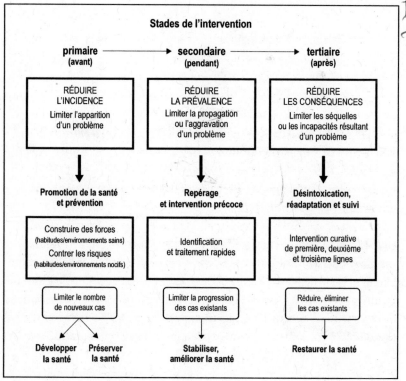

À noter que le courant nord-américain dit de « science de la prévention » a introduit une façon de découper la prévention selon deux axes, en fonction du risque encouru[9] : la prévention universelle, s'adressant au grand public ou à une population dans son ensemble, et la prévention ciblée, visant des sous-groupes ou individus à risque. La prévention ciblée peut à son tour se subdiviser en prévention ciblée sélective (individus et groupes à risque) et prévention ciblée indiquée (populations à risque *et* présentant les premiers signes ou symptômes du problème). On retrouve dans cette typologie les volets promotionnel et préventif de l'intervention primaire de même que de l'intervention secondaire.

La définition synthèse des trois stades

Partant de la typologie contemporaine résumée dans la figure 1.1, nous présentons maintenant une définition synthèse des stades d'intervention en toxicomanie.

L'INTERVENTION DE STADE (OU PRÉVENTION) PRIMAIRE. Ensemble des mesures visant à limiter l'incidence, c'est-à-dire empêcher qu'un problème n'apparaisse, soit par la promotion générale d'habitudes ou d'environnements sains auprès de larges populations ; soit par la prévention spécifique de problèmes susceptibles de toucher des populations à risque. Dans le premier volet, l'objectif sera d'optimiser l'état de santé ; dans le second, de préserver l'état de santé ; dans le contexte de la réduction des méfaits, le volet préventif sera qualifié de réduction des risques, comme on le verra plus loin. En termes d'épidémiologie, on parle ici de limiter le nombre de nouveaux cas du problème appréhendé.

L'INTERVENTION DE STADE (OU PRÉVENTION) SECONDAIRE. Ensemble des mesures visant à limiter la prévalence, c'est-à-dire empêcher qu'un problème ne se propage ou ne dégénère, par le repérage (identification) des individus ou les groupes en difficulté et l'intervention précoce (traitement) de ces clientèles. L'objectif est ici de stabiliser et, éventuellement, d'améliorer l'état de santé. C'est le stade clé de l'action en réduction des

---

9. Sur le courant en question, voir Coie (1993) et sur la typologie, Mrazek et Haggerty (1994).

dommages qui implique, épidémiologiquement parlant, de limiter la propagation des cas existants.

L'INTERVENTION DE STADE (OU PRÉVENTION) TERTIAIRE. Ensemble des mesures visant à limiter les conséquences, c'est-à-dire empêcher qu'un problème ne laisse des séquelles ou des incapacités permanentes chez les individus atteints ; la phase tertiaire de l'intervention préventive se confond de fait avec l'intervention curative de première ligne (désintoxication), deuxième ligne (réadaptation ou réhabilitation) et troisième ligne (suivi, réinsertion, prévention de la rechute). L'objectif est de restaurer et de maintenir l'état de santé, certaines pratiques tertiaires pouvant également s'inscrire dans une perspective de réduction des méfaits ainsi que nous le verrons au chapitre 4. Au plan du contrôle des épidémies, on parle à ce stade de réduction ou d'élimination des cas existants par la guérison et le rétablissement des personnes atteintes.

Le continuum des populations visées

Une donnée nouvelle doit être introduite pour compléter ce portrait, soit le continuum des populations visées.

De façon générale, plus une intervention se situe en amont, c'est-à-dire plus elle est posée tôt dans le temps et possède un caractère primaire, plus la taille des populations touchées est importante. Au terme du continuum, en intervention tertiaire, le mouvement s'inverse de façon symétrique : plus l'on progresse vers la réinsertion, plus l'importance des populations touchées s'accroît. La figure 1.2 présente graphiquement l'entonnoir renversé que ce processus dynamique dessine. En conclusion de cette seconde partie, nous illustrons l'ensemble du continuum par un exemple.

L'exemple de la consommation abusive d'alcool chez les jeunes

Illustrons, en terminant, la double réalité du continuum des stades et des populations visées à partir d'un exemple en toxicomanie. La situation indésirable de départ choisie est la consommation problématique d'alcool chez les jeunes de 12-14 ans[10].

10. Les mesures ou activités préventives sont données en guise d'exemples. Nous les étudierons en détail plus loin dans le manuel.

FIGURE 1.2

Continuum des populations visées selon le stade de l'intervention

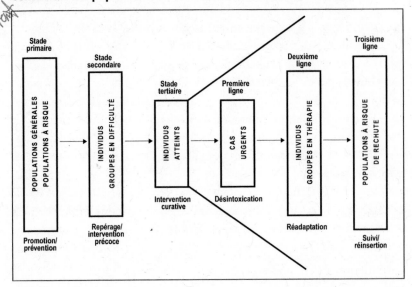

STADE PRIMAIRE

- Promotion de la santé : intervention sur l'ensemble des jeunes de 12 à 14 ans de même que sur la population des plus jeunes (10-12 ans) pour promouvoir des activités de socialisation axées sur le sport, la créativité, etc.
- Prévention : intervention auprès des garçons de 12-14 ans de certains milieux socioéconomiques, considérés à risque de s'initier tôt à l'alcool et de développer une consommation régulière (les informer, par exemple, des dangers d'un usage quotidien).

STADE SECONDAIRE

- Intervention auprès de jeunes présentant des problèmes de consommation (par exemple, état d'ébriété durant les heures de cours) par des intervenants spécialisés qui tentent de les rejoindre afin de les accompagner, de leur procurer des moyens de limiter les conséquences négatives de leur consommation et, éventuellement, de les référer à des services de prise en charge.

STADE TERTIAIRE

- Première ligne : intervention auprès de personnes en état de crise (p. ex. : coma éthylique) par des mesures d'hospitalisation comme la désintoxication en urgence.
- Deuxième ligne : intervention thérapeutique auprès des consommateurs dépendants ou alcooliques, visant leur réadaptation ou une diminution sécuritaire de leur consommation.
- Troisième ligne : intervention visant à prévenir la rechute chez les ex-consommateurs dépendants et à faciliter leur réinsertion au sein de la communauté.

＊

La prévention a historiquement émergé et s'est développée selon la logique des besoins en présence et des ressources qui ont été mises en place pour les satisfaire. La prévention représente un moment particulier à l'intérieur d'une continuité de gestes posés par des intervenants, allant du développement d'un état optimum de santé au sein d'une population à la restauration complète d'un état de santé perdu chez des individus, en passant par les phases intermédiaires de protection et de stabilisation de la santé chez des cohortes particulièrement vulnérables.

Dans le prochain chapitre, nous abordons la prévention sous un angle philosophique qui débouche sur une réflexion éthique concernant les pratiques en ce domaine. Nous analyserons les deux ordres de signification que revêt la notion de prévention : anticiper pour savoir se conduire et anticiper dans le but d'influencer les autres à pouvoir le faire. Puis, nous aborderons les rapports étroits existant entre la dimension privée et publique de l'acte de prévenir. Enfin, nous nous interrogerons sur le continuum des rapports d'intervention. Nous poserons donc les questions suivantes : pour qui et pourquoi prévenir ?

CHAPITRE 2

Prévention :
aspects philosophiques et éthiques

Nous venons de situer la prévention dans le contexte sociohistorique général où elle est venue au monde et s'est développée. Nous avons également défini la spécificité de la prévention par rapport aux autres stades de l'intervention en toxicomanie. Nous sommes donc maintenant à même de mieux cerner le champ proprement préventif dans le continuum intégré des soins et des services en toxicomanie – pour reprendre la terminologie actuellement en vigueur dans le secteur de la santé.

Avant d'approfondir les deux courants ayant le plus marqué l'intervention préventive ces dernières années, soit la promotion de la santé (chapitre 3) et la réduction des méfaits (chapitre 4), nous allons prendre le temps d'approfondir la notion même de prévention afin d'en faire ressortir la richesse de signification. Cela nous conduira à considérer les aspects philosophiques de l'acte de prévenir, en tant qu'art de vivre, et les aspects éthiques, en tant que responsabilité vis-à-vis d'autrui, tant au niveau privé que public. Au continuum de l'intervention et au continuum des populations visées, abordés dans le précédent chapitre, nous complétons notre compréhension en y ajoutant le continuum des rapports d'intervention.

Les deux ordres de signification de la prévention

Dans cette première partie, nous distinguons les deux types de prévention, la prévention-influence et la prévention-autogestion, puis nous expliquons la dynamique qui les relie, avant d'analyser comment cette relation diffère dans le champ privé et dans le champ public. Cette partie se termine sur l'exemple de la relation parentale, qui nous permet d'illustrer les différentes interrelations.

Prévention-influence / Prévention-autogestion

Étymologiquement, prévenir signifie « venir avant », « prendre les devants ». Peu importe le nombre de définitions qu'en fournissent les dictionnaires, ces dernières peuvent être fondamentalement distinguées sur un aspect : soit on prévient quelqu'un, soit on prévient quelque chose. Il y a donc là deux ordres ou registres de signification.

Prévenir, c'est :

1. Informer à l'avance, avertir, mettre en garde contre l'indésirable et prendre les mesures en conséquence : cela renvoie à l'art d'intervenir pour aider les gens à conduire leur propre vie.
2. Agir à l'avance, devancer, anticiper quelque chose d'indésirable (ou de désirable) de façon à pouvoir l'éviter ou le favoriser : cela renvoie à l'art de conduire sa propre vie.

Dans le premier cas, prévenir fait référence à des formes d'influence sur autrui qui visent à assurer leur bien-être ou, reprenant l'expression de Renaud[1], à « enseigner à chacun pour son bonheur ce qu'il convient de faire ou de penser ». Dans le second cas, prévenir relève d'une forme de maîtrise de soi afin d'assurer son propre bonheur.

Ces deux ordres de signification de la prévention, nous les distinguerons désormais comme prévention-influence et prévention-autogestion. Voici une définition plus élaborée et quelques formulations d'usage :

1. Prévention-influence : être capable d'agir sur les autres, de les influencer dans le contexte de situations ou de conséquences jugées menaçantes, de les protéger, de les prémunir contre les risques, les dangers, les problèmes susceptibles de les toucher. Exemples : « Je vous préviens que si vous ne faites pas les activités d'accompagnement de chacun des chapitres, vous ne réussirez pas ce cours » ; « Nous tenons à vous prévenir des risques que vous encourez si vous adoptez ce comportement[2]. »
2. Prévention-autogestion : être capable d'anticiper, de juger, de prendre des précautions, de gérer son existence pour éviter que quelque chose de désagréable, des problèmes ou des crises ne surviennent. Exemples :

1. Renaud, M. (1984). Les « *progrès* » de la prévention. *Revue internationale d'action communautaire*, 11, 51 : 41.

2. Notons, au passage, que la notion juridique de « prévenu » pousse le sens à sa limite, soit, littéralement, la mise en garde à vue d'un individu présumé coupable.

«Comme je m'attendais à cette réaction, j'ai pu prévenir le coup»; «Nous prenons des précautions pour prévenir les difficultés de parcours.»

Cette distinction, en apparence anodine, a pourtant une grande portée et ouvre sur une réflexion tant philosophique qu'éthique concernant les rapports à soi et à l'autre et les relations entre la vie privée et l'intervention publique. Pour ce faire, commençons par examiner les relations qui existent entre l'ordre de l'influence et celui de l'autogestion.

Les relations entre influence et autogestion

La question qui se pose est celle-ci: un ordre d'action doit-il avoir préséance sur l'autre? Est-ce l'influence éclairée d'autres personnes qui permet, peu à peu, d'atteindre une capacité d'autogestion et de responsabilisation au plan personnel? Doit-on plutôt être capable de maîtrise sur sa propre vie avant d'envisager exercer une influence adéquate sur les autres? C'est un peu là le problème de l'œuf et de la poule, tout individu étant le produit d'influences antérieures ayant contribué à le façonner et à partir desquelles il devient, pour son entourage, source d'influences à son tour. La figure 2.1 illustre cette dynamique «en boucle» dans le cas de l'action de prévenir.

Nous sommes en présence d'un processus continu de transmission et de transformation, de génération en génération, des savoirs, attitudes, habiletés et comportements avec lesquels chacun sera à même d'accueillir aussi bien les risques que les chances de l'existence. Ce processus peut être envisagé comme un cercle vicieux ou vertueux[3] où se perpétue le pouvoir d'agir des individus, l'élément clé étant ce qu'ils ont acquis de l'héritage qui leur a été transmis (par les parents et la société) dans toutes les sphères d'exercice de ce pouvoir. La figure 2.2 complète la dynamique de la figure précédente en y introduisant l'élément de l'héritage transmis et acquis[4] et

3. Certains préfèrent parler de «spirale», évolutive ou régressive, attendu qu'il n'y a jamais reproduction identique de ce qui a été transmis, mais adaptation, qui peut aller dans un sens comme dans l'autre.
4. Il y aurait beaucoup à dire sur la dynamique entre ce qui est transmis et ce qui est effectivement acquis par les individus. Contentons-nous d'insister sur le fait qu'il doit y avoir transmission pour qu'il y ait acquisition et que c'est nécessairement à partir de ce qu'elle a acquis qu'une personne est à même ou non de développer ses facultés d'autogestion et un pouvoir d'agir.

FIGURE 2.1

Relation entre les ordres de l'influence et de l'autogestion, en prévention

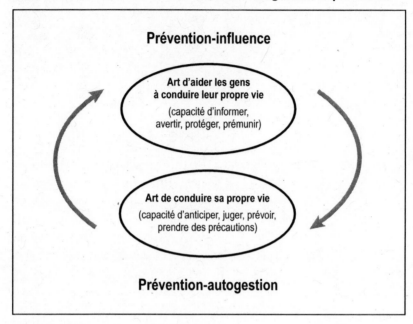

FIGURE 2.2

Dynamique entre les ordres de l'influence et de l'autogestion, en relation avec l'héritage transmis et acquis, pour trois domaines de pratiques : prévenir, enseigner, aimer

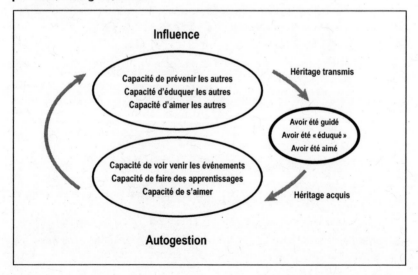

en élargissant la démonstration à d'autres domaines de pratiques que celui de la prévention.

Ainsi peut-on aisément comprendre que notre capacité de prévenir les autres, de les éduquer et, ultimement, de les aimer, est fondamentalement liée à la faculté de « voir venir » dans sa propre vie, d'effectuer des apprentissages et de s'aimer soi-même, cette faculté découlant, dans une large mesure, de la nature de la guidance, de l'éducation et de l'amour reçus. Donnons un exemple pour chacun de ces domaines.

- Transmission de la capacité de prévenir : un jeune manque d'encadrement et de repères à l'adolescence lui permettant d'évaluer les situations à risque et de faire des choix adéquats ; adulte, il manque fréquemment de jugement face aux événements de la vie courante ; devenu intervenant, il préconise des mesures hypercontrôlantes de prévention à l'endroit de jeunes pour compenser la désorganisation de sa propre existence et par peur de les voir adopter le même chemin que lui. Ses interventions ne favorisent aucunement la capacité d'autogestion des jeunes.

- Transmission de la capacité d'éduquer : un enfant grandit dans un contexte familial et scolaire où les valeurs de curiosité, d'ouverture d'esprit et d'expérimentation sont stimulées ; il acquiert au fil des années le goût d'entreprendre ses propres recherches et de mener sa propre réflexion sur le monde qui l'entoure ; devenu enseignant, il excelle à susciter l'engagement de ses élèves dans des projets d'apprentissage hors des sentiers battus, mais requérant une forte dose de responsabilité des apprenants.

- Transmission de la capacité d'aimer : une enfant est négligée, mal aimée de ses parents et éprouve de la difficulté à développer estime et amour de soi. Adulte, elle s'engage en amour de façon fusionnelle et égocentrique, ce qui peu à peu devient destructeur à l'endroit du conjoint et des enfants. Ces derniers seront alors sujets à transmettre à la génération suivante ce déficit au plan affectif.

En bref, subir de « mauvaises influences » ou abuser de celle que l'on a encouragent le développement des états de carence et de dépendance, à l'opposé de la capacité d'autogestion ; ces états favorisent en retour les manifestations de peur, de contrôle ou de violence, dirigées contre soi aussi bien qu'à l'endroit des autres. Bien sûr, il n'y a pas là de déterminisme absolu, puisque la construction de nos identités repose sur d'autres facteurs que l'éducation parentale et l'environnement socioculturel, notamment le bagage génétique. Mais, le plus important, c'est qu'il existe toujours la possibilité d'une prise de conscience et d'une transformation personnelle, quoi qu'ont pu être les influences subies. Il n'en demeure pas moins que la transmission intergénérationnelle des forces et des handicaps est un phénomène central à prendre en compte dans une perspective de prévention durable.

Ce que nous venons de décrire des relations entre influence et autogestion ne s'applique pas qu'au plan personnel, mais s'exerce également au plan collectif. Nous verrons donc, dans la prochaine section, comment la dynamique des deux ordres se transpose dans les champs du privé et du public.

Les champs d'application du privé et du public

L'influence et l'autogestion dans les champs du privé et du public ouvrent quatre espaces privilégiés de prévention, en étroite liaison les uns par rapport aux autres, tels que représentés à la figure 2.3.

FIGURE 2.3

Les champs d'application des deux ordres de la prévention et leurs interrelations

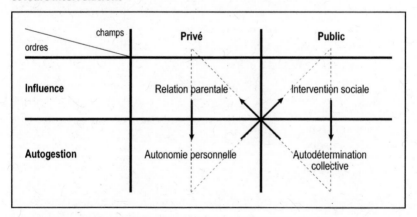

L'application type de l'influence (avertir, mettre en garde) dans le privé est la relation parentale ou les rapports parents/enfants : les parents ont en effet à cœur d'avertir, de mettre en garde, de prémunir leurs enfants contre toutes formes de situations indésirables qui pourraient les guetter. En ce sens, ce sont les premiers véritables agents de prévention dans l'existence de chacun. Au plan public, la prévention-influence prend la forme de l'intervention sociale, soit l'action exercée par des agents, spécialistes, experts et intervenants de tous ordres afin d'avertir, de protéger ou d'exercer certaines formes de contrôle sur les populations, qui permettront d'éviter l'apparition de problèmes, de situations socialement indésirables. C'est précisément ce créneau de savoirs et d'habiletés que vise à documenter le présent ouvrage.

De retour dans le champ du privé, la capacité d'autogestion renvoie à l'autonomie personnelle, soit la capacité « de se conduire selon sa propre loi », ainsi que l'étymologie du mot nous le rappelle, ce qui revient à l'aptitude à se gouverner par soi-même, à témoigner et faire preuve d'un « pouvoir adaptatif ». Au plan public, la prévention-autogestion prend cette fois la forme de l'autodétermination collective ou la faculté, pour un groupe ou une communauté, d'exercer un contrôle sur son développement à partir de la capacité à gérer démocratiquement les risques et les aléas du cours de l'existence. Ce sont des lieux d'*empowerment* collectif (coopératives, fraternités, syndicats, groupes de défense des droits, etc.).

Voyons maintenant comment la dynamique précédemment décrite entre l'ordre de l'influence et l'ordre de l'autogestion vient se superposer à la dynamique existant entre les champs du privé et du public pour générer une séquence d'interrelations qui ouvre notre compréhension de la prévention sur une perspective encore plus large.

Les interrelations : l'exemple de la relation parentale

Prenons la relation parentale comme point de départ et exemple type de l'influence préventive dans la sphère privée. Les énergies et les ressources consenties à l'éducation visent, ainsi que tous les parents le souhaitent, à rendre les enfants heureux, c'est-à-dire à faire en sorte que non seulement ils ne trébuchent ni ne se blessent trop souvent, mais surtout qu'ils apprennent, à la faveur des difficultés rencontrées, à mieux se connaître et à acquérir du discernement. Dans cette perspective, le résultat d'une intervention parentale réussie, d'un point de vue préventif, est le développement de personnes dotées d'une véritable capacité d'autonomie. À l'inverse, une intervention parentale déficiente d'un point de vue préventif produira des adultes dépendants (des autres, des lois, des attentes sociales, etc.). C'est ici que se joue le rapport entre héritage transmis et héritage acquis.

Par la suite, dans un second temps, le degré d'autonomie des personnes transparaît inévitablement – en dépit des contraintes institutionnelles – sur la façon d'intervenir auprès d'individus et de groupes sur lesquels on cherche à exercer une influence. La capacité à éviter les écueils, à évaluer les situations dangereuses et à apprendre de ses erreurs est alors mise à contribution dans une visée sociale, soit d'assurer ou de préserver un bien-être de nature collective. Une intervention sociale réussie, d'un point de vue préventif, est celle qui permet de développer chez des groupes et collectivités une véritable capacité d'autodétermination. À l'inverse, l'intervention sociale peu concluante au plan préventif maintiendra ces groupes et collectivités dans une situation de dépendance (aux institutions, aux experts, aux politiques de l'État, etc.).

Finalement, au terme de ce processus, on peut observer que la capacité d'autodétermination d'un groupe ou d'une collectivité reflète et est à même de produire une culture de l'autonomie dans laquelle le jugement critique, le discernement et la créativité dans l'exercice de sa liberté priment. Cette culture de l'autonomie est le terreau par excellence pour l'éclosion d'une solide aptitude à la parentalité et à la possibilité de favoriser le développement d'une nouvelle génération d'êtres autonomes. A contrario, des groupes et des collectivités sans réel pouvoir d'autodétermination sur leur vie risquent de produire une culture à cette image et des parents bien mal équipés pour emprunter le chemin de l'éducation à l'autonomie.

Le continuum des rapports d'intervention

Nous venons d'explorer la richesse des avenues de réflexion que la distinction entre prévention-influence et prévention-autogestion permet d'ouvrir, notamment lorsque ces deux ordres sont appliqués aux registres du privé et du public, du personnel et du collectif. Afin de pousser plus avant la compréhension des relations par lesquelles il est possible d'évoluer de situations d'influence vers des situations d'autogestion, nous allons maintenant aborder ce qu'il est convenu d'appeler le continuum des rapports d'intervention.

Présentation du continuum

Des auteurs du champ des sciences politiques, de la sociologie ou du travail social ont défini le continuum des rapports existant entre intervenants et «intervenus», entre les personnes qui exercent un pouvoir d'influence et ceux qui en bénéficient ou en font les frais, dépendamment des circonstances. La séquence comporte généralement quatre stades, le dernier désignant la fin du rapport d'influence au profit de l'atteinte d'un état d'autogestion. Il est ainsi question «d'action sur, d'action pour, d'action avec et de capacité d'agir»[5] ou, exprimé en termes de pouvoir, de «pouvoir sur, pouvoir pour, pouvoir avec et appropriation du pouvoir (*empowerment*)»[6]. En fondant ces deux nomenclatures et en définissant ce qui caractérise le rapport d'intervention à chacun des stades, nous obtenons la figure synthèse suivante :

TABLEAU 2.1

Le continuum des rapports d'intervention et les caractéristiques impliquées

Agir sur	Agir pour	Agir avec	Capacité d'agir
Pouvoir sur	*Pouvoir pour*	*Pouvoir avec*	*Appropriation du pouvoir*
définir pour autrui l'indésirable et imposer les mesures	définir pour autrui l'indésirable et légitimer les mesures	définir conjointement l'indésirable et les mesures	l'autre définit de façon autonome l'indésirable et les mesures
contrôle	**normalisation**	**participation**	**autogestion**
.... INFLUENCE			

Le paradigme de la relation parentale

Le paradigme de la relation parentale permet d'illustrer de façon éloquente le continuum des rapports d'intervention, car on y retrouve un processus éducatif et développemental qui doit, du moins en théorie, évoluer du contrôle vers l'autogestion. Ainsi, lorsque l'enfant est bébé, les parents ont

5. Voir Lascoumes, P. (1977). *Prévention et contrôle social.* Genève, Masson.
6. Labonté, R. (1993). *Community Health and Empowerment : Notes on the New Health Promotion Practice.* Health Promotion Centre : University of Toronto.

la responsabilité d'*agir sur*, c'est-à-dire de définir ce qui est bon et mauvais pour l'enfant en lui imposant les décisions qui en découlent: c'est une phase de contrôle total dans la mesure où le petit enfant est totalement dépendant[7]. Nul ne pourrait, en effet, contester le pouvoir «absolu» des parents sur le nouveau-né, père et mère se devant de définir ce qu'il faut éviter et comment: changer la couche du petit, ne pas le laisser seul en haut d'un escalier ou près des ronds de la cuisinière, etc. Des parents qui n'assument pas la responsabilité de l'*agir sur* à cette période de développement passent, à bon droit, pour négligents, car ils mettent en péril la vie même de leur progéniture.

Au fur et à mesure que l'enfant grandit, le rapport de contrôle évolue vers un rapport de normalisation à travers des instructions, conseils, exemples qui constituent autant de manières d'*agir pour* et autant de manières d'amener peu à peu l'enfant à accepter un ensemble de directives et d'orientations considérées comme pour son bien. Il n'est alors plus question de l'exercice d'un contrôle constant et unilatéral sur l'enfant, mais d'un processus de socialisation à des valeurs et à un mode de vie à travers une influence permanente quant à ce qui est «bien» et «mal», ce qui se fait et ne se fait pas. Aussi, tout au long de l'enfance, le petit de l'homme se conforme-t-il, plus ou moins docilement, à ce qui est bon pour lui. N'ayant pas encore la faculté de juger et de décider par lui-même, il est de première importance qu'il acquière des repères et soit influencé, tant à l'école qu'à la maison, dans le sens de ce qui l'aide à se construire vers l'autonomie.

Comment peut-on manquer à sa responsabilité parentale au cours de cette phase? Il est, hélas!, deux scénarios assez courants. Le premier est de maintenir un rapport strict de contrôle comme mode d'éducation de l'enfant, en déniant en quelque sorte la capacité croissante de ce dernier à comprendre et à s'adapter aux situations sans qu'il soit besoin d'user d'autoritarisme. La persistance dans l'*agir sur* dénote souvent l'immaturité même des parents et leurs peurs vis-à-vis de l'exercice de la parentalité. Dans les pires cas, ce mode relationnel devient pathologique et destructeur et donne lieu à des abus psychologiques et physiques de l'enfant. On comprend facilement qu'un excès d'*agir sur* brime le développement vers

---

7. Le fait que le petit de l'homme ait la période de «dépendance» la plus longue chez les mammifères est un point à noter dont les implications, au strict plan de la toxicomanie, sont peut-être plus importantes que l'on ne pense.

l'autonomie et que, conséquemment, c'est souvent un héritage personnel d'asservissement et d'abus dans l'enfance qui produit des parents hyper-contrôlants ou abuseurs. On notera, également, dans la suite de l'exposé précédent sur les interrelations entre plans collectif et personnel, qu'une culture dans laquelle est valorisé l'autoritarisme des rapports entre individus agit comme un encouragement à transposer une telle façon de faire dans la relation parentale.

L'autre scénario, davantage répandu dans nos sociétés qui ont rejeté les éléments autoritaires de la culture des générations précédentes, est celui de vouloir trop rapidement passer au stade de l'*agir avec*, en négligeant de poser les nécessaires balises et contraintes qui permettent la construction de l'autonomie. On fait « copain-copain » avec ses enfants ou on les laisse agir à leur guise comme s'ils avaient la faculté de comprendre et de décider ce qui est bien pour eux. Ce faisant, on oublie que la possibilité de « se conduire intelligemment en dehors des normes » (pour reprendre l'expression heureuse de Ken Low[8]), donc selon sa propre loi, découle de la capacité d'avoir pu accepter et de se conformer à des règles afin de développer la maturité de jugement qui permet un jour de les transcender[9].

Nombre d'ouvrages se penchent aujourd'hui sur le phénomène de la démission parentale, soit cette difficulté à réfléchir et à définir clairement ce qui est désirable et indésirable pour l'enfant puis, résolument, à lui transmettre à travers la répétition d'explications, l'attrait d'exemples et l'application d'une bienveillante (et non vacillante !) fermeté. Il est certes plus facile d'obtempérer aux désirs égocentriques de l'enfant pour acheter la paix, donner l'illusion qu'on l'aime ou se déculpabiliser du manque de temps qu'on lui accorde. Plus encore que dans le scénario précédent, nous sommes en présence d'une « contamination » culturelle : nous vivons au sein d'une société dont les individus se targuent d'être autonomes et voient comme suspecte toute forme d'autorité, alors même que les groupes et collectivités ne possèdent que peu de pouvoir d'autodétermination, se

8. Low, K. (1994). Les jeunes, les drogues et la dépendance : éléments d'une prévention radicale. *In* P. Brisson (éd.) : *L'usage des drogues et la toxicomanie, vol. II* (295-321). Boucherville, Gaëtan Morin, p. 307.

9. C'est d'ailleurs l'inverse qui tend à se produire : les enfants rois (ou tyrans), se comportant prématurément comme s'ils étaient des adultes, deviennent des adultes-enfants, incapables de supporter quelque contrariété à la satisfaction de leurs désirs.

comportant plutôt en victimes ou en enfants gâtés, revendicateurs de soins et de services illimités. Il n'est pas étonnant que l'exercice d'une parentalité responsable soit ardu dans ce contexte.

Le rapport parents/enfants nous permet donc de saisir la pertinence d'interventions de contrôle ou de normalisation en fonction de l'exigence des situations : quand l'autre est impuissant, inexpérimenté, incompétent à agir par lui-même. Puis, au fil du temps, la question vient à se poser : mon enfant est-il capable d'exercer son jugement et sa liberté ? L'autre est-il prêt à « partager » ce pouvoir de définition et de décision ? Ce questionnement, les parents y sont véritablement confrontés au cours du passage à l'adolescence, lorsqu'il s'agit de laisser aller le contrôle, de négocier non plus seulement les directives, mais les orientations mêmes, et de tendre à la concertation pour toute prise de décision. C'est à l'adolescence que se présente le défi de l'*agir avec*, le jeune ayant besoin d'être écouté et considéré comme un être à part entière à qui l'on peut témoigner de la confiance et non seulement prodiguer des conseils, avec qui un dialogue et un échange sont possibles, non simplement l'imposition arbitraire de contrôles. Ce qu'un ado cherche, même confusément, c'est la possibilité de donner son avis sur la définition des « problèmes » qui apparemment le guettent et sur les façons possibles (puisqu'il n'y en a pas qu'une seule) de les éviter. Seul cet apprentissage de la responsabilisation à travers des essais et des erreurs et, surtout, la réciprocité d'un échange avec le parent, pourra faire de jeunes gens en croissance des adultes capables d'autonomie.

On le sait, cette période est pour les parents difficile, car ils réalisent que leurs valeurs, leurs idéaux et leurs projections n'adhèrent plus à la réalité du jeune. Cela conduit souvent les adultes à s'accrocher à leur pouvoir de normalisation : « On sait ce qui est bien pour toi, on est déjà passé par là, tu vas faire des bêtises, tu dois nous rendre des comptes, etc. » C'est parfois la tentative d'un retour désespéré au bon vieux contrôle ou, alors, la démission totale : « Qu'il fasse ce qu'il veut, il en assumera les conséquences, c'est sa vie après tout, etc. » Il suffit pourtant qu'un adulte (et pas nécessairement le parent) fasse preuve d'un peu d'écoute et d'une volonté de partager son expérience de la vie et du monde avec le jeune pour que ce dernier, en apparence si souverain, révèle bien vite ceci : il a besoin des adultes, il cherche volontiers des guides, des points d'appui, des personnes ressources pour accomplir sa quête d'autonomie. Il a encore besoin que l'on agisse pour lui (voire qu'on agisse sur lui, dans certaines circonstances), mais il réclame en même temps d'être traité en interlocuteur valable, en partenaire potentiel. Ironie du sort, au fur et à mesure qu'il lui sera permis de gagner en autonomie et en indépendance d'esprit, il réactualisera les valeurs profondes transmises par son milieu (si tant est que les parents auront légué quelques principes et pratiques de vie dignes d'être perpétués !).

Finalement, l'accomplissement d'une continuité d'interventions éclairées de la part des parents est une accession à l'autogestion, une appropriation du pouvoir par le jeune adulte, une authentique capacité d'agir par lui-même qu'il sera éventuellement appelé à mettre en œuvre socialement pour le mieux-être d'autrui.

L'intervention sociale

La position d'intervenant social exerçant une influence préventive, dans laquelle se trouvent aussi les professeurs, les animateurs culturels, les moniteurs sportifs, les représentants politiques et des médias et bien d'autres, procède d'une transposition symbolique de la relation parentale. Elle est assortie de la même responsabilité en regard du continuum des rapports d'intervention. Il s'agit de conduire, à partir d'où ils sont, des individus et des groupes vers une plus grande capacité d'autonomie et d'autodétermination.

La difficulté de l'intervention dans le champ public est multiple : non seulement l'intervenant est-il tributaire de son propre héritage qui, immanquablement, le confrontera à ses possibilités et à ses limites sur le plan de l'autogestion, mais il s'inscrit également dans une culture particulière qui peut ou non valoriser la poursuite de l'autonomie des personnes et l'autodétermination des collectivités comme but de l'intervention. Finalement, contrairement au contexte parental qui met en présence d'êtres en croissance biologique et psychologique, le contexte social met les intervenants en présence d'individus de toutes provenances et de tous âges, dont il est difficile de juger l'héritage et le degré d'autonomie déjà acquise.

Cela aboutit bien souvent à un compromis mitoyen : comme la majorité des parents considèrent l'*agir pour* au cœur de leur rôle parental, la majorité des intervenants sociaux considèrent leur rôle comme celui d'agir pour le bien des gens, favorisant en cela la plus grande normalisation sociale possible. C'est une action de bonne foi dans une culture qui, au total, encourage sans doute moins le développement de l'autonomie des personnes que la perpétuation du conformisme social.

Quoi qu'il en soit, les mêmes qualités de jugement sont nécessaires à l'intervenant et aux parents pris dans le feu de l'action : qu'exige la situation ? Doit-on faire preuve de contrôle et d'encadrement serrés, parce que les gens à qui nous avons affaire n'ont pour l'heure aucune capacité de comprendre et de réaliser par eux-mêmes la gravité d'une situation ? À l'inverse, veut-on conduire trop rapidement des individus manquant encore de maturité ou de compétences vers une collégialité sur le plan de la prise de décision et de l'action, alors que tout un travail d'accompagnement et de guidance est encore nécessaire ? En bout de ligne toutefois, seules des formes d'intervention sociale ayant comme visée l'appropriation du pouvoir par les individus, groupes et communautés sont à même de favoriser l'autodétermination collective et le développement d'une culture de l'autonomie. Une prévention sociale uniquement fondée sur l'application de mesures de contrôle ou la dissémination de messages persuasifs ne pourra jamais escompter un tel accomplissement. Elle risque au contraire de perpétuer la propension des citoyens à dépendre des grandes institutions publiques, de protection, d'éducation, de santé, dans un cercle vicieux comparable à celui de la transmission intergénérationnelle de l'inaptitude parentale.

*

Cette mise en perspective de la notion de prévention conduit à un questionnement de fond, philosophique et éthique, dont il est souhaitable qu'il reste présent tout au long du cheminement du futur intervenant. C'est pour cela que nous l'intégrons au cadre de référence, préalable à la méthodologie de l'intervention préventive. Voici quelques-unes des interrogations possibles à propos de soi, des autres et de l'intervention publique :

- Est-ce utopique ou idéaliste de considérer que le but de toute entreprise de prévention-influence (dans un cadre de relation parentale ou d'intervention sociale) est d'en arriver à ce que les individus comme les groupes soient capables de gouverner intelligemment leur destinée par eux-mêmes, et donc de se passer d'interventions extérieures ?
- Dans cette optique, avons-nous suffisamment développé notre propre autonomie personnelle pour penser être de bons parents ou de bons

agents de prévention ? Sinon, l'action responsable n'est-elle pas d'entreprendre un travail sur soi en ce sens ?

- Dans le cadre d'interventions sociales préventives, sait-on toujours dans quels intérêts et avec quelles intentions des projets, des programmes et des politiques de prévention sont menés auprès de populations dites à risque ? Que cherche-t-on vraiment à éviter ? Dans quel sens veut-on que les gens se conduisent ? Quand la prévention devient-elle contrôle et abus de pouvoir plutôt que responsabilisation et restitution du pouvoir ?

En bref, la prévention est un domaine de pratiques sociales visant à empêcher que certains problèmes n'affectent des groupes à risque ou vulnérables, par le développement chez ces derniers de la capacité de se prendre en main et de se protéger par eux-mêmes. On peut également parler d'un art de conduire intelligemment et créativement sa vie en voyant venir ce qui se présente et en agissant en conséquence, art transmissible à d'autres générations et, espérons-le, aux collectivités. Aussi peut-on considérer aujourd'hui qu'il y a un devoir préventif de s'engager à mieux gouverner sa propre existence, afin de contribuer un tant soit peu à l'évitement d'une débâcle à l'échelle planétaire...

L'ensemble du propos qui suit porte sur l'exercice de la prévention-influence appliquée au domaine public des toxicomanies. Nous transmettons, dans les deuxième et troisième parties du livre, un savoir sur la méthode et les outils spécifiques permettant à des intervenants d'agir intelligemment auprès de groupes et de populations, pour prévenir des situations socialement indésirables en matière d'utilisation de SPA. Mais avant, abordons un des courants majeurs ayant façonné les pratiques sociales en prévention au cours des trente dernières années : la promotion de la santé. Nous en retracerons l'histoire, en exposerons les stratégies distinctives et considérerons l'impact de ce courant sur les pratiques préventives actuelles.

CHAPITRE 3

Promotion de la santé : caractéristiques et enjeux

Pas à l'exam

La mise en perspective historique et philosophique de la prévention des toxicomanies qui précède a permis de nous familiariser avec l'évolution de ce secteur dans le contexte de la société québécoise ; la place et la définition des pratiques préventives au sein du continuum de l'intervention en toxicomanie ; les niveaux de signification et les champs d'application que recouvre la notion de prévention ; le continuum des rapports d'intervention auquel renvoie toute forme d'action préventive.

Le présent chapitre et le suivant complètent le cadre de référence de l'intervention préventive en introduisant deux courants d'intervention majeurs apparus au cours des dernières années [la promotion de la santé et la réduction des méfaits.] Ces courants ont contribué à dynamiser la pratique de la prévention dans le domaine de la toxicomanie, mais également à en redéfinir les objectifs et à refaçonner les stratégies.

La promotion de la santé émerge dans le cadre du développement de la santé communautaire vers le milieu des années 1970. Le parcours historique ayant abouti à cet avènement nous renseigne de façon significative sur l'évolution des façons de voir et de faire de notre société en matière de santé. Depuis le virage vers la santé des populations des années 1980, la promotion de la santé s'est structurée à travers une série de stratégies et de moyens d'actions spécifiques qui ont exercé une influence sur plusieurs secteurs de pratiques, dont la prévention des toxicomanies. L'apport de l'approche communautaire est au cœur de cette influence. Comme résultat, l'intervention préventive contemporaine au Québec peut être qualifiée de promotion/prévention de par la synergie qui s'est opérée avec le courant de la promotion de la santé, lequel représente dorénavant un volet incontournable de l'intervention de stade primaire, bien présent dans la philosophie d'organismes comme l'Institut national de santé publique du Québec (INSPQ) et les Départements de santé publique (DSP) des diverses régions administratives.

D'une approche maladie à une approche santé

La santé n'est plus considérée aujourd'hui comme une absence de maladie. Sa définition est à la fois plus large et plus positive. Cependant, c'est le passage d'une approche centrée sur la maladie à une approche plus holistique ou plus globale centrée sur la santé qui a été le grand changement des cinquante dernières années.

Trajectoire historique : de la dépendance à l'autonomie

Le champ des pratiques en promotion de la santé est issu d'une trajectoire historique se présentant un peu comme un entonnoir renversé : d'un modèle social de la maladie (hygiène publique) à un modèle individuel de la maladie (médecine symptomatologique), les conceptions basculent du côté de la santé, à partir des années 1970, pour mettre de l'avant un modèle individuel de la santé (modification des habitudes de vie) puis, avec les années 1980, un modèle social de la santé (santé des populations). Inspirée de la synthèse effectuée par Martin et Anctil[1], le tableau 3.1 résume les jalons et les caractéristiques de cette évolution.

Comme on peut le constater, cette évolution historique, qui va de préoccupations essentiellement centrées sur la maladie vers un mouvement de promotion de la santé, individuelle puis collective, est aussi une évolution du statut des personnes : ces dernières passent de victimes à bénéficiaires puis à citoyens responsables, d'abord d'eux-mêmes puis en tant que membres de communautés. En fait, le progrès des sciences biomédicales et humaines, de l'éducation, des conditions de vie et de la culture aura permis de passer de stades de dépendance, collective et individuelle, à des stades d'autonomie, individuelle et collective. Cette évolution est un peu à l'image du continuum des rapports d'intervention, présenté au chapitre précédent.

En d'autres termes, la promotion de la santé n'a pu émerger comme possibilité et défi pour nos sociétés que lorsque les états de crise sociosanitaire ont pu être maîtrisés. Pensez : lors d'une catastrophe naturelle, les autorités mettent en place des mesures d'urgence (*agir sur*) afin de sauver

---

1. Martin, C. et Anctil, H. (1989). La promotion de la santé : une perspective pratique, *Santé Société*, Collection Promotion de la santé, n° 1, Québec, Direction des communications, Ministère de la Santé et des Services sociaux : 5-11 et 32.

TABLEAU 3.1

Évolution des conceptions en matière de maladie et de santé

	Modèle social de la MALADIE	Modèle individuel de la MALADIE	Modèle individuel de la SANTÉ	Modèle social de la SANTÉ
Époque	Du XVIIIᵉ au début du XXᵉ siècle	Depuis le XXᵉ siècle	À partir des années 1970	À partir des années 1980
Causes des problèmes	Fléau, épidémie collective	Dérèglement organique établi par symptômes et diagnostic différentiel	Multifactorielles, fondées sur les déterminants de la santé : la biologie, les habitudes de vie, l'environnement et le système de soins	Multifactorielles, fondées sur les déterminants de la santé : la biologie, les habitudes de vie, l'environnement et le système de soins
Statut de l'individu et conception de la santé	Les **malades** n'ont aucun statut La **santé**, c'est survivre, ne pas mourir	Le **malade** acquiert un statut social et le droit au système de soins La **santé**, c'est l'absence de maladie	L'**individu** est responsable de sa santé La **santé**, c'est un état complet de bien-être physique, psychologique et social (OMS)	Les **citoyens** sont responsables des conditions de leur santé La **santé**, c'est un état complet de bien-être physique, psychologique et social résultant de conditions de vie favorables
Stratégie d'action	Hygiène publique : mesures collectives de protection, surveillance, mises en quarantaine	Système de soins de santé : accès individualisé aux soins et services de santé, médication, hospitalisation	Promotion de la santé : accent sur la transformation des habitudes de vie personnelles	Santé des populations : accent sur la réduction des inégalités, les changements politiques, la mobilisation communautaire, la protection de l'environnement

Adapté de Martin et Anctil (1989)

le plus grand nombre; une fois la phase aiguë passée, il est possible aux divers intervenants de consacrer du temps aux cas particuliers (*agir pour*) afin de permettre à ces personnes de réintégrer une vie normale. La crise résorbée, les dirigeants et la population ont le loisir de penser prévention (idéalement, en mode *agir avec*) afin d'éviter que ne se reproduise semblable situation : c'est dans ce contexte qu'il est pensable (pour des leaders éclairés !) de redonner du pouvoir aux individus et aux collectivités afin qu'ils soient capables d'assurer par eux-mêmes la gestion de leur destinée.

Les exemples de pareille dynamique se retrouvent aujourd'hui dans le contexte des disparités entre nations nanties et pays en voie de

transfert de responsabilitées aux populations

développement. Ces derniers sont souvent le théâtre de situations d'urgence sur le plan collectif (famine, épidémies) qu'il importe de contrôler avant même d'œuvrer à l'implantation de ressources locales de soins et de services aux individus. Dans ce contexte, on comprend que les entreprises de prévention soient le «luxe» des pays développés, lesquels bénéficient d'un niveau de vie et d'éducation leur donnant le loisir de s'attaquer à la cause des problèmes. Les expériences d'autogestion communautaire trouvent également ici un espace plus propice d'émergence et de développement[2]. C'est l'évolution qu'a également connue le secteur des toxicomanies, lequel a d'abord développé ses ressources de prise en charge (cercles Lacordaire, réseau Domrémy), avant de connaître l'éclosion de la prévention et de la promotion de la santé, des années plus tard.

Le modèle des déterminants de la santé

Le virage vers une approche santé se caractérise par une façon d'appréhender les phénomènes de la santé et de la maladie de façon beaucoup plus large et multifactorielle. Au Québec, c'est la Commission Castonguay-Nepveu, dont le rapport fut déposé en 1971, qui introduit dans sa réforme du système de santé une orientation vers une médecine plus globale et sociale en remplacement d'un modèle strictement médical. Mais ce sera la publication, en 1974, du document *Nouvelles perspectives de la santé des Canadiens*, mieux connu sous le nom de Rapport Lalonde[3], qui constituera le jalon majeur de l'émergence de la promotion de la santé et de la transformation des politiques en cette matière au Canada. Le document propose une vision systémique de la santé, articulée au carrefour de quatre éléments-clés: la biologie humaine, les habitudes de vie, l'organisation des soins et l'environnement. C'est ce que l'on désignera dorénavant comme le modèle des déterminants de la santé dont la figure 3.1, adaptée de l'ouvrage de Pineault et Daveluy[4], présente la dynamique.

2. À noter que l'autogestion communautaire était une composante majeure des cultures traditionnelles avant leur éclatement sous la poussée du modernisme; la réactualisation de ces modes fait effectivement partie des avenues de développement à privilégier.

3. Publié sous la responsabilité du ministre libéral de la Santé de l'époque, Marc Lalonde.

4. Pineault, R. et Daveluy, C. (1995). *La planification de la santé. Concepts, méthodes, stratégies*. Montréal: Éditions Nouvelles, p. 23.

FIGURE 3.1

Le modèle des déterminants de la santé

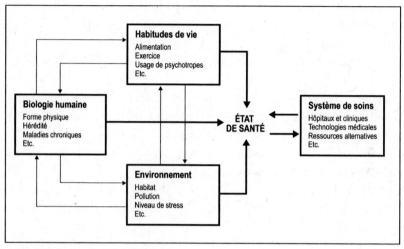

Adaptée de Pineault et Daveluy (1995)

Ce modèle, qualifié de multidimensionnel ou d'écologique, pose comme principe que l'état de santé chez les individus et les populations est la résultante de l'impact de quatre grands déterminants (ou systèmes de causalité), non simplement de l'action de facteurs organiques. Les trois premiers déterminants – biologie humaine (B), habitudes de vie (H) et environnement (E) – recouvrent les dimensions biologiques, psychologiques et sociales, en synergie les unes avec les autres et avec l'état de santé; le quatrième déterminant, le système (ou organisation) des soins (S) entre en jeu et en interaction dans la mesure de la variation de cet état de santé.

Ainsi, la vulnérabilité au foie que présente un individu à la naissance (B) affectera son état de santé, de même qu'une habitude trop prononcée de consommation d'alcool (H) ou le fait de travailler dans un milieu de travail à haut degré de stress (E); par ailleurs, cette vulnérabilité héréditaire conduira peut-être l'individu en question à choisir l'abstinence de l'alcool comme hygiène de vie, ce qui le placera par contre dans une situation plus difficile d'évacuation de son stress à la fin des heures de travail, s'il ne se permet jamais de «décompresser» lors de cinq à sept avec ses collègues (influence entre B, H et E). Quoi qu'il en soit, à partir du moment où un problème de santé apparaît dans sa vie (épuisement professionnel, hépatite), l'individu se tourne vers la panoplie des soins spécifiques, médicaux ou alternatifs, disponibles dans son milieu (S), qui permettent d'exercer une influence correctrice ou stabilisatrice de son état de santé. Et ainsi de suite.

D'un point de vue historique, la première décennie d'actualisation du courant de la promotion de la santé dans les politiques publiques est principalement caractérisée par une insistance sur les déterminants individuels et le changement des habitudes de vie des populations. C'est en effet à partir du milieu des années 1970 que sont lancées les grandes campagnes nationales visant l'acquisition de meilleures habitudes alimentaires, la pratique régulière de l'exercice physique et l'arrêt de la consommation de tabac. Cette tendance à l'unique responsabilisation individuelle en matière de santé en vient à être critiquée comme un processus de *victim blaming*: les gens sont coupables de s'être rendus malades ou de ne pas avoir su se garder en santé, en dehors de toutes considérations pour les conditions de vie leur permettant ou non d'exercer ce pouvoir sur leur santé[5].

Cette critique s'alimente au cours des années 1980 des principes véhiculés par l'OMS quant à la nécessité d'une prise en charge collective des conditions de la santé et d'une égalité des chances. L'événement catalyseur est l'énoncé de la Charte d'Ottawa, en 1986[6], intégré à la politique canadienne de santé dans le document *La Santé pour tous*, sous l'égide du ministre d'alors, Jake Epp.

Cette reconnaissance de la nécessité de faire des populations et des citoyens les acteurs et les responsables principaux de leur état de bien-être s'est également répercutée dans l'élaboration des politiques de santé québécoises à travers les travaux de la Commission Rochon et la réforme subséquente du système de santé initiée par le ministre Marc-Yvan Côté.

Dans cette mouvance, la promotion de la santé devient une philosophie d'action reposant sur la mobilisation de l'ensemble des citoyens et impliquant la transformation des mentalités, des comportements aussi bien que des milieux, de façon à produire socialement les conditions d'une véritable qualité de vie pour tous. On parle alors d'une approche de santé

---

5. Voir à ce sujet le texte de Robert Crawford: « C'est de ta faute » : l'idéologie de la culpabilisation de la victime et ses applications dans les politiques de santé, dans Luciano *et al.* (1981).

6. La Charte d'Ottawa, signée à l'issue d'une conférence internationale tenue dans la capitale canadienne et où étaient présents une cinquantaine de pays, peut être considérée comme une sorte de « protocole de Kyoto » en matière de santé, qui constitue toujours une référence près de vingt-cinq ans plus tard.

des populations. Une telle démarche implique des changements sociaux en profondeur, notamment le défi de réduire les inégalités entre riches et pauvres face à la santé.

> Le premier défi consiste à trouver les moyens de réduire les inégalités sur le plan de la santé entre les groupes de citoyens à faible revenu et les mieux nantis. Certaines données inquiétantes révèlent que malgré l'existence au pays d'une infrastructure sanitaire de qualité supérieure, la santé des gens demeure directement liée à leur situation économique[7].

Un ouvrage phare des années 1990[8] en matière de santé des populations fait d'ailleurs la démonstration suivante sur la base d'une étude comparative internationale : au-delà de 5 000 USD par année, ce n'est pas tant le revenu absolu qui détermine la bonne santé d'une population, mais le niveau de répartition des biens économiques et des bienfaits sociaux. En d'autres mots, plus l'écart entre riches et pauvres est faible, meilleure est la santé d'une collectivité, nonobstant le niveau absolu de son PIB. L'explication réside dans la perception du statut social : lorsque l'écart des revenus entre riches et pauvres est moindre, le sentiment des moins nantis de quand même posséder un statut et une légitimité génère une espérance en la vie, un degré de confiance en soi et une capacité de contrôle de son existence qui ont une incidence positive sur l'état de santé. Une sorte d'estime de soi collective. À l'inverse, lorsque l'écart entre riches et pauvres s'accentue, ces derniers se sentent des « perdants » et adoptent une vision pessimiste de la vie, recourant même à la violence envers autrui (p. ex. : gangs de rue) ou eux-mêmes (p. ex. : toxicomanie) dans une quête pour donner un sens à leur existence, conduites contribuant à un état de santé moindre.

Si le Rapport Lalonde a jeté les premières bases du cadre des détermi-nants de la santé, les conférences ultérieures sur la santé du gouvernement canadien ont permis la diffusion de résultats de recherche corroborant le modèle de base en le précisant et en élargissant le nombre des déterminants à prendre en compte dans une perspective de santé des populations. En 1994, il y a réunion des dix provinces canadiennes et dépôt d'un Livre vert pour donner suite au document d'Evans et al., démarche qui aboutit, en 1996, à la publication d'une position commune considérant désormais

7. Epp, J. (1986). La santé pour tous : plan d'ensemble pour la promotion de la santé. *Promotion de la santé*, 25, 1-2 : 4.

8. Evans, R., Barer, M. et Marmor, T. (1994). *Why Are Some People Healthy and Others Not?* New York : A. de Gruyter.

douze déterminants en tant que facteurs influents de la santé des Canadiens, chacun possédant son impact propre et tous étant interreliés :

- le niveau de revenu et la situation sociale ;
- les réseaux de soutien social ;
- le niveau d'instruction ;
- l'emploi et les conditions de travail ;
- l'environnement social ;
- l'environnement physique ;
- les habitudes de vie et les compétences d'adaptation personnelles ;
- le développement sain durant l'enfance ;
- le patrimoine biologique et génétique ;
- les services de santé ;
- le sexe ;
- la culture[9].

Nous abordons, dans le bloc méthodologique, des outils précis permettant une analyse des déterminants et du processus complexe de leurs interrelations pour la compréhension des problèmes comme la toxicomanie.

En conclusion, l'orientation de l'action sur les déterminants environnementaux, tels le développement économique, la qualité environnementale et les politiques publiques, est toujours bien présente en ce début de XXIe siècle, en même temps qu'il y a reconsidération de la nécessité d'agir quant à la responsabilité des individus afin de planifier le bon dosage des deux approches au plan stratégique. Dans tous les cas, le caractère multidimensionnel des approches de promotion de la santé appelle des actions résolument intersectorielles.

Voyons maintenant quels sont les moyens d'action spécifiques à la promotion de la santé.

Les stratégies de promotion de la santé

La promotion de la santé dispose de stratégies d'action spécifiques, au spectre généralement plus large que les stratégies strictement préventives. Il s'agit de : l'éducation à la santé, la communication et le marketing social,

9. Santé Canada (1996). *Pour une compréhension commune : une clarification des concepts clés de la santé de la population.* Ottawa : Approvisionnement et Services.

le développement communautaire, l'action politique et les changements organisationnels[10]. Nous privilégions, pour notre part, des stratégies d'action mixtes intégrant les dimensions promotionnelle et préventive, lesquelles stratégies sont approfondies dans la troisième partie du volume.

L'éducation à la santé

Il s'agit de la plus ancienne des stratégies développée en santé publique, avant même l'apparition de la promotion de la santé. Dans sa version « classique » dite d'éducation sanitaire, il s'agissait de la simple transmission d'informations sur certaines règles d'hygiène à respecter – pour éviter notamment les épidémies, puis les infections et les maladies individuelles. Avec l'apparition du mouvement de promotion de la santé, elle en devient une des principales stratégies.

Son but est la création et la transmission d'informations spécifiques aptes à développer et à renforcer des attitudes et des comportements sains en matière de santé. Par exemple, savoir que se laver les dents empêche les caries et apprendre à bien le faire, parce que l'on est convaincu du bien-fondé de cette pratique. Cette approche s'adresse à des clientèles spécifiques et s'articule, idéalement, dans le cadre d'une démarche pédagogique de sorte que, traditionnellement, l'école s'est avérée un lieu privilégié pour les initiatives en éducation à la santé en raison de l'accès large à un public jeune, sur une période de temps prolongée.

L'éducation à la santé auprès des jeunes en milieu scolaire a toutefois beaucoup évolué depuis un siècle : passant d'une conception moralisatrice, où l'enfant était mis en garde contre les conséquences du non-respect de certaines lois « naturelles », à une conception essentiellement médicale axée sur la crainte des microbes, les intervenants présentent aujourd'hui l'objectif de santé comme partie intégrante d'un mode de vie qui permet de mieux se réaliser soi-même ; l'ancien *Programme de formation personnelle et sociale* du ministère de l'Éducation du Québec s'apparentait beaucoup à cette stratégie en proposant des ateliers visant l'hygiène corporelle, la condition physique, la santé mentale, etc. C'est dans ce cadre visant à inculquer des connaissances et à développer des attitudes favorables à la santé que des volets d'éducation en matière de drogues ont été insérés afin de prévenir l'incidence de comportements à risque

10. Ces stratégies sont issues de la Charte d'Ottawa de 1986.

menaçant la santé des jeunes. Le programme *Tes choix, ta santé*, lancé par Santé Canada dans les années 1990, en est le meilleur exemple. Nous y reviendrons.

La communication et le marketing social

Cette stratégie vise essentiellement à «vendre» une idée ou une cause et à faire adopter le comportement conséquent à un grand nombre d'individus, qu'il s'agisse de la population générale ou de groupes cibles particuliers. Il s'agit donc d'agir sur les croyances collectives dans le but d'entraîner les comportements dans le sens d'une plus grande santé. L'approche est essentiellement fondée sur la maîtrise de la communication publique (imprimés, radio, télévision, affiches, dépliants, théâtre, conférences de presse, événements publics, etc.) et largement inspirée des techniques de mise en marché et de publicité commerciales, appliquées à un «concept» santé qui devient un «produit» à promouvoir.

L'action dans ce cadre touche non seulement l'aspect communication, mais aussi l'environnement en s'inspirant de ce que l'on appelle le «marchéage» (*marketing mix* en anglais) ou les 4 P: il faut travailler à donner à son idée une présentation publique adaptée (produit), en utilisant des moyens publicitaires adéquats (promotion), en se préoccupant également des incitatifs économiques (prix) et environnementaux (place). Par exemple, le marketing social de la promotion de la santé cardiovasculaire pourrait présenter le plan suivant :

Produit
Une mascotte prénommée : *J'ai bon cœur*
Promotion
Messages à la télévision et macarons à l'effigie de la mascotte-slogan
Prix
Test de cholestérol offert gratuitement à la population
Place
Test disponible dans toutes les épiceries, près du comptoir des viandes

Les gouvernements et les groupes de pression sont parmi les utilisateurs les plus fréquents de cette stratégie qui nécessite des ressources humaines et matérielles souvent élevées et qui, de ce fait, n'est pas à la portée de tous ceux qui auraient des idées à exprimer socialement. Les campagnes gouvernementales des dernières décennies vantant l'activité physique ou les bienfaits d'une meilleure alimentation ou encore, en matière de psychotropes, valorisant un mode de vie sans tabac sont des exemples de l'utilisation de cette stratégie en promotion de la santé.

Le développement communautaire

Cette stratégie a pour but de susciter et de soutenir la participation de la population à l'orientation et aux actions en promotion de la santé. Il s'agit d'une stratégie promotionnelle clairement inspirée d'un modèle social de la santé. Le développement communautaire met à contribution divers moyens, aussi bien d'ordre communicationnel, éducatif qu'environnemental (soutien logistique, animation, analyse du milieu, formation, etc.). Partant du principe que la population n'est pas seulement réceptrice de messages, mais doit devenir un acteur important dans les transformations qu'implique l'avènement d'une meilleure santé, cette stratégie consiste à s'associer aux organismes communautaires existants en ce domaine ou à en susciter la création. Le développement communautaire est une stratégie centrale en promotion de la santé collective, en ce qu'il permet d'en incarner un des principes de base, qui est la participation de la population.

Certains éléments sont à considérer pour maximiser le développement communautaire dans une perspective de promotion de la santé :

- la reconnaissance de la dimension collective des questions de santé ;
- une analyse du milieu, soit la connaissance des groupes en présence, de leurs préoccupations et de leurs besoins en matière de santé ;
- la reconnaissance des groupes existants et de leur potentiel pour l'action communautaire en santé ;
- un soutien économique et logistique aux actions existantes ;
- l'identification d'un leadership communautaire ou la contribution à susciter un tel leadership ;
- la création de nouveaux groupes capables d'animer des activités ou des dossiers relatifs à la santé.

Travailler avec la population sur les conditions d'une meilleure santé collective implique que les intervenants et les responsables publics ne s'en tiennent pas qu'à des formules, mais prennent position sur le plan social, en donnant par exemple leur appui au boycott d'une entreprise pollueuse ou à la revendication d'un meilleur statut social pour les assistés sociaux. Dans une perspective carrément militante, les professionnels du réseau public devraient devenir des porte-parole et des animateurs pour les groupes du milieu et, si besoin est, leur transmettre des habiletés sur les plans politique et organisationnel pour exercer des pressions de façon plus efficace. Plutôt rare dans le contexte de la santé publique, on peut quand même mentionner la prise de position et la mobilisation d'un certain nombre d'intervenants dans le dossier des inégalités sociales et du jeu compulsif, de même que dans celui de la défense du droit des usagers de drogues.

L'action politique

Cette stratégie a pour but de contraindre, inciter ou faire pression pour que soient respectées certaines conditions ou certaines normes propices à la santé. L'action politique en promotion de la santé emprunte deux voies principales : de haut en bas, sous forme d'interventions gouvernementales, et de bas en haut, sous forme de lobbying ou de pressions politiques auprès des décideurs.

L'intervention gouvernementale peut être de nature incitative ou coercitive en visant la promotion comme la protection de la santé publique. Il est ainsi de la responsabilité des autorités politiques d'élaborer des politiques de santé cohérentes par la mise en œuvre de divers moyens orientés vers le même but : assurer des biens et des services favorisant la santé, réduire et éliminer les sources de dangers, créer des environnements de meilleure qualité, etc. Sous ce rapport, l'application des principes d'une politique de santé relève souvent de l'intervention législative, à travers diverses mesures comme les restrictions d'activités, les limites d'âge ou de vitesse, les réglementations antipollution, les politiques de conservation, mais aussi les mesures fiscales, la taxation, etc.

La seconde forme de l'action politique concerne les pressions exercées sur les autorités responsables en matière de santé. Ce lobbying peut être le fait de groupes organisés, de professionnels ou d'autres instances crédibles, de façon à influencer l'orientation et la prise de décision dans ce domaine. La pression continue de certains groupes sur le gouvernement fédéral au cours des dernières années pour accroître la réglementation des activités promotionnelles de l'industrie du tabac entre dans ce type de stratégie; ou encore, l'action politique de regroupements communautaires afin de faire respecter des mesures de décontamination des sols, au plan local, en faisant pression sur les organismes et les institutions concernés.

Le changement organisationnel

Cette dernière stratégie recouvre un ensemble de mesures pouvant être adoptées à l'intérieur des institutions, des milieux de travail ou du milieu scolaire, dans le but de favoriser une meilleure santé. Essentiellement, il s'agit d'améliorer la qualité du milieu ou les conditions de vie à l'intérieur des organisations par des aménagements physiques, modifications d'horaires, améliorations de la sécurité au travail, programmes internes de protection, mais aussi des changements au plan du processus décisionnel ou de la participation. Dans le domaine de la toxicomanie, la mise sur pied de programmes d'aide aux employés ou de programmes visant une gestion du stress occupationnel constitue une illustration de ce type d'actions. Plusieurs revendications syndicales se situent d'emblée à ce niveau stratégique.

La promotion de la santé et l'approche communautaire

La promotion de la santé, à travers l'évolution vers un modèle social de la santé et une action de plus en plus axée sur les déterminants environnementaux, a influencé les pratiques de prévention des toxicomanies, notamment par la remise à l'honneur de l'approche communautaire. Situons celle-ci par rapport aux autres types d'approches utilisées en intervention sociale.

Les différentes approches

L'APPROCHE INDIVIDUALISÉE
Il s'agit ici du cas par cas ou encore du *counseling* que l'on retrouve dans des situations qui exigent une intervention de type curatif (ou coercitif) lors d'interventions de stade secondaire ou tertiaire. Par exemple:

(a) une admission à l'urgence ou une arrestation ;
(b) un test d'alcoolémie.

L'APPROCHE INSTITUTIONNELLE

Il s'agit ici d'interventions dans le cadre de milieux structurés comme l'école, le travail, les loisirs et auprès de populations généralement homogènes. Ces interventions sont de stade secondaire (repérage/intervention précoce) ou primaire si elles sont confinées à des milieux «captifs». Par exemple :

(a) les programmes d'aide aux employés comme prévention secondaire en milieu de travail ;
(b) les conférences, programmes d'éducation à la santé ou d'information préventive sur les drogues en milieu scolaire ; le développement des compétences individuelles et sociales, intégré à l'apprentissage académique, dans le cadre de la réforme scolaire.

L'APPROCHE COMMUNAUTAIRE

Il s'agit ici d'une approche à partir des milieux naturels (la communauté, le quartier) qui, même si elle ne lui est pas exclusive, est particulièrement adaptée à la prévention primaire et aux actions en promotion de la santé. Toutes les formes d'initiatives fondées sur la participation et la concertation des membres issus d'un milieu de vie hétérogène et pouvant comporter plusieurs assises institutionnelles sont des illustrations de cette approche.

Le choix de recourir à l'une ou l'autre de ces trois approches est le plus souvent conditionné par la nature des problèmes ou, autrement dit, par le moment où se situe l'intervention sur le continuum de l'indésirable : plus la situation s'est dégradée, plus c'est urgent, plus l'approche nécessitera d'être individualisée ; en revanche, le milieu naturel ou communautaire constitue un cadre idéal d'approche pour des activités de stade primaire, préventives ou promotionnelles. Cette constatation rejoint celle faite dans le premier chapitre, concernant le continuum des populations visées, qui illustre alors que plus on intervenait tôt dans le processus, plus on était susceptible de toucher de larges populations.

Les rapports d'intervention

Ces trois types d'approche présentent des caractéristiques différentes sur le plan des rapports d'intervention. En d'autres termes, la relation aux

« cibles » (que l'on appellera diversement populations à risque, individus en difficulté, patients, bénéficiaires, contrevenants, etc.) n'est pas la même suivant l'approche adoptée. Il est intéressant de noter que l'on rejoint cette fois le continuum des rapports d'intervention, abordé au chapitre 2. Plus on évolue vers le curatif/coercitif et l'approche individualisée, plus on est en mesure d'exercer de l'influence, d'encadrer, d'user de son pouvoir. Par ailleurs, plus on intervient au stade primaire et selon une approche communautaire, plus la définition de ce qui est indésirable et plus l'élaboration des mesures préventives est un processus conjoint plutôt qu'unilatéral, de sorte qu'il est envisageable de viser l'autogestion. Entre les deux, l'approche institutionnelle se prête naturellement à une action de normalisation plutôt que d'autogestion, pour le bien de groupes visés dans un cadre aux règles préétablies comme l'école ou le milieu de travail. La figure 3.2 résume la relation entre les types d'approche et les deux continuums[11].

FIGURE 3.2

Relations entre types d'approche, le continuum des stades et le continuum des rapports d'intervention

Approche individualisée (cas à cas, counseling)	Approche institutionnelle (classes d'étudiants, groupes de travailleurs)	Approche communautaire (groupes de citoyens, communautés de base)
S T A D E S	Prévention primaire Promotion de la santé	Prévention primaire Promotion de la santé
Prévention secondaire	Prévention secondaire	
Prévention tertiaire		

RAPPORTS D'INTERVENTION

AGIR SUR ⟶ **AGIR POUR** ⟶ **AGIR AVEC**

↓

POUVOIR D'AGIR

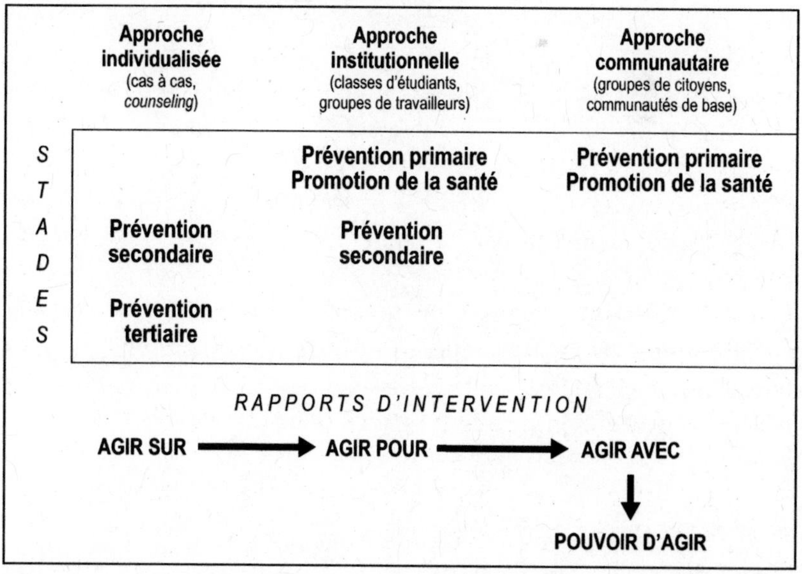

11. À noter que les approches ne sont pas nécessairement assimilables à un type d'acteur. Ainsi, un intervenant psychosocial pourrait choisir de travailler en privilégiant l'approche communautaire et un groupe communautaire, dans le cadre d'une approche institutionnelle, voire individualisée.

La revitalisation de l'approche communautaire dans le contexte de la promotion de la santé et son impact sur la prévention des toxicomanies participent d'une tendance de fond dans les façons de voir et de faire en intervention sociale : travailler dans le sens d'une inclusion et d'une participation accrue des populations à la définition et à l'élaboration de leurs conditions d'existence. On rejoint ici le courant d'intervention de l'*empowerment* dont l'objectif est précisément de développer la capacité d'autogestion, tant au plan individuel, communautaire qu'organisationnel[12].

L'action en promotion/prévention

Complémentarité

Dans le champ de la toxicomanie, l'avènement de la promotion de la santé s'est traduit par l'importance accrue accordée aux interventions de stade primaire (limiter l'apparition de problèmes) plutôt que tertiaire (limiter les conséquences des problèmes). Cela dit, pour certains, la promotion englobe la prévention alors que, pour d'autres, elle constitue une activité distincte : nous considérons, quant à nous, la promotion et la prévention comme deux facettes complémentaires d'une intervention de stade primaire. Dans les faits, les objectifs de promotion de la santé et de prévention primaire opèrent en synergie, toute action de promotion contribuant nécessairement à retarder l'incidence des situations problématiques que l'entreprise de prévention vise, elle, à contrer directement. Cette perspective a donné lieu au Québec, au cours des années 1980 et 1990, à une reconfiguration des pratiques préventives vers une approche de type promotion/prévention : non seulement contrer les risques, mais également construire des forces, c'est-à-dire augmenter la résistance, favoriser les occasions, améliorer la qualité et les conditions de vie des populations ciblées. La figure 3.3 illustre cette intégration.

---

12. Issu des théories de l'action et du changement social, ce courant se retrouve aujourd'hui incarné dans plusieurs champs de pratiques d'intervention auprès d'individus et de milieux « sans pouvoir » (populations pauvres, marginalisées, déviantes). Voir : Ninacs, W. A. (2003). *L'empowerment et l'intervention sociale*. Montréal : Centre de documentation sur l'éducation des adultes et la condition féminine.

FIGURE 3.3

Caractéristiques des volets promotionnel et préventif dans l'intervention de stade primaire

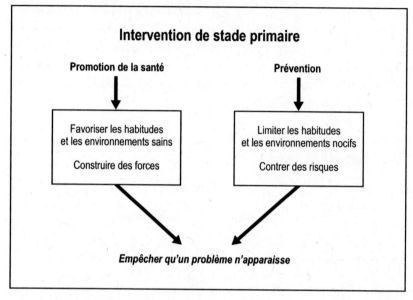

Être proactif et réactif

L'action en promotion/prévention vise donc le développement simultané d'une capacité à être proactif et réactif, à entreprendre et à faire face, à optimiser et à protéger. La santé étant plus que l'absence de maladie, une telle pratique, que l'on pourrait qualifier de prévention globale, se doit non seulement de viser à éliminer des risques, mais également à stimuler le potentiel des individus et l'émancipation des communautés. Nous verrons les répercussions de cette conception à travers la méthodologie même de l'intervention préventive, lorsqu'il sera question de la prise en compte de facteurs de risque et de protection dans l'analyse d'un problème à prévenir (chapitre 6) ; en outre, sur le plan des moyens d'action (partie III), certaines des stratégies décrites présentent un caractère résolument promotionnel, comme nous le verrons plus loin.

En terminant, si nous replaçons l'action en promotion/prévention dans l'ordre de la prévention-autogestion et dans le champ de l'autonomie personnelle, une manière simple de comprendre les deux volets est de se mettre dans le contexte de la prise de résolutions (au Nouvel An ou à n'importe quel autre moment !). On peut dès lors considérer deux façons complémentaires de contracter un engagement envers soi-même afin de limiter l'apparition de situations indésirables : soit limiter ou éliminer des mauvaises habitudes (représentant des risques), soit renforcer ou développer de bonnes habitudes (représentant des possibilités). Certains auteurs parleront ainsi de faire la balance des investissements d'énergie entre passions destructrices et passions constructrices ou encore entre « dépendances » négatives et positives. Chacun peut ainsi tracer la représentation graphique de ses habitudes, bonnes et mauvaises, pour être à même de prendre conscience de là où il peut y avoir un effet de synergie ou de « vase communicant » entre les tendances. Prenons l'hypothèse fournie par la figure 3.4.

FIGURE 3.4

Possibilités et risques en nombre d'occasions par semaine

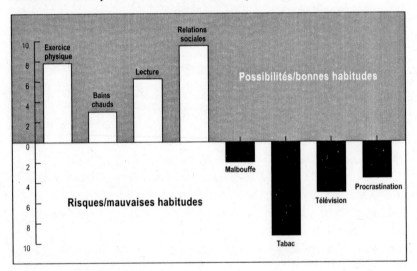

Synergie préventive

Nous pouvons tout de suite constater la synergie préventive pouvant exister entre les habitudes de l'exercice physique et de la consommation de tabac (l'augmentation de l'une pouvant influer sur la diminution de l'autre et vice-versa) ; un lien comparable existe de même entre l'habitude de la lecture et celle de l'écoute de la télévision. Il est bien entendu ici qu'une bonne habitude chez un individu pourra se transformer en mauvaise au fil du temps (devenir « drogué » de l'exercice physique ne vaudrait sans doute guère mieux que d'être accroc au tabac). Dans le même ordre d'idées, les bonnes habitudes des uns peuvent s'avérer les mauvaises habitudes des autres (les relations sociales permettent à certains de s'épanouir, alors qu'ils ont une fonction d'évitement de la solitude à tout prix chez d'autres). Finalement, nos bonnes et mauvaises habitudes peuvent s'avérer être ou non en conformité avec les attentes sociales de ce qui devrait être bon ou mauvais (l'habitude de consommer un cigare après un bon repas peut être envisagée comme une bonne habitude de détente en dépit de la désapprobation sociale croissante à l'endroit de la consommation des produits du tabac).

*

Nous venons d'effectuer un examen des principes et des pratiques de la promotion de la santé suivant un survol de l'évolution historique du courant. Dans le contexte de ce cadre théorique, retenons que la promotion de la santé a favorisé un renouvellement de l'intervention préventive en toxicomanie par l'apport de deux dimensions majeures : l'aspect proactif de l'intervention, axée sur le développement de la santé et non plus uniquement sur l'évitement de la maladie ; l'aspect collectif et communautaire de prise en charge des conditions qui permettent d'assurer et de maintenir un état optimal de santé. C'est pourquoi l'intervention de stade primaire ne peut aujourd'hui se concevoir dans notre secteur autrement que selon une approche à deux volets, promotionnel et préventif.

Le volet préventif plus « classique », associé à la limitation des risques, a lui aussi subi une mutation ces dernières années, suivant l'émergence d'un autre courant majeur d'intervention : la réduction des méfaits. C'est l'objet du prochain chapitre, nous présenter l'apparition historique de ce courant à partir des années 1980, les principes sur lesquels il s'articule et le panorama des pratiques qu'il englobe aujourd'hui au long du continuum de l'intervention en toxicomanie. Nous concluons, à l'instar de la promotion de la santé, sur l'apport de la réduction des méfaits au renouvellement des pratiques de prévention des toxicomanies.

CHAPITRE 4

La réduction des méfaits : principes et pratiques

Depuis les années 1980, le courant de la réduction des méfaits[1] s'impose comme nouvelle façon de voir et de faire en santé publique et en intervention sociale, ayant trouvé dès l'origine un écho favorable auprès d'un grand nombre d'intervenants en toxicomanie. L'attrait pour la réduction des méfaits rappelle l'enthousiasme suscité par le courant de la promotion de la santé qui a introduit l'idée d'une prévention renouvelée par la prise en compte des facteurs de protection et la capacité, individuelle et collective, d'agir sur les déterminants de la santé.

La réduction des méfaits est apparue à la suite de la rencontre entre les problématiques du sida et de la toxicomanie. Cette crise sociosanitaire crée alors les conditions d'une convergence de pratiques novatrices, développées au long du XXe siècle, qui se distinguent des pratiques traditionnelles inspirées par le prohibitionnisme et l'abstinence. Pour l'essentiel, la réduction des méfaits repose sur la reconnaissance que l'usage des drogues, illicites ou licites, est là pour rester et que le meilleur moyen d'en limiter les coûts est de faire en sorte que les usagers puissent gérer les risques autant que les conséquences de leurs comportements. Nous présentons dans ce chapitre les origines, les principes et l'étendue actuelle du courant d'intervention de la réduction des méfaits, de même que son apport au renouvellement des pratiques préventives en toxicomanie.

Sources et émergence de la réduction des méfaits

Les façons de voir et de faire concernant le phénomène de l'usage et de l'abus des drogues ont évolué au cours de l'histoire et, tout particulièrement, depuis le tournant du XXe siècle. À cette époque, deux éléments

1. La réduction des méfaits est diversement désignée comme approche, courant, modèle, philosophie ou politique, dépendamment du point de vue adopté quant à son importance et à sa portée sociale.

radicalement nouveaux interviennent dans le contexte de la diffusion sociale des produits psychotropes : l'élargissement de la consommation à plusieurs nouveaux produits et à un bassin plus grand de la population ; l'émergence de politiques publiques prohibitionnistes.

Le prohibitionnisme

Le mouvement prohibitionniste s'impose au début du XXe siècle comme une tentative d'empêcher, voire d'éliminer l'usage social de produits comme l'alcool, mais aussi de substances en provenance d'autres cultures (opiacés, coca, cannabis), diffusées non plus seulement auprès des élites, mais aussi au sein d'autres classes sociales. Sous l'influence des États-Unis, une majorité de psychotropes seront déclarés illicites : les opiacés d'abord, suivi de l'alcool, de la cocaïne, du cannabis et, à partir des années 1960, des substances hallucinogènes. La prohibition de l'alcool restera un phénomène nord-américain et ne durera qu'une quinzaine d'années (1919-1933), avant que son inefficacité et les effets pervers générés par son application ne ramènent au «bon sens» les autorités. Depuis, les politiques publiques concernant l'alcool ont évolué vers une gestion sociale de l'usage et de ses conséquences : réduction des risques par la prévention et réduction des problèmes par des soins et des services répondant aux besoins des usagers en difficulté.

Les expériences novatrices

En dépit de l'inefficacité et des effets pervers qu'entraîne toujours le maintien de politiques prohibitionnistes, la stratégie dite de «guerre à la drogue» domine néanmoins à ce jour, notamment parce que ce qui est en jeu, contrairement à l'alcool, ce sont des drogues étrangères à notre culture. Pourtant, au cours du siècle passé, des expériences se sont développées en réaction ou en parallèle au prohibitionnisme, qui peuvent à juste titre être considérées comme les précurseurs du courant actuel de la réduction des méfaits.

1. **Le système prescriptif britannique.** Après la prohibition des opiacés et de la cocaïne, les Britanniques ont préféré traiter médicalement les toxicomanes plutôt que de les stigmatiser ou de les confiner à la mar-

ginalité. C'est ainsi que les médecins ont conservé la possibilité de prescrire de l'héroïne, de la cocaïne, des amphétamines à des usagers dépendants. Ce système, dénommé *British System*, a été réactualisé vers le milieu des années 1980 dans le cadre d'une des expériences de réduction des méfaits les mieux documentées, celle de Liverpool (Merseyside).

2. **L'entretien à la méthadone.** C'est aux États-Unis, au début des années 1960, qu'est développé et répandu le traitement à la méthadone pour les narcomanes (héroïne). On réalise, dans le contexte de l'époque, qu'il est préférable d'opter pour la substitution plutôt que de laisser les toxicomanes dépérir, mourir de surdoses et recourir en permanence à la criminalité pour s'approvisionner. Aujourd'hui, alors que les États-Unis en ont considérablement limité l'accès sous la pression d'un moralisme antidrogue, le traitement à la méthadone s'avère une des mesures de réduction des méfaits les plus répandues et probantes dans tous les pays industrialisés.

3. **Une culture de la consommation et des usagers.** La décennie 1960 a vu émerger un large mouvement social de rupture sur le plan des valeurs et des modes de vie, partout en Occident, mouvement souvent associé aux jeunes générations. Au cours de ces années, une véritable culture de la consommation et des usagers se développe, renouant avec les savoirs et savoir-faire traditionnels en matière d'usage : substances consommées sous leur forme brute, méthodes pour la culture, la préparation et la consommation, rituels collectifs fournissant des repères et un encadrement symbolique, analyse de la composition des produits. On ne compte plus le nombre de guides pratiques présentant de façon directe à la fois les bienfaits des substances, mais aussi les risques et dangers potentiels d'un usage dans de mauvaises conditions. Cette culture est intimement liée à la montée d'un militantisme pour la réforme ou l'abolition des lois antidrogues, à partir des années 1970, ainsi qu'au début du mouvement d'organisation et de défense des droits des usagers.

4. **Des services et des soins aux toxicomanes.** À la fin des années 1960 et au début des années 1970, à la suite de l'explosion de la consommation de drogues en Amérique du Nord et ailleurs en Occident, des intervenants et des usagers mettent en place une série de nouvelles ressources de prise en charge pour les consommateurs en difficulté,

parce que les institutions traditionnelles ne pouvaient ou ne voulaient pas répondre à leurs besoins : lignes téléphoniques d'urgence, centres de jour, refuges, centres de crise, cliniques libres. Ces innovations inspirent directement aujourd'hui la mise en place de services et de soins dits à bas seuil d'exigences (ou haut seuil de tolérance), dans une optique de réduction des méfaits. Ces ressources sont facilement accessibles, adaptées aux besoins des usagers et n'exigent générale-ment pas l'arrêt de la consommation.

Ces pratiques novatrices et inspiratrices de la réduction des méfaits se sont toutes constituées sur la prémisse qu'empêcher l'usage des drogues ou réprimer ceux qui le font ne s'avère pas efficace (pas plus que ce ne l'a été avec l'alcool, dans les années 1920) et que, en conséquence, il faut tenter de minimiser les risques autant que les dégâts associés à la consommation de substances. Cette philosophie était déjà présente chez nombre d'inter-venants en prévention des toxicomanies, dans les années 1980, qui défen-daient la pertinence de prévenir les abus plutôt que l'usage, malgré l'apogée des campagnes nord-américaines de tolérance zéro et du *Just Say No*. De même, chez les intervenants en réadaptation, le modèle de l'abstinence avait perdu, au gré des recherches et de l'évolution de la réflexion dans le domaine, son caractère indiscutable : le modèle de l'apprentissage social et l'approche psychosociale ouvraient la porte à divers parcours de réa-daptation, incluant la reprise de contrôle sur sa consommation. Au Québec, des ressources thérapeutiques comme le Centre Alternatives (clientèle jeunesse, à partir des années 1970) et le Centre Préfontaine (clientèle des sans-abri, à partir des années 1980) témoignent de cette ouverture.

C'est ainsi que, d'une façon ou d'une autre, tant en raison de l'échec du prohibitionnisme que de l'évolution des mentalités dans le secteur des toxicomanies, le terrain était favorable à l'éclosion d'une nouvelle approche d'intervention. Et vint le sida...

Le point de cristallisation : la propagation du VIH chez les UDI

L'approche de réduction des méfaits est véritablement née au cours des années 1980 de la rencontre des problématiques toxicomanie et sida, autour du danger que représentait la transmission du virus de l'immu-nodéficience humaine (VIH) chez les UDI. La nécessité de contrer cette conséquence néfaste a forcé un changement dans les attitudes et les pratiques en santé publique, dans la foulée du questionnement des modèles prohibitionnistes et de l'abstinence chez les intervenants en toxicomanie. La forte présence de l'héroïne en Europe aura multiplié le nombre d'UDI – trois utilisateurs sur quatre adoptant le mode de l'injection – et l'apparition de ce qui constitue aujourd'hui le second mode de transmission du VIH après les relations sexuelles : le prêt ou le partage de matériel d'injection contaminé[2]. En raison du dépistage précoce de foyers épidémiques du VIH chez les usagers de drogues, la réduction des méfaits a pris son essor en Europe, dans certains pays précurseurs qui sont toujours à l'avant-garde du mouvement : Pays-Bas, Grande-Bretagne, Suisse et Allemagne.

Ce sont les usagers eux-mêmes, réunis au sein d'associations de défense de leurs droits, qui ont mis sur pied le premier programme d'échange de seringues, à Amsterdam, en 1984. D'abord centrées sur la distribution de seringues propres et de condoms, sur l'échange ou le nettoyage des seringues souillées, les pratiques s'élargiront peu à peu au travail de proximité et de *counseling*, à l'information et à l'éducation des usagers auxquels viendront se greffer d'autres services comme la prescription de drogues (méthadone, héroïne, amphétamines) et les sites[3] de consommation supervisés. Si l'approche est née d'un activisme communautaire ayant engendré un courant humanitaire d'appui de la part des intervenants en contact avec les UDI, elle découle également d'une réaction pragmatique des autorités de la santé publique devant la peur d'une propagation rapide du sida au sein de la population hétérosexuelle non toxicomane. En Amérique du Nord, le dépistage tardif du sida chez les toxicomanes, de même que la forte présence d'une mentalité antidrogue ont retardé l'éclosion du mouvement jusque vers la fin des années 1980. À ce jour, le gouvernement fédéral américain est toujours réticent à l'implantation généralisée de programmes d'échange de seringues sur son territoire. Au Québec, le premier site d'échange de seringues voit le jour

2. Depuis lors et encore aujourd'hui, les UDI des deux sexes sont le groupe le plus touché par le sida après la population homosexuelle masculine.

3. Notons que les responsables québécois de santé publique ont récemment adopté le terme «lieux» ou «services» pour désigner les pratiques de réduction des méfaits, conservant l'appellation «site» pour désigner l'endroit où l'on s'injecte dans le corps.

en 1989 : il s'agit du Centre d'action communautaire auprès des toxicomanes utilisateurs de seringues (CACTUS), toujours en opération.

Expansion et champs d'application

À partir des années 1990, la réduction des méfaits acquiert une reconnaissance et connaît un essor international, notamment à la suite de sa
reconnaissance par l'ONU et de l'inauguration de conférences mondiales
annuelles sur le sujet. Vers le milieu de cette décennie, une majorité d'organismes plébiscitent l'approche au Québec[4] alors que, au fédéral, l'intégration de la réduction des méfaits au programme politique attendra la
Stratégie canadienne antidrogue de 1998. On assiste dès lors à un élargissement du champ des pratiques : de mesures d'intervention précoce auprès
des usagers de drogues illicites, on évolue vers les domaines préventif et
curatif et l'inclusion de l'ensemble des psychotropes. Le tableau 4.1 illustre
les divers champs d'application actuels de l'approche de réduction des
méfaits.

La variété de champs d'application de l'approche sur le terrain reflète
les diverses façons de voir la place de la réduction des méfaits dans notre
société et les débats entre acteurs politiques, professionnels et communautaires impliqués dans la lutte contre le sida et la toxicomanie. Dans sa
version restreinte, de type santé publique, il s'agit d'un répertoire de
stratégies d'intervention précoce auprès des UDI afin d'empêcher la propagation des infections transmissibles sexuellement et par le sang (ITSS),
principalement le VIH et le virus de l'hépatite C (VHC). Dans des versions
larges conjuguant santé publique et intervention en toxicomanie, le champ
d'application de l'approche touche également la dimension préventive
(gestion des risques, nouvelle éducation en matière de drogues) et la
dimension de prise en charge (intervention brève ou programme de traitement n'exigeant pas l'abstinence). Dans l'une ou l'autre de ces perspec-

4. Le Centre québécois de coordination sur le sida (CQCS), en 1994 ; l'as-
semblée générale de l'Association des intervenants en toxicomanie du Québec
(AITQ), en 1995 ; le regroupement des centres de réadaptation Alternatives,
Domrémy et Préfontaine (actuel Centre Dollard-Cormier), également en 1995.
En 1996, le Comité permanent de lutte à la toxicomanie (CPLT) fait la recom-
mandation au gouvernement du Québec d'adopter la réduction des méfaits
comme approche.

TABLEAU 4.1

Champs d'application de la réduction des méfaits sur le continuum de l'intervention en toxicomanie

CONTINUUM	AVANT		PENDANT	APRÈS
STADE	Primaire		Secondaire	Tertiaire
INTERVENTION	Promotion de la santé	Prévention	Repérage, intervention précoce	Intervention curative : désintoxication, réadaptation, réinsertion
BUT	Développer la santé	Protéger la santé	Stabiliser la santé	Restaurer la santé

Champs d'application de l'approche de réduction des méfaits	Champ étroit : **Intervention précoce** (UDI / ITSS)
	Champ large ou très large : **Prévention** (drogues illicites et/ou licites)
	Champ large ou très large : **Prise en charge** (drogues illicites et/ou licites)
	Champ large ou très large : **Ensemble du continuum** (drogues illicites et/ou licites)

tives, le champ peut devenir très large en intégrant des interventions en matière de drogues licites (alcool, tabac, médicaments).

Enfin, peu à peu, la réduction des méfaits devient même une nouvelle manière de penser l'intervention sociale et sanitaire auprès de toute population marginalisée dont les comportements sont sujets à conséquences pour les individus concernés et la société : on pense notamment à l'adoption de l'approche pour traiter les problématiques du travail du sexe et de l'itinérance. Cette perspective rejoint celle des réseaux intégrés de services (RIS) dans le secteur de la santé et des services sociaux québécois qui, par le biais d'un guichet unique, privilégient le repérage systématique d'individus en difficultés, qu'ils présentent des problèmes de santé mentale, de délinquance, de toxicomanie ou autre.

La réduction des méfaits a eu un impact social significatif au cours des vingt dernières années, tout particulièrement sur la reconfiguration du champ de l'intervention en toxicomanie. C'est pourquoi elle représente aujourd'hui le principal mouvement sociosanitaire et communautaire d'intervention se démarquant des politiques et des programmes traditionnels dans le domaine des drogues. Tentons maintenant d'en définir plus précisément la spécificité.

Définition et principes de la réduction des méfaits

Il importe d'abord de se pencher sur les appellations de l'approche. La désignation première du nouveau courant d'intervention sous le vocable *harm reduction* nous vient des Britanniques au milieu des années 1980 et demeure en vigueur depuis lors. La traduction française privilégiée par les Européens (Français, Suisses et Belges) est celle de *réduction des risques*. Au Québec, la traduction *réduction des méfaits* s'est imposée à partir des années 1990 pour identifier l'approche. Elle est ainsi davantage conforme à la notion de «dommages», «torts» ou «préjudices» incluse dans le terme *harm*. On rencontre, par ailleurs, des désignations apparentées: limitation des dégâts, minimisation des risques et des dommages, réduction de la vulnérabilité, etc.

La définition

La définition minimale de la réduction des méfaits faisant consensus est la suivante: approche centrée sur la diminution des conséquences négatives de l'usage des drogues plutôt que sur l'élimination de l'usage. Une définition plus extensive peut également être formulée dans les termes suivants: démarche de santé publique visant, plutôt que l'élimination de l'usage des drogues, à ce que les usagers puissent développer les moyens de réduire les conséquences négatives liées à leurs comportements pour eux-mêmes, leur entourage et la société sur le plan physique, psychologique et social. Cette seconde définition présente des visées plus globales et systémiques de même qu'une adhésion aux valeurs de l'*empowerment*.

Les deux principes

La réduction des méfaits repose sur deux principes fondamentaux: le pragmatisme et l'humanisme, lesquels se sont imposés en remplacement de l'idéalisme et du moralisme prévalant en matière de drogues. Les caractéristiques générales de l'approche découlant de ces principes sont présentées au tableau 4.2.

TABLEAU 4.2

Principes et caractéristiques de l'approche de réduction des méfaits : le pragmatisme et l'humanisme

LE PRAGMATISME *L'usage des drogues est là pour rester.*	L'HUMANISME *Les usagers de drogues sont des personnes dignes de respect, possédant des droits et un pouvoir d'agir.*
• L'usage des drogues est une réalité avec laquelle il faut composer **(tolérance)** • L'intervention doit tenir compte des coûts ET des bénéfices de l'usage et porter sur les conséquences négatives **(coûts/bénéfices)** • L'intervention doit impliquer une hiérarchie d'objectifs, prioritaires et réalistes **(étapisme)**	• Aller à la rencontre des usagers là où ils se trouvent **(travail de proximité)** • Offrir aux usagers une variété de moyens (ressources, services) en fonction de leurs besoins **(bas seuil d'exigence/haute tolérance)** • Impliquer les usagers dans le respect de leurs droits et en favorisant l'« auto-support » **(empowerment)**
Rupture avec l'IDÉALISME (société sans drogue, rétablissement par l'unique abstinence)	**Rupture avec le PATERNALISME (propagande antidrogue, répression des usagers)**

Le pragmatisme

Partant du constat que la consommation de drogues est une réalité qui est là pour rester (tolérance), il faut donc s'attaquer aux conséquences négatives de l'usage (coûts/bénéfices). La réduction des méfaits procède alors d'une démarche par hiérarchie d'objectifs (étapisme), des plus urgents et réalisables aux plus éloignés et utopiques. Cette façon de faire permet de mobiliser plus facilement l'usager et d'établir une relation de confiance, prélude à une démarche de conscientisation et de changement plus profonde ; l'atteinte d'objectifs intermédiaires viendra en retour renforcer l'estime du consommateur et le lien d'aide, augmentant au total la capacité pour l'individu de se prendre en charge et, ultimement, d'atteindre un objectif d'abstinence s'il le désire. Cette attitude est en parfait accord avec la pratique de l'intervention motivationnelle brève (IMB) en milieu clinique. Nous y reviendrons.

L'humanisme

La réduction des méfaits implique un changement d'attitude à l'endroit des consommateurs de drogues, dorénavant rejoints là où ils sont par le travail de proximité[5] afin de dispenser des services et des soins adaptés à leurs besoins (bas seuil d'exigence ou haut seuil de tolérance) : situés près de leur milieu de vie, faisant preuve d'une souplesse d'accueil, n'exigeant pas l'état d'abstinence. À moyen et à long termes, cette approche humanisante encourage les principaux intéressés à se prendre en charge, à défendre leurs droits, à endosser la responsabilité de réduire les méfaits de leur consommation, bref à l'*empowerment* : cela se réalise au sein de groupes dits d'«autosupport» ou regroupements d'usagers[6].

La réduction des méfaits et les autres types d'intervention

Toute initiative cherchant à aborder l'individu là où il est et à favoriser une action sur les conséquences les plus immédiatement néfastes de sa consommation, problématique ou non, de drogues, légales ou non, peut s'inscrire dans une perspective de réduction des méfaits. Cette perspective est-elle conciliable avec les autres «philosophies» d'intervention dans le secteur des toxicomanies ? Comme autres courants majeurs, nous pouvons distinguer : la promotion de la santé, le prohibitionnisme (ou «guerre à la drogue») et le modèle de l'abstinence en contexte de prise en charge (interventions précoce et curative).

La promotion de la santé

La réduction des méfaits est compatible avec la promotion de la santé, à tous les stades d'intervention. Ces deux démarches sont éminemment complémentaires pour faire face aux défis auxquels sont confrontés les gens œuvrant en toxicomanie. Il s'agit de faire preuve de réalisme et d'humanisme en prenant les gens là où ils en sont ET, en même temps,

---

5. Traduction de l'expression anglaise *outreach* associée à la réduction des méfaits.

6. À ne pas confondre avec les groupes d'entraide de type AA ou NA qui n'ont pas de visées de défense des droits et mettent de l'avant une démarche d'*empowerment* découlant plutôt du maintien de l'état d'abstinence.

de faire preuve d'une volonté de transformation en militant pour changer les choses là où ça compte. En d'autres mots, s'attacher à responsabiliser les consommateurs de substances psychoactives en développant ou en restaurant leur pouvoir de décision et d'action en matière de santé (réduction des méfaits) ET s'attaquer aux causes profondes du mal de vivre et du besoin de s'évader en développant la responsabilité sociale et la solidarité avec autrui (promotion de la santé).

Le prohibitionnisme

Par ailleurs, la réduction des méfaits et le prohibitionnisme sont nettement moins conciliables et s'avèrent, le plus souvent, en contradiction des moyens déployés. Lorsque la « guerre à la drogue » est dirigée vers la répression des grands trafiquants et de leurs intermédiaires, il y a compatibilité possible, puisque les gens visés exercent un ensemble d'activités criminelles génératrices de méfaits tout en étant, la plupart du temps, non consommateurs des drogues qu'ils écoulent sur le marché noir. Cette compatibilité disparaît lorsqu'il est question des consommateurs dépendants qui commercent pour pouvoir payer leur drogue. La répression du trafic à ce niveau, tout comme celle de l'usage chez les simples consommateurs, est au contraire source de méfaits tels que la criminalisation, la stigmatisation et la marginalisation des usagers. Il y a également antinomie entre réduction des méfaits et prohibitionnisme lorsque ce dernier favorise une dissuasion de l'usage fondée sur de l'information partielle et des campagnes dramatisantes, lesquelles sont source d'infantilisation des consommateurs et de perte de crédibilité des autorités. Enfin, le prohibitionnisme encourage un climat de délation entre citoyens plutôt que de soutien et d'accompagnement vers une plus grande autonomie.

L'abstinence

Finalement, la réduction des méfaits est compatible avec une visée d'abstinence, soit l'élimination de l'usage, si cela est l'objectif ultime d'une démarche choisie par l'usager. Ou, dans un contexte de prise en charge, lorsque l'abstinence est envisagée comme étape transitoire d'élimination de l'usage inapproprié avant le réapprentissage à la gestion de sa consommation. Il y a en revanche incompatibilité dans le cas des contextes de prise en charge qui visent une élimination de l'usage comme critère d'admission et seul objectif de traitement, sans tenir compte du choix de l'usager.

En résumé, l'approche de réduction des méfaits, de par ses sources historiques et sa situation contemporaine, est animée de deux grands principes qui en dégagent les principales caractéristiques. Le pragmatisme est à la base d'une volonté de reconnaître l'universalité du phénomène de l'usage des drogues, de s'attacher aux conséquences négatives de la consommation et de favoriser des changements selon une hiérarchie d'objectifs et le rythme de l'usager. L'humanisme est à la base d'une volonté de rejoindre les usagers en difficulté dans leur milieu, de rendre accessibles les soins et les services dont ils ont besoin et de favoriser le respect de leurs droits ainsi que leur capacité à prendre des décisions et à se prendre en charge. Ces caractéristiques permettent de distinguer les intervenants qui recourent à la réduction des méfaits comme moyen d'action pouvant mener à diverses fins de ceux qui s'en réclament comme une fin, et pour qui l'utilisation de n'importe quel moyen d'action, incluant la répression, la dissuasion et la contrainte à l'abstinence, est légitime.

Voyons maintenant le panorama général des pratiques associées à la réduction des méfaits qui, si elles comprennent une majorité d'actions situées au stade de l'intervention secondaire, touchent également aux champs de la prévention primaire et de l'intervention curative.

Les pratiques actuelles de réduction des méfaits

La majorité des pratiques de réduction des méfaits concernent les drogues illicites, de sorte que la plupart des typologies excluent les drogues licites. Nous avons choisi d'intégrer les deux types de pratiques dans une nomenclature en dix champs. Le tableau 4.3 en fait état.

Nous présentons les dix champs de pratiques en précisant brièvement l'état de leur développement au Québec et, au besoin, ailleurs au Canada et dans le monde.

Fourniture de matériel / Modification des substances

Stratégie emblématique de la réduction des méfaits depuis l'origine dans tous les pays d'Occident, la fourniture de matériel concerne d'abord la

TABLEAU 4.3

Typologie des pratiques de réduction des méfaits liés à l'usage des drogues illicites et licites

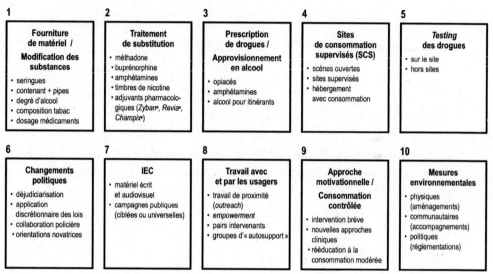

1 **Fourniture de matériel / Modification des substances**	2 **Traitement de substitution**	3 **Prescription de drogues / Approvisionnement en alcool**	4 **Sites de consommation supervisés (SCS)**	5 *Testing des drogues*
• seringues • contenant + pipes • degré d'alcool • composition tabac • dosage médicaments	• méthadone • buprénorphine • amphétamines • timbres de nicotine • adjuvants pharmacologiques (*Zyban*, *Revia*, *Champix*)	• opiacés • amphétamines • alcool pour itinérants	• scènes ouvertes • sites supervisés • hébergement avec consommation	• sur le site • hors sites
6 **Changements politiques**	7 **IEC**	8 **Travail avec et par les usagers**	9 **Approche motivationnelle / Consommation contrôlée**	10 **Mesures environnementales**
• déjudiciarisation • application discrétionnaire des lois • collaboration policière • orientations novatrices	• matériel écrit et audiovisuel • campagnes publiques (ciblées ou universelles)	• travail de proximité (*outreach*) • *empowerment* • pairs intervenants • groupes d'« autosupport »	• intervention brève • nouvelles approches cliniques • rééducation à la consommation modérée	• physiques (aménagements) • communautaires (accompagnements) • politiques (réglementations)

provision de seringues propres, mais également de matériel pour le chauffage de la drogue et de pipes à crack. Au Québec, les Centres d'accès au matériel d'injection (CAMI) couvraient, en 2008, 16 régions sanitaires sur 18 à travers 913 centres déclarés pour un total de quelque 1,5 million de seringues distribuées, 750 000 ampoules d'eau stérile et 400 000 *Stéricup* (comprenant : contenant stérile, manchon, filtre et tampon sec). La majorité de la distribution (80 %) est le fait d'organismes communautaires à vocation multiple et spécialisés en prévention des ITSS qui ne comptent pourtant que pour 7 % des CAMI, les autres étant les établissements du réseau – pharmacies, CLSC, CH – qui dispensent 20 % du matériel. En milieu carcéral, l'implantation de ces programmes rencontre encore des résistances dans l'ensemble du Canada.

En matière de drogues licites, la mise en circulation de substances modifiées, moins concentrées ou moins dangereuses à utiliser, est associée à la réduction des méfaits : boissons à faible teneur en alcool, cigarettes contenant moins de produits toxiques (p. ex. : ammoniac), médicaments possédant une variété de dosage.

Les traitements de substitution

Le principal traitement de substitution est celui à la méthadone, introduit dans les années 1960 aux États-Unis et répandu dans tous les pays occidentaux depuis l'avènement du sida. La méthadone est un opioïde de synthèse permettant d'éliminer les symptômes de sevrage aux opiacés (héroïne, morphine et autres), sans provoquer d'euphorie. Elle est administrée par voie orale sur une base quotidienne. Au Québec, le Centre de recherche et d'aide pour narcomanes (CRAN) a introduit le traitement à Montréal, en 1986. Le réseau actuel de la méthadone repose, pour la région montréalaise, sur trois centres spécialisés : le CRAN, la clinique Herzl de l'Hôpital général juif et la clinique de médecine des toxicomanies du Centre hospitalier universitaire de Montréal (CHUM). Des programmes de traitement à l'intérieur de la plupart des centres publics de réadaptation et un réseau de médecins et de pharmaciens affiliés permettent une couverture sur l'ensemble du territoire québécois.

Plusieurs pays européens recourent à un autre opioïde synthétique, la buprénorphine, en traitement de substitution, dont les effets durent 48 heures et s'avèrent dès lors plus sécuritaires au regard du surdosage. La disponibilité du traitement avec ce produit est accessible depuis décembre 2007 au Canada avec le médicament Suboxone®.

En matière de drogues légales, un traitement de substitution a été développé dans le cas du tabac (gomme, timbres, inhalateurs). Il existe également des adjuvants thérapeutiques pour le tabac et l'alcool, soit des produits dont les effets psychotropes favorisent la diminution et/ou l'arrêt de consommation (*Zyban®, Champix®, Revia®*).

Prescription de drogues / Approvisionnement en alcool

Implantée au Royaume-Uni depuis les années 1920 (sous le nom de *Bristish System*), de même qu'en Suisse et aux Pays-Bas, au cours des années 1990, la prescription d'héroïne est actuellement à l'étude dans plusieurs autres pays (Allemagne, France, Belgique, Espagne), dont le Canada. Elle consiste à fournir médicalement la drogue de choix (héroïne, morphine et, dans quelques expérimentations, amphétamines) afin de rejoindre les consommateurs ayant échoué à leurs tentatives de traitement à la méthadone ou à des programmes d'abstinence et se retrouvant dans un état de misère avancé (morbidité, itinérance). Le NAOMI est une étude clinique à double insu menée sur deux sites canadiens (Vancouver et Montréal) auprès de sujets dont la moitié était traitée aux opioïdes (héroïne ou hydromorphone). Des résultats probants ont été obtenus, qui pourraient ouvrir la porte à l'implantation d'un tel service clinique au Québec dans les prochaines années.

Apparentée à cette mesure, l'approvisionnement en alcool de grands buveurs ou d'alcooliques marginalisés (itinérants, personnes âgées) a été tenté dans certaines provinces canadiennes afin de réduire les méfaits du sevrage forcé ou d'une consommation substitutive plus dangereuse (solvants).

Les sites de consommation supervisée (SCS)

Mesure d'aménagement du milieu établie depuis les années 1980 aux Pays-Bas et en Suisse, elle s'est progressivement répandue dans nombre de villes européennes pour totaliser quelque quatre-vingts sites en opération en 2007. Les SCS sont intégrés dans une approche globale d'intervention offrant, selon diverses modalités, une panoplie de services sociaux et de santé (facilités pour l'hygiène et l'alimentation, soins infirmiers, travail de proximité, *counseling* en toxicomanie, activités de réinsertion). Les sites sont situés dans les grands centres, près des lieux de consommation et possèdent une entrée discrète ; certains offrent également la possibilité d'inhalation de drogues.

En réponse aux besoins criants de la population vulnérable des UDI du quartier Downtown Eastside de Vancouver, le premier site supervisé d'injection en Amérique du Nord a ouvert ses portes le 12 septembre 2003 sous le nom d'*Insite*, approuvé par Santé Canada et soutenu par les associations d'usagers, les représentants municipaux et le monde universitaire. *Insite* est aujourd'hui un des seuls sites au monde à faire l'objet d'une évaluation scientifique rigoureuse sous la responsabilité de l'Université de la Colombie-Britannique. Son avenir est incertain depuis sa remise en question par le gouvernement conservateur canadien, en 2008.

Testing des drogues

La mesure de *testing* n'existe en aucun endroit au Canada, en dépit d'un travail de lobbying en ce sens par les organismes responsables d'interventions en milieux festifs à Vancouver (*Mindbodylove*), Toronto (*Toronto*

Raver Info Project – TRIP) et Montréal (*Groupe de recherche et d'intervention psychosociale – GRIP*). En Europe, plusieurs pays permettent le *testing*, selon des modalités variables ; toutefois, seuls les Pays-Bas en ont fait une partie intégrante de leur politique publique. Le *testing* de produits peut se faire sur le site d'événements festifs ou à l'extérieur, selon trois principales méthodes : le test de Marquis (réaction colorée), l'identification des pilules (fiches permettant la comparaison avec des substances déjà analysées) et les techniques plus sophistiquées de la chromotographie et de la spectométrie de masse qui permettent une différenciation et une quantification des composés. Les buts poursuivis sont de prévention (réduction des risques pour l'usager), de protection (communication publique sur les substances en circulation) et de surveillance (observation de l'évolution des marchés).

Les changements politiques

Cette mesure consiste en une application « libéralisée » des lois criminelles en matière de drogues au moyen du retrait de certains contrôles, au profit de règlements ou de sanctions non pénales. Les applications dans le monde concernent le chef d'accusation de possession et touchent presque exclusivement le cannabis. On distingue la mesure de type déjudiciarisé (changement dans le statut légal) et celle de type de facto (aucun changement mais application modifiée de la loi) donnant lieu à diverses modalités d'applications : pénalités civiles (onze États américains) ; prohibition du commerce mais non de l'usage (Colombie, Suisse, Espagne) ; arrestation avec cautionnement (Australie, Portugal, Italie) ; aucune arrestation pour des petites quantités établies (Belgique, Allemagne, Danemark, Pays-Bas). Des directives visant la lutte contre les grands trafiquants plutôt qu'aux petits revendeurs ou aux simples usagers accompagnent souvent cette logique d'application libéralisée des lois dans plusieurs de ces pays. Au Canada, malgré une rhétorique récurrente favorable à des amendements ou à une application plus souple de la loi (Commission Le Dain en 1969-1973, Bill S-19 de 2000, Comité sénatorial Nolin de 2001-2002), l'approche préconisée demeure essentiellement pénale et répressive. Le Québec se distingue, cependant, par une tradition de non-poursuite criminelle des contrevenants mineurs en matière de possession de cannabis.

Information, éducation, communication (IEC)

Les stratégies d'information, d'éducation et de communication, regroupées sous le sigle IEC, font partie des pratiques les plus universellement répandues de réduction des méfaits, le plus souvent en tant que composantes clés de certaines des pratiques précédentes – fourniture de matériel, SCS, *testing*. Au Québec, plusieurs produits ont été diffusés au cours des vingt dernières années sous forme d'affiches, brochures, dépliants, guides, documents vidéo, magazines, visant la connaissance des risques liés à l'usage, des modes de consommation sécuritaires et des facteurs de protection vis-à-vis de la transmission des ITSS[7]. En outre, des campagnes publiques de persuasion, ciblées ou universelles, peuvent être mises en œuvre, tant dans le domaine des drogues légales qu'illégales[8].

Le travail avec et par les usagers

Pratique fondatrice de la réduction des méfaits dans tous les pays d'implantation, elle est, par essence, intrinsèquement liée au déploiement d'autres stratégies, particulièrement la fourniture de matériel, les SCS et

---

7. Concernant les drogues illicites, mentionnons la brochure et le guide *FX* (AITQ), le dépliant et le guide *Chacun son kit, une idée fixe* (ministère de la Santé et des Services sociaux – MSSS), le matériel d'information pour les gens fréquentant les événements festifs (GRIP Montréal), le document vidéo *Faire sa veine* (Concertation toxicomanie Hochelaga-Maisonneuve) et le livre *Savoir plus, risquer moins* (Centre québécois de lutte aux dépendances – CQLD). Concernant l'alcool, plusieurs documents et émissions visent à contrer les méfaits d'un usage inexpérimenté ou inapproprié : information sur les équivalences de consommation (bière, vin, spiritueux), autoévaluation des risques de sa consommation, connaissance des lois sur la conduite avec faculté affaiblie.

8. Sont à mentionner : la campagne de type universel initiée par le MSSS à la fin des années 1990, dans le but de favoriser un climat social propice à la prévention des ITSS (*Solidarité : moins on juge, mieux on aide*) ; la campagne ciblée initiée par des chercheurs en santé publique en 2006, visant à travailler sur les attitudes des jeunes de la rue non-UDI dans le but de prévenir le passage à l'injection (*Pourquoi commencer ?*). Aussi, les campagnes publiques de l'organisme Éduc'alcool et de la SAAQ visant la consommation modérée et la conscientisation face à la conduite avec facultés affaiblies.

les mesures d'IEC. Le volet du travail auprès des usagers peut revêtir plusieurs formes (prise de contact, information, éducation, provision de matériel, *counseling*, accompagnement, référence, soins physiques) et plusieurs appellations (travail de rue, de proximité ou de milieu pouvant être le fait d'intervenants communautaires, sociaux, en toxicomanie ou en santé). Le second volet, directement orienté vers des visées d'*empowerment*, individuel et collectif, concerne la contribution de pairs aidants au travail auprès des usagers de même qu'au regroupement d'usagers en groupes d'«autosupport».

Approches motivationnelles / Consommation contrôlée

Largement implantées et documentées dans les contextes du *counseling* et de la thérapie, les approches motivationnelles font aujourd'hui partie des stratégies de plusieurs des plans d'action en réduction des méfaits en tant qu'interventions brèves, respectant le rythme et le désir de changement des usagers. Au Québec, l'introduction du «paradigme clinique» de la réduction des méfaits à l'intérieur de plusieurs centres publics de réadaptation confirme la pertinence préventive de certaines stratégies comme les approches motivationnelles auprès d'usagers ne voulant ou ne pouvant arrêter leur consommation. Le Centre de réadaptation Dollard-Cormier, à Montréal, est précurseur dans l'implantation et l'évaluation de telles approches de réduction des méfaits en contexte thérapeutique.

Essentiellement développés en rapport avec la consommation d'alcool à la suite des recherches nord-américaines sur le «boire contrôlé», des programmes ont été mis en place visant la réduction et la stabilisation de la consommation d'alcool à des niveaux non problématiques chez les buveurs éprouvant des problèmes. Le Canada et le Québec sont novateurs en ce domaine. Le programme québécois offert à la population est *Alcochoix +*, par l'entremise du réseau des CSSS.

Les mesures environnementales

Il s'agit ici de multiples formes d'intervention relatives à la gestion des drogues légales dans nos sociétés, principalement de l'alcool: des mesures physiques comme l'aménagement des lieux de consommation pour qu'ils soient plus sécuritaires, la délimitation de zones pour fumeurs et non-fumeurs, les dispositifs antidémarrage dans les automobiles ; des mesures communautaires comme la formation de serveurs et l'application de politiques dissuasives dans les débits de boisson ainsi que les ressources de raccompagnement pour chauffeurs avec facultés affaiblies (*Opération Nez Rouge*) ; des mesures politiques concernant l'alcool, le tabac ou les médicaments et visant à protéger la population, sans toutefois générer des effets pervers ou bafouer les droits et la dignité des usagers[9].

L'apport de la réduction des méfaits à la prévention

Les pratiques, discours et modèles d'intervention issus de l'approche de réduction des méfaits ont eu, au fil des ans, un impact certain sur les façons de concevoir la prévention en toxicomanie. Ainsi que nous l'avons vu précédemment, la réduction des méfaits peut se concevoir selon des champs d'application restreints ou larges : ces derniers incluent la dimension préventive de l'approche, soit la réduction des risques de méfaits, en amont du continuum de l'intervention.

La nouvelle approche pragmatique

Tout un travail de réflexion a été conduit au Québec à la fin de la décennie 1990 sur les façons concrètes d'actualiser la prévention des toxicomanies dans le contexte nouveau de la réduction des méfaits. Cela a abouti au dépôt du document *Pour une approche pragmatique de prévention en toxicomanie*, au début des années 2000. Les axes d'intervention et les actions qui y sont préconisés représentent toujours la position « officielle » du gouvernement en matière d'orientation, malgré une tendance à un retour en arrière au cours des dernières années[10].

---

9. Ces mesures, dans le cas du tabac, ont à un certain moment été à la limite de dégénérer en effets contre-productifs et, à l'instar du prohibitionnisme, de maximiser les méfaits plutôt que de les diminuer (contrebande de produits, criminalité juvénile, banalisation du non-respect des lois).

10. Malgré le fait que le MSSS ne démente pas qu'elle soit une approche privilégiée, la réduction des méfaits est quasi absente du *Plan d'action interministériel en toxicomanie* adopté au printemps 2006, les références à *Pour une*

Le tableau 4.4 donne un aperçu du plan stratégique de la nouvelle approche pragmatique.

TABLEAU 4.4

Orientations et axes d'interventions d'une approche pragmatique de prévention des toxicomanies

Agir en amont des problèmes d'adaptation sociale	Prévenir les risques de conséquences négatives ou l'aggravation des problèmes liés à l'usage inapproprié	Promouvoir l'adoption de politiques publiques cohérentes en matière de substances psychotropes
Axe 1 Développer les aptitudes personnelles et sociales pour que tous puissent adopter des habitudes de vie saines et sécuritaires.	**Axe 1** Développer la capacité des individus à faire des choix éclairés en matière de substances et à en gérer les risques.	**Axe 1** Les politiques publiques relatives à l'alcool.
Axe 2 Créer des environnements favorables pour la mobilisation et le soutien des milieux de vie.	**Axe 2** Créer des environnements favorables à une saine gestion de la consommation et à la réduction des méfaits découlant d'un usage inapproprié (contexte de consommation et contexte sociétal).	**Axe 2** Les politiques publiques relatives aux médicaments psychotropes.
Axe 3 Améliorer les conditions de vie.		**Axe 3** Les politiques publiques relatives aux drogues illégales.

Adapté de MSSS (2001)

Le tableau présente les trois grandes orientations qui sous-tendent les actions proposées, en fonction de huit axes distincts d'intervention. Au total, l'approche préconisée articule de façon renouvelée les volets suivants du continuum de l'intervention :

- **Aspect promotionnel :** augmenter les facteurs de protection et diminuer les facteurs de risque en regard de l'inadaptation sociale, par des actions tant sur les individus que sur les milieux de vie.
- **Aspect préventif :** augmenter les facteurs de protection et diminuer les facteurs de risque en regard de l'usage inapproprié de substances,

approche pragmatique de prévention en toxicomanie y étant absentes ! Il semble que les ministères associés – Sécurité publique, Justice, Éducation, Transport – se soient montrés trop frileux à cet égard. Cela semble participer d'un ressac idéologique national, ainsi que l'on peut le constater dans la récente *Stratégie nationale antidrogue* (2007), lancée par le gouvernement Harper, qui ne fait également aucune place à l'approche de réduction des méfaits.

par des actions tant sur les individus que sur les milieux de vie, y compris la prise en compte des politiques publiques existantes en matière de SPA, licites et illicites.

- **Aspect intervention précoce (prévention secondaire)** : augmenter les facteurs de protection et diminuer les facteurs de risque en regard de l'aggravation des problèmes liés à l'usage inapproprié de substances, tant sur les individus que sur les milieux de vie, y compris la prise en compte des politiques publiques existantes en matière de SPA, licites et illicites.

Le concept d'usage inapproprié

Le concept clé qui définit l'esprit de la « nouvelle » prévention est celui d'usage inapproprié. Il ne s'agit plus dès lors de prévenir l'usage de substances (nommément celles qui sont illicites), mais bien de prévenir l'usage inapproprié de tout produit psychotrope, soit un usage problématique en termes de fréquence ou de quantités ou un usage dans des circonstances ou des conditions inadéquates (ignorance de la qualité ou de la composition du produit, conduite automobile, grossesse, par le mode de l'injection, sur les heures de travail, etc.). Il s'agit donc, au stade primaire, de se positionner « pragmatiquement » par rapport aux risques découlant de n'importe quelle situation d'usage, en complément d'une intervention promotionnelle s'attachant à réduire les « besoins » de consommer par une action sur les déterminants de l'inadaptation sociale. L'intervention précoce s'attache, quant à elle, à la limitation directe des méfaits découlant de l'usage inapproprié.

À noter que la majorité des stratégies présentées dans la troisième partie peuvent être utilisées dans une perspective de réduction des risques (de méfaits), particulièrement l'information, l'éducation et l'aménagement du milieu.

*

En prévention primaire, l'arrivée de la promotion de la santé aura permis de dynamiser et de renouveler (de façon évidente, ici, au Québec) une voie d'intervention qui s'est alors mise à délaisser le recours unique aux stratégies « passives » de contrôle et de communication pour investir les champs de l'habilitation, de la responsabilisation, de l'autonomisation, tant au plan personnel que collectif, en prenant en compte non plus seulement le style de vie des personnes mais aussi les conditions d'existence des populations concernées.

L'arrivée de la réduction des méfaits, fondée sur des principes et des pratiques d'intervention différents en matière de drogues illicites à la suite de la survenue du sida, transforme à nouveau le «paradigme» préventif: d'une centration obsessive sur la réduction de la demande et de l'usage, la prévention évolue aujourd'hui vers une nouvelle éducation publique sur les drogues, visant à fournir aux usagers expérimentaux, occasionnels ou réguliers, les moyens de réduire les risques et les problèmes relatifs à leur situation, sans stigmatisation ou contraintes à un changement de comportement.

Il a fallu des années pour que nous intégrions les idées, les attitudes et les conduites propres à une démarche de promotion de la santé. Aujourd'hui, de même, si les intervenants en toxicomanie sont sympathiques au principe général de «pragmatisme à visage humain» de la réduction des méfaits, l'intégration profonde, au quotidien, des idées, attitudes et conduites qui en découlent est loin d'être chose faite. En cette période de «construction» de l'approche, l'occasion est belle de faire (ou de refaire) l'exercice de clarification de ses valeurs en rapport à la question des drogues, comme intervenant, comme citoyen, comme parent, mais aussi comme usager de substances psychoactives, ce que nous sommes tous, à un niveau ou à un autre.

Nous concluons ainsi la présentation d'un cadre de référence théorique pour l'action en prévention. Après avoir circonscrit la prévention en tant que fait historique et notion théorique, après avoir réfléchi sur son caractère philosophique et éthique, nous en avons étayé l'objet à travers la présentation des deux courants d'intervention qui l'ont façonnée au cours du dernier quart de siècle. Comment maintenant articuler une démarche d'intervention préventive qui tienne compte de l'ordre de l'influence et de l'ordre de l'autogestion? Comment articuler une démarche d'intervention préventive qui conjugue promotion de la santé et réduction des méfaits? C'est ce à quoi nous vous convions dès la prochaine section qui inaugure la portion proprement méthodologique de notre parcours. Dans le prochain chapitre, nous survolerons les grandes étapes de la conception d'un programme de prévention et approfondirons la toute première: la définition du problème.

DEUXIÈME PARTIE

CADRE MÉTHODOLOGIQUE

CHAPITRE 5

Première étape :
la définition du problème

Sujet

À la suite de l'exposé d'un cadre théorique pour l'intervention préventive, en première partie, nous passons maintenant à la description du cadre méthodologique d'une démarche en prévention. Cette démarche se compose de cinq grandes étapes : définition du problème, analyse du problème, planification de l'action, mise en œuvre du programme et évaluation de l'action. Chacune des étapes est constituée d'une séquence de deux opérations. À l'intérieur des chapitres de la seconde partie, nous verrons le détail des trois premières étapes qui correspondent à la phase de conception d'un programme de prévention. La cinquième étape, l'évaluation du programme, est traitée en dernière partie[1].

5 étapes

Le présent chapitre est consacré à la première étape de la démarche, qui consiste à définir clairement le problème à prévenir. Pour ce faire, il importe de mener un travail de clarification : quelles sont mes valeurs quant à ce qu'il importe de prévenir ? Quels sont les besoins sociaux existant en matière de prévention ? Ce questionnement permet d'en arriver à préciser la situation indésirable et la population à risque qui feront l'objet du programme : dès lors, le but général de la démarche peut être énoncé.

La démarche d'intervention

Pourquoi suivre une méthodologie pour faire de la prévention ? La réponse comporte plusieurs volets. D'abord, pour éviter de mener des actions qui font plus de tort que de bien, voire aggravent des états de chose déjà réputés indésirables. Ensuite, pour éviter de mener des actions inefficaces, sans

Réponse 1

Réponse 2

---

1. La quatrième étape ou mise en œuvre du programme n'est pas abordée dans le cadre de cet essai étant donné le corpus important de matière qu'elle recouvre – habiletés de l'agent de changement, connaissance des milieux d'intervention, gestion des ressources organisationnelles et financières, etc. – et qui pourrait faire l'objet d'un ouvrage en soi.

portée, ce qui revient à gaspiller ressources et énergies. Finalement, pour éviter de laisser des problèmes, peut-être moins visibles ou plus délicats à traiter, s'étendre et s'aggraver en l'absence d'intervention pour s'attaquer à leurs causes.

Un processus systématique en cinq temps

Aujourd'hui, en raison de la complexité des problèmes sociaux comme la toxicomanie, qui mettent en jeu une multiplicité de facteurs en interaction, il est difficile d'espérer être à la fois utile, efficace et non nuisible sans adopter une démarche systématique, un plan méthodique d'intervention. Une des recommandations des recherches évaluatives sur la prévention des toxicomanies est précisément que les démarches soient bien articulées et évitent toute improvisation, si elles veulent atteindre leur but.

En fait, être systématique, c'est se poser une suite logique de questions, avant, pendant et après l'intervention :

1. Pourquoi agir?		1. C'est quoi le problème?
2. Sur quoi agir?		2. D'où vient le problème?
3. Comment agir?		3. Comment empêcher le problème?
4. Dans quelles conditions agir?	Dit autrement	4. Comment mettre en œuvre le plan visant à empêcher le problème?
5. Quels résultats obtient-on?		5. Quel bilan tirer de cette mise en œuvre?

Dans les deux cas, il s'agit d'une démarche en cinq temps. Aussi simple et élémentaire qu'elle puisse paraître, cette démarche n'en exige pas moins une bonne dose de rigueur pour être menée à bien. La figure 5.1 présente les cinq étapes de la démarche et les opérations impliquées dans le processus.

Chaque étape se réalise à travers deux opérations qui mettent à contribution des aspects objectifs et subjectifs, méthodologiques et interprétatifs. Les trois premières étapes permettent de concevoir un programme de prévention qui, par la suite, est mis en œuvre, puis évalué. Penchons-nous d'abord sur la dynamique de ces trois premières étapes qui font l'objet du parcours de la présente section.

FIGURE 5.1

important

Étapes et opérations composant la démarche d'intervention préventive

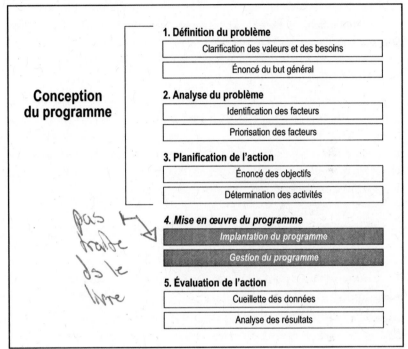

*pas
traité
de le
livre*

La conception du programme

Le cœur de la démarche méthodologique consiste à bien préparer l'action, ce qui se fait à travers les trois étapes de la conception du programme. Avant d'entrer dans le détail de ces étapes, examinons la dynamique qui les relie, en remontant de la troisième à la première, comme si nous faisions l'évaluation d'une action menée.

Nous nous posons alors la question : avons-nous choisi les MOYENS adéquats nous permettant d'agir sur les CAUSES VÉRITABLES à la source du RÉEL PROBLÈME qu'il importe de prévenir en matière de toxicomanie ? Cela nous ramène à la définition générale de la prévention adoptée au précédent chapitre : *mesure d'anticipation pour empêcher qu'un état de chose indésirable ne se produise.* La mesure, ce sont les moyens utilisés ; l'anticipation, c'est la prise en compte des causes ; l'état de chose indésirable, c'est le problème. Un programme de prévention procède donc d'un ensemble de moyens (mesure), choisis en fonction de causes (anticipation) sur lesquelles il faut agir afin d'empêcher qu'un problème (état de chose indésirable) n'advienne.

La rigueur méthodologique et le jugement sont nécessaires à chaque étape pour assurer le succès de la séquence. En effet, si les moyens choisis sont adéquats pour agir sur les causes véritables d'un… faux problème, le programme de prévention ne sera malheureusement pas très utile. Si des moyens adéquats sont mis en œuvre pour agir sur des causes qui ne sont pas à la source du problème identifié, le programme ne sera pas très efficace. Pas plus que si des moyens inadéquats sont mobilisés pour contrer les causes effectives d'un problème manifeste. D'où l'importance de mener à bien les opérations impliquées dans les trois premières étapes et, surtout, de ne pas passer outre l'une ou l'autre.

Les difficultés

Parmi les difficultés fréquemment rencontrées dans la conception de programme, il en est deux qui procèdent de lacunes méthodologiques : la tendance à négliger la première étape et, donc, de mal définir le problème au départ ; la tendance à « sauter » la seconde étape et à passer aux moyens d'action, sans avoir une idée juste des causes sur lesquelles agir. Illustrons ces deux écueils à partir d'un exemple.

Un organisme en prévention se voit confier le mandat de travailler sur la question de la consommation de cannabis chez les jeunes, sans autre précision quant à la définition du problème. Le groupe prend pour acquis qu'il s'agit de prévenir l'abus de ladite substance chez les jeunes du secondaire, en conformité avec la connaissance qu'il a du phénomène et les valeurs des membres de l'équipe. Or, il s'avère que l'organisme subventionnaire a plutôt la visée de prévenir l'usage exploratoire du cannabis chez les enfants de la fin du primaire, ce qui n'est pas la même définition du problème et pas nécessairement celle correspondant aux valeurs des intervenants pour qui il n'est guère pertinent d'aborder de front cette question à un si jeune âge. Par ailleurs, après consultation des recherches sur le sujet et rencontres d'enseignants sur le terrain, il ressort que la définition la plus pertinente du problème ces dernières années est plutôt l'usage inapproprié du cannabis lors des heures de cours chez les étudiants du secondaire, en particulier ceux de 2e, 3e et 4e années. Comme on peut le constater, la définition initiale du problème détermine de fait la séquence ultérieure des causes et des moyens d'action, en plus de mettre en jeu à la fois les valeurs des acteurs impliqués et la connaissance des besoins effectifs sur le terrain.

Poursuivons avec le même exemple. L'organisme a finalement opté pour la prévention de l'usage inapproprié du cannabis lors des heures de cours chez les élèves du secondaire. Partant de ce mandat, les intervenants s'interrogent : devrait-on faire un dépliant d'information ou organiser des ateliers de jeux de rôles ? Est-ce que l'on doit produire un document vidéo présentant les faits concernant les drogues ou faire témoigner des ex-toxicomanes ? Ce sont peut-être de bonnes questions mais prématurées, car c'est l'étape de la connaissance des causes du problème qui seule permet de déterminer le choix de moyens d'action adéquats, étape trop souvent escamotée[2]. La figure 5.2 illustre, à partir d'une situation simplifiée, la dynamique incontournable qui lie l'ordre des moyens à celui des causes dans le cadre d'une démarche de prévention. Ainsi, la production du plus beau dépliant sur les dangers du cannabis ne sera d'aucune efficacité auprès de jeunes déjà très informés sur la question et dont la motivation à consommer est d'abord le besoin de provocation et l'affiliation à des pairs déviants. Ainsi de suite.

L'exemple ci-dessous est simplifié car, nous le verrons dans les chapitres suivants, l'étape de l'analyse du problème donne lieu à l'identification de nombreuses causes (les facteurs de risque) et l'étape de planification de l'action, à l'élaboration d'un ensemble de moyens (les activités). C'est l'approfondissement et l'articulation des étapes clés de la définition, de l'analyse et de la planification qui fondent la spécificité du programme, le distinguant de simples outils ou d'activités ponctuelles. La figure 5,3 page 104 donne à voir la diversité des formes que peut revêtir l'action préventive. Le stade de projet, malgré son caractère transitoire, peut être le point de départ d'une démarche plus articulée au plan méthodologique et qui tend vers la conception d'un véritable programme. À partir de ce niveau structurel, nous sommes en présence d'ensembles ayant la capacité d'être généralisés et intégrés dans le cadre de politiques.

2. Les raisons en sont nombreuses : méconnaissance de la façon d'analyser un problème pour en connaître les causes ; manque de temps et de moyens pour accomplir l'analyse du problème ; mauvaise compréhension de ce qu'est la prévention, etc.

FIGURE 5.2

Lien méthodologique entre les moyens et les causes pour un problème donné

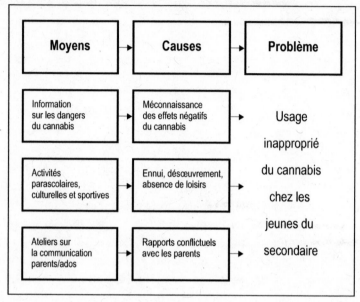

Ces considérations générales sur la démarche d'intervention et la phase de conception du programme étant faites, nous pouvons passer à l'examen de la première étape du processus, la définition du problème. Cette première étape de notre démarche comporte, comme toutes les autres, deux opérations centrales : a) clarifier les valeurs et les besoins ; b) énoncer le but général de l'intervention.

Première opération : la clarification des valeurs et des besoins

Le point de départ de la définition du problème est de se prêter à une double démarche de clarification : ce en quoi l'on croit (notre « philosophie » ou vision de la situation) et ce que l'on sait (les connaissances disponibles). Autrement dit, les intervenants en matière de prévention doivent faire la part entre leurs croyances et les données à propos d'un problème. Le tableau 5.1 fait état des pièges rencontrés au cours des deux cheminements, ainsi que des questions et outils permettant l'exercice de clarification.

FIGURE 5.3

Distinction entre les divers niveaux de complexité des actions en prévention

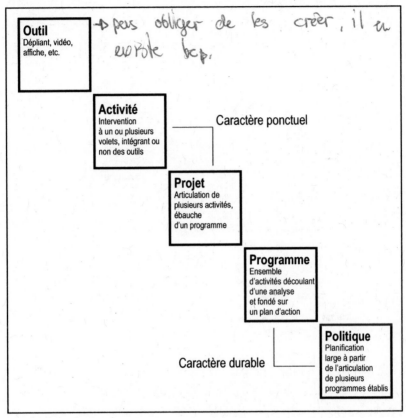

Notre vision de la situation

Quel est le problème? Qu'est-ce que l'on doit prévenir? Qu'est-ce qui est indésirable? Poser les questions suivantes, on s'en doute, c'est devoir prendre position ou adopter, parfois inconsciemment, les valeurs dominantes de la société ou encore les préjugés de l'heure. Ou encore, révéler un parti pris idéologique parfois enraciné de longue date. Il est primordial dans une équipe de travail de clarifier la nature des valeurs en jeu avant d'entreprendre une démarche d'intervention. C'est en quelque sorte une démarche d'autoréflexion préalable qui revient à faire preuve d'une certaine maturité et autonomie avant de s'engager, rappelons-le, à influencer d'autres personnes dans un sens ou dans l'autre. Nous touchons ici aux

TABLEAU 5.1

Processus de clarification des valeurs et des besoins :
pièges, questions et outils

Processus de clarification		
	valeurs	**besoins**
PIÈGES	Préjugés Valeurs dominantes Inconscient Parti pris idéologique	Sens commun Connaissance médiatique Intuition Valeurs non clarifiées
QUESTIONS	Que signifient les termes «drogues», «usage», «abus», «usage inapproprié», etc. ? Comment s'expliquent les problèmes qui surviennent en matière de drogues?	Quelle population est actuellement la plus à risque dans le domaine de la toxicomanie ? Quelle situation est actuellement la plus grave en termes de conséquences dans le domaine de la toxicomanie ? Quelle situation est actuellement la plus répandue ou en progression dans le domaine de la toxicomanie ?
OUTILS	**Grille de positionnement philosophique sur les façons de voir le phénomène drogue et les problèmes de toxicomanie**	**Plan de recherche sur la population à risque, les conséquences et les modèles de consommation**

aspects «philosophiques» de la démarche, approfondis dans le second chapitre. Certaines questions sont à même d'aider à mener à bien un tel exercice de clarification au sein d'un groupe.

Il est d'abord souhaitable de clarifier les termes de base. Qu'est-ce qu'une drogue? L'alcool est-il une drogue? Qu'est-ce que l'abus dans le cas de telle ou telle substance? Qu'est-ce qu'un usage approprié et inapproprié? Etc.

Dans un second temps, on peut se demander quelle grille interprétative, quel modèle de compréhension, quelle philosophie commandent (encore là, parfois inconsciemment) notre lecture des problèmes de toxicomanie et, de là, notre façon de concevoir l'intervention préventive en ce domaine ? Par exemple, sommes-nous davantage partisan d'une perspective légale que d'une perspective psychosociale, et comment cela influence-t-il notre perception des problèmes dans notre secteur d'intervention ? Le tableau 5.2 présente les principales perspectives, issues des courants de pensée actuels, quant aux façons de voir le phénomène drogue et les problèmes qui lui sont associés.

TABLEAU 5.2

Perspectives concernant le phénomène drogue et les problèmes de toxicomanie

	Façon de voir le phénomène drogue	Façon de voir les problèmes de toxicomanie
Perspective légale	Bonnes drogues et mauvaises drogues	Problème d'usage de produits illicites CAUSES : Inconscience, déviance
Perspective médicale	Drogues dures et drogues douces	Problème d'usage de produits toxicomanogènes ou nuisibles à la santé CAUSES : Ignorance, dépendance
Perspective psychosociale	Bons et mauvais usages	Problème d'usage abusif ou excessif de n'importe quelle substance CAUSES : Inexpérience, incompétence
Perspective socioculturelle	Contexte propice ou défavorable d'utilisation	Problème d'usage inapproprié aux conditions ou circonstances, pour n'importe quelle substance CAUSES : Pressions, exclusion, défavorisation

Cette grille fait ressortir la tendance à définir les problèmes en termes d'usage (perspectives légales et médicales), d'abus (perspective psychoso-ciale) ou d'usage inapproprié (perspective socioculturelle), en fonction de la façon de voir adoptée. On peut également noter, dans la seconde colonne, les causes le plus souvent associées à chacune des perspectives. Il est bien sûr possible d'adhérer à plus d'une façon de voir ou de défendre une position hybride concernant telle ou telle situation de prévention. L'important est de mener un exercice de clarification chez les intervenants (et les décideurs) pour qui un tel processus est trop souvent escamoté, avec pour conséquences d'entraîner des problèmes ultérieurs de clarifi-cation, voire de confrontation, lors des étapes de planification de l'action ou de mise en œuvre du programme.

En fait, la clarification des valeurs (qui procèdent d'une clarification des termes et des «philosophies») doit viser à créer un consensus d'équipe quant à la définition du problème, point de départ utile sinon indispen-sable à la poursuite d'une démarche d'intervention commune.

L'état réel de la situation

Qui? Quoi? Comment?

Une fois clarifiées les valeurs que l'on souhaite défendre en prévention des toxicomanies, il faut interroger l'état réel de la situation afin de cla-rifier les besoins effectifs à ce chapitre. Le piège, à ce stade, est de se fier à son intuition et alors, souvent, de ne refléter que le sens commun, lui-même fortement influencé par l'information des grands médias. Bien sûr, certains éléments pertinents ressortent de la connaissance populaire dispensée par les médias, mais si on interrogeait les gens dans la rue sur leur connaissance des besoins en prévention des toxicomanies, il n'est pas sûr que les réponses obtenues seraient corroborées par les faits. L'autre écueil est de projeter ses valeurs sur la réalité, situation fréquente qui peut être évitée, si l'étape de clarification précédente a été accomplie.

Pour en arriver à une clarification des besoins, trois questions se posent:

- Quelle population est à risque d'éprouver telle ou telle situation indésirable en regard de l'usage et de l'abus des drogues? (Qui?)
- Quelle est la gravité de telle ou telle situation indésirable en regard de l'usage et de l'abus des drogues? (Quoi?)

- Quelle est l'étendue de telle ou telle situation indésirable en regard de l'usage et de l'abus des drogues ? (Comment ?)

Un plan de recherche *sert à l'étape 1, 2, 5*

La réponse à ces questions permet de circonscrire les besoins réels en matière de prévention. Pour y arriver, il faut procéder de façon systématique, au moyen d'un plan de recherche. Le plan de recherche est un outil pour recueillir et organiser l'information permettant de répondre à des questions. C'est un outil universellement utilisé en sciences humaines et sociales : nous y avons d'ailleurs recours lors de trois des cinq étapes de la présente démarche. Le tableau 5.3 présente un plan de recherche adapté à la clarification des besoins.

Le plan présente, d'une part, les questions de recherche qui nous occupent : QUI ? (population à risque), QUOI ? (gravité du problème) et COMMENT ? (étendue du problème) ; d'autre part, les méthodes disponibles pour répondre à ces questions et obtenir l'information désirée : l'analyse documentaire et l'enquête sur le terrain. L'analyse documentaire consiste à passer en revue les données existantes. Dans le cas où cette démarche est insuffisante, ou encore pour valider des informations recueillies, l'enquête sur le terrain permet d'aller chercher des données originales sur le sujet[3].

Trois indicateurs

La mesure de ce que l'on cherche à établir par les questions de recherche (qui est à risque, avec quelle gravité et selon quelle étendue ?) est fournie par des indicateurs : sociodémographiques, sociosanitaires et épidémiologiques :

1. Les indicateurs sociodémographiques permettent de décrire les caractéristiques de la population à risque en termes de bassin (nombre de personnes), d'âge, de sexe et de territoire[4]. Cet indicateur assure la connaissance du milieu.

3. Les données issues d'enquête sur le terrain sont qualifiées de «première main», puisque inédites, alors que celles obtenues par l'analyse documentaire sont de « seconde main ».
4. D'autres indicateurs, tels le revenu et la scolarité, peuvent aussi s'avérer pertinents.

TABLEAU 5.3

Plan de recherche pour la clarification des besoins

Questions de recherche → indicateurs / Méthodes de recherche techniques	Analyse documentaire						Enquête sur le terrain							
	revue de littérature				revue de presse		sondage			consultation		observation		histoire de vie
	monographies	périodiques	annuaires, rapports	Internet	journaux, magazines	radio, télé	face à face	téléphone	groupes	informateurs clés	panel	participante	non participante	
QUI ? Population à risque — sociodémographiques : bassin, âge, sexe, territoire														
QUOI ? CONSÉQUENCES Gravité du problème — sociosanitaires : physiques, psychologiques, familiales, sociales, etc.														
COMMENT ? épidémiologiques MODÈLES Étendue du problème : niveaux, fréquence, durée, évolution, contexte (produits, mode administration), profils, etc.														

B E S O I N S

2. Les indicateurs sociosanitaires permettent de décrire les conséquences négatives d'une situation impliquant les SPA, sur les plans physique, psychologique, familial, social (décès, hospitalisation, admission en traitement, accident, perte d'emploi, etc.).

3. Les indicateurs épidémiologiques permettent de décrire les modèles de consommation prévalant pour une situation impliquant les SPA, soit les niveaux et la fréquence de consommation, les profils particuliers, les contextes et l'évolution de la consommation, etc. Cet indicateur et le précédent assurent la connaissance du problème.

Notons qu'une autre phase de recherche fait l'objet de la seconde étape, au prochain chapitre, qui s'intéresse à la question du POURQUOI à travers l'analyse d'indicateurs dits étiologiques.

Six techniques de recherche

La cueillette de données en relation avec les trois types d'indicateurs de besoins mentionnés s'effectue au moyen de six techniques particulières de recherche.

L'analyse documentaire pourra prendre la forme d'une recension des écrits (ouvrages, périodiques, rapports, encyclopédies, thèses, articles sur Internet[5]) ou d'une revue de presse (journaux, magazines, médias de masse, sites Internet). La première technique est de loin la plus recommandable et la plus utilisée, puisqu'elle permet de recueillir des données probantes, à caractère scientifique, dont les sources sont réputées crédibles. Cela dit, il n'est pas exclu de trouver à l'occasion de l'information pertinente à l'intérieur de médias plus populaires (documentaires ou reportages télévisés, par exemple).

Côté terrain, quatre techniques sont mises à contribution. Le sondage consiste à interroger un échantillon d'individus issus de la population à risque, afin de vérifier leurs caractéristiques de même que les conséquences et les modèles de consommation en présence. Les sondages peuvent être représentatifs ou non, dépendamment de la procédure privilégiée lors de l'établissement de l'échantillon : c'est à ce niveau que l'on

---

5. Nous avons mis les données disponibles sur Internet à l'intérieur des deux types de recension, puisqu'elles peuvent aujourd'hui à la fois relever de la recherche scientifique comme de la vulgarisation anecdotique, propre aux médias de masse.

parlera de résultats généralisables ou simplement de coups de sonde. Un sondage peut être administré sous différentes formes ou modes. Nous en privilégions trois : face à face (en personne), par téléphone et en groupe. Le sondage par la poste, aussi utilisé, est moins approprié au type de démarche que nous présentons. Chacun de ces modes possède des avantages et des inconvénients en relation avec le coût économique, les biais méthodologiques et la validité des réponses obtenues.

La consultation consiste à interviewer des experts (ou informateurs clés), seuls ou en groupe (panel), dans ce dernier cas en fixant ou non l'objectif d'arriver à un consensus. L'observation consiste à aller directement voir comment cela se passe sur le terrain, dans certains milieux, en tant que membre participant (idéalement non identifié) ou en demeurant à l'extérieur. L'histoire de vie consiste à recueillir le témoignage étayé d'acteurs privilégiés en regard des questions que l'on se pose ; dans le cadre de notre démarche, il s'agit d'individus ayant déjà été touchés par le problème que l'on cherche à prévenir.

Une démarche à adapter

On pourra trouver que cette première opération de clarification des valeurs et des besoins est bien ardue et compliquée, simplement pour en arriver à définir le problème à prévenir. Dites-vous qu'il s'agit d'une démarche idéale à adapter à la réalité de chaque groupe d'intervenants. Si vous avez déjà eu l'occasion de clarifier vos valeurs sur les questions de toxicomanie, l'exercice sera familier et aisément mené. En ce qui concerne la clarification des besoins, souvent il ne sera pas nécessaire d'aller sur le terrain, parce que les données disponibles sont amplement suffisantes pour statuer sur la situation indésirable. S'il faut soi-même faire enquête, le recours à une ou deux techniques suffit. Ultimement, tout dépend des moyens financiers, du temps et des ressources humaines dont on dispose. À cet égard, la clarification des besoins est fréquemment requise pour justifier une demande de fonds et correspond, nous le verrons au chapitre 12, à ce que l'on appelle étude ou évaluation de la pertinence, un incontournable pour espérer être subventionné ou reconduit dans un mandat. Pour une équipe ou un organisme œuvrant en prévention, il est fréquent qu'une telle étude ait déjà été menée et que le problème soit défini et imposé de l'extérieur (par les autorités de santé publique, par exemple) ; dans pareil cas, une clarification des valeurs avant de s'engager s'avère

sans doute plus nécessaire encore. Qu'elle émane des principaux protagonistes ou d'autorités responsables, la clarification des valeurs et des
besoins mène à la seconde opération de notre première étape : l'énoncé
d'un but général au programme et à la démarche d'intervention.

Seconde opération : l'énoncé du but général

Préalablement à l'énoncé du but comme tel de la démarche, le temps est
venu d'adopter une formulation opérationnelle du problème.

La formulation du problème

Les deux éléments clés du problème à prévenir sont la situation indésirable
et la population à risque. Le tableau 5.4 précise les composantes à partir
desquelles en arriver à cette précision.

TABLEAU 5.4

**Éléments et composantes permettant la formulation d'un problème
à prévenir dans le champ de la toxicomanie**

Situation indésirable (S.I.)	
1. Usage 2. Usage problématique (fréquence, dose) 3. Usage inapproprié (conditions, circonstances)	A. Un psychotrope (alcool, tabac, cocaïne, etc.) B. Certains psychotropes (médicaments, drogues illicites, etc.) C. Tous les psychotropes

Population à risque (P.A.R.)		
1. Hommes 2. Femmes 3. Hommes et femmes	A. Enfants (0-10 ans) B. Adolescents (11-17 ans) C. Jeunes adultes (18-24 ans) D. Adultes (25-64 ans) E. Personnes âgées (65 ans et +) F. Population générale (18 ans +)	X. Particularité et territoire (étudiants, détenus, handicapés, immigrants, etc. de tel pays, région, ville, quartier)

Exemple : S.I. + P.A.R. = formule suivante : 3A + 1CX (en utilisant les chiffres et les
lettres du tableau) = *Usage inapproprié d'alcool (lors de la conduite automobile) chez
les jeunes hommes adultes du Québec.*

Cette « procédure » permet de cerner un problème relatif à notre secteur d'intervention plutôt qu'un problème concomitant – les troubles de santé mentale, par exemple – ou trop général, comme l'inadaptation sociale. Elle favorise une action ciblée sur un comportement d'usage associé à certains psychotropes (S.I.) et une population à risque, évitant les entreprises larges et floues comme « prévenir l'abus de drogues chez les jeunes ». Finalement, cela permet d'énoncer un but qui soit à la fois réaliste et mesurable.

Le but général

La conclusion de cette première étape est l'énoncé du but général de l'intervention à être menée. Le but général de la prévention primaire, ainsi que nous l'avons vu au chapitre premier, est de limiter l'incidence d'un problème. Trois options sont alors possibles, en fonction de la nature du problème formulé : soit éliminer l'incidence, soit réduire l'incidence, soit stabiliser l'incidence. Dans le cas d'une situation indésirable qui connaît une progression vertigineuse, il est à propos de ne viser que la stabilisation ; à l'inverse, dans le cas d'une situation réputée en voie de disparition, il est envisageable de viser à une élimination totale des nouveaux cas. La position intermédiaire de réduction de l'incidence est toutefois la plus fréquente et la plus réaliste à adopter. À partir de l'exemple précédent de la conduite avec facultés affaiblies, le tableau 5.5 illustre le processus menant à l'énoncé d'un but général.

Les pourcentages mentionnés, s'ils possèdent un caractère un peu arbitraire, n'en demeurent pas moins utiles dans la perspective d'une mesure de l'efficacité des interventions préventives qui, cela va de soi, visent toujours une quelconque réduction de l'incidence[6]. Quant au facteur temps, il peut être lié à des impératifs de politiques publiques ou d'échéance de subvention mais, en définitive, il est principalement tributaire de la dynamique temporelle établie lors de la planification de l'action (chapitre 7). Aussi y a-t-il un lien logique entre le présent énoncé d'un but général et l'énoncé à venir des objectifs opérationnels, un peu à la manière de la logique qui lie, dans

---

6. Les manuels de méthodologie en santé publique et en planification de la santé fournissent des procédures plus sophistiquées afin de déterminer les pourcentages de réduction, ce qui n'est pas de l'ordre de cette introduction générale.

TABLEAU 5.5

Énoncé du but général de l'intervention selon trois scénarios

But général de la prévention primaire Réduire l'incidence d'un problème (nombre de nouveaux cas)
But général d'une démarche en prévention Réduire le nombre de nouveaux cas d'une situation définie comme indésirable au sein d'une population définie comme à risque

1. D'ici x temps (6 mois, un an, deux ans, 5 ans, etc.) = durée projetée de l'intervention ;
2. réduire de :
 	
   1 à 9 % (de type : stabilisation des nouveaux cas = lorsque la courbe présentée par le problème est fortement ascendante)
 	
   10 à 89 % (de type : réduction des nouveaux cas = lorsque la courbe présentée par le problème est normalement ascendante)
 	
   90 à 99 % (de type : élimination des nouveaux cas = lorsque la courbe présentée par le problème est descendante)
 	
3. l'incidence du problème (S.I + P.A.R.).

Exemple : (1) D'ici deux ans, (2) réduire de 30 % (3) l'incidence de l'usage inapproprié d'alcool (lors de la conduite automobile) chez les jeunes hommes adultes du Québec.

un plan de cours académique, l'objectif général et les objectifs spécifiques. Les premiers (buts, objectifs généraux) sont des énoncés du point de vue des concepteurs (intervenants, pédagogues) et représentent le résultat terminal auquel ils aspirent ; les seconds (objectifs opérationnels, spécifiques) sont des énoncés du point de vue des clientèles (populations à risque, étudiants) et représentent les changements devant s'accomplir chez eux pour que le but général soit atteint. Il en va un peu comme un jeu de dominos : la tombée du second jeu d'objectifs déclenche la tombée du premier. Et ainsi de suite. Dans les planifications stratégiques complexes, on retrouvera plusieurs niveaux hiérarchiques d'objectifs interagissant les uns avec les autres, des plus spécifiques aux plus généraux.

*

Nous avons tenté au cours de ce chapitre de démontrer l'importance d'aborder l'intervention préventive en toxicomanie de façon méthodique, afin que l'action menée puisse être véritablement efficace. La méthode proposée s'inspire de questions élémentaires : quel est le problème, d'où vient-il, comment l'empêcher et avec quels résultats ? Chacune de ces étapes comporte des opérations importantes. Pour la première étape, c'est un double processus : clarification de ses valeurs d'abord, puis de ses connaissances. Ce que nous croyons et ce que nous apprenons sur la question conduisent à identifier précisément une situation indésirable à prévenir chez une population à risque d'en faire les frais. Le problème formulé, il est désormais possible d'énoncer un but général et mesurable à l'intervention.

Dans le chapitre suivant, nous abordons la seconde étape de la démarche : l'analyse du problème. C'est une étape cruciale, ainsi que nous l'avons illustré. C'est l'étape à travers laquelle sont cernées les causes du problème. Ces causes prennent la forme de facteurs de risque ou de protection qu'il s'agit d'identifier, puis de prioriser. C'est ce à quoi nous vous convions dans le prochain chapitre.

CHAPITRE 6

Deuxième étape : l'analyse du problème

La première étape de la démarche méthodologique permettait de définir la situation indésirable et la population à risque, soit le problème en matière d'usage de SPA que l'on cherche à prévenir. La deuxième étape consiste à acquérir une compréhension claire dudit problème. C'est l'objet de ce chapitre. Une fois le problème approfondi, il sera possible de concevoir une action efficace pour en empêcher l'apparition, objet de la troisième étape.

Pour analyser le problème, il faut le comprendre. Pour ce faire, il importe de se familiariser avec les modèles généraux de compréhension (ou modèles interprétatifs des causes) des situations problématiques. Ces modèles sont devenus de plus en plus complexes. Ils présentent aujourd'hui plusieurs systèmes de causalité, à l'image du modèle écologique des sphères d'influence que nous proposons ici comme outil de travail pour l'analyse.

À l'instar de l'exercice mené dans le but d'identifier les besoins lors de l'étape précédente, le plan de recherche doit être élargi afin d'identifier les facteurs de risque et de protection présents dans chacune des sphères d'influence. Puis, dans un second temps, ces facteurs sont priorisés pour permettre l'élaboration d'un plan d'action.

La compréhension des causes

La compréhension des causes du problème à prévenir est l'étape la plus importante, mais aussi la plus délicate de notre démarche. En effet, comme nous l'avons démontré dans le chapitre 5, la juste évaluation des causes permet le choix des moyens adéquats pour prévenir une situation indésirable.

Prévoir pour prévenir : comprendre les systèmes de causes

L'évaluation des causes renvoie à la faculté d'anticipation, au cœur de la définition de base de la prévention présentée au premier chapitre. Comme Ken Low le souligne lui-même dans ses écrits sur la question, « l'anticipation est la clef de la prévention »[1]. Elle repose sur la faculté d'appréhender le cours probable des événements de façon à être à même de devancer et d'empêcher l'indésirable d'advenir. En fait, la faculté d'anticipation permet la prévision. La deuxième étape de la démarche vise précisément l'établissement de scénarios prévisionnels. Ainsi faut-il voir venir (prévoir), si on veut pouvoir devancer (prévenir).

La capacité d'anticiper, mélange d'intuition, d'expériences et de connaissances, est une aptitude que certains parviennent à développer plus que d'autres sur un plan d'autogestion personnelle. Elle permet l'évaluation et la compréhension des situations en relation avec leurs conséquences probables. Dans le cadre de notre démarche, la meilleure façon de pouvoir anticiper le cours des événements est de connaître et de comprendre les causes – ou plutôt les systèmes de causes – en présence. On dit en effet « système de causes », parce qu'il en existe toujours plusieurs et qu'elles sont en lien dynamique les unes avec les autres. La croyance en une cause unique à la source de tel ou tel problème constitue un des pièges les plus courants rencontrés à cette étape. L'évolution des recherches et des connaissances, tant dans le domaine de la santé qu'en sciences humaines, nous indique que la source d'événements ou de phénomènes est forcément multicausale ; elle procède d'une interaction, souvent complexe, entre plusieurs niveaux de détermination.

Trois modèles complexes de compréhension

La compréhension des causes des problèmes en toxicomanie a évolué au gré du développement des connaissances et des philosophies dans notre secteur. Nous sommes ainsi passés de modèles non scientifiques ou moraux (approche religieuse, juridique) à des modèles scientifiques disciplinaires (biologique, psychologique, socioculturel) pour en arriver aux

---

1. Low, K. (1979). « La prévention ». *Connaissances de base en matière de drogue*, 5. Ottawa, Groupe de travail fédéral-provincial sur les problèmes liés à l'alcool, p. 9.

actuels modèles interdisciplinaires ou complexes (biopsychosocial, systémique). Ces modèles sont diversement qualifiés de grille d'interprétation, de théorie explicative, de modèle étiologique[2]. Ils proposent une explication des causes et des mécanismes à la source des états de dépendance, problème central du secteur qui est le nôtre.

Ainsi, à l'étape où nous en sommes, la référence à un modèle de compréhension est primordiale. D'emblée, nous laissons de côté les modèles non scientifiques et disciplinaires pour nous attacher aux modèles les plus couramment en vigueur, soit les modèles complexes ou interdisciplinaires. La figure 6.1 présente un aperçu de trois modèles complexes.

FIGURE 6.1

Les modèles complexes de compréhension des problèmes en toxicomanie

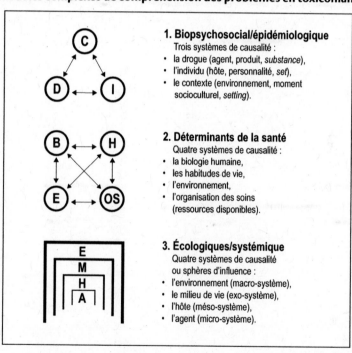

Le modèle biopsychosocial ou épidémiologique pose trois systèmes de causes permettant d'expliquer les problèmes. C'est le modèle dominant

2. L'étiologie, issue des sciences médicales, est l'étude des causes des maladies (et, par extension, des problèmes sociaux comme celui de la toxicomanie).

en toxicomanie, identifié par ses trois pôles constitutifs, diversement dénommés en fonction des auteurs et des milieux : drogue, individu et contexte (désignation la plus courante[3]) ; agent, hôte et environnement (désignation de nature épidémiologique[4]) ; produit, personnalité et moment socioculturel (formule célèbre du psychiatre français Claude Olivenstein) ; *set, setting, substance* (désignation nord-américaine populaire depuis les années 1960[5]).

Le second modèle, dit des déterminants de la santé, a déjà été présenté au chapitre 3. Il innove en introduisant un quatrième système de causes. En effet, s'il est possible d'établir une correspondance entre les pôles biologie humaine /individu, environnement/contexte et organisation des soins /drogues (dans le sens où il s'agit des moyens ou outils à disposition), un déterminant est nouveau : les habitudes de vie. Ce dernier ouvre une instance intermédiaire, plus précise, entre l'individu et le contexte général qui l'environne : le milieu de vie.

Le dernier modèle, dit écologique ou systémique, apporte également une nouveauté : la hiérarchie entre les systèmes de causes. Cet aspect permet d'aller plus loin que les modèles précédents en postulant des registres d'influence différents selon les pôles (ici qualifiés de sphères). Ceci correspond davantage à la logique de détermination des situations et des événements de la vie courante. En clair, les « systèmes » de la drogue, de l'individu et du contexte n'interagissent pas à égalité, sur le même plan. L'instance la plus large et englobante, soit l'environnement ou macro-système, exerce un impact prépondérant sur les autres niveaux : le milieu de vie ou exo-système, l'hôte ou méso-système et l'agent ou micro-système[6]. Et ainsi de suite, aux paliers subséquents.

---

3. Au Québec, la formule la plus populaire est celle dite « loi de l'effet ou E = SIC », pour signifier que l'effet découle d'une combinatoire substance+individu+ contexte.

4. En santé publique, on dira des problèmes qu'ils prennent leur origine dans une interaction entre la virulence d'un agent, la vulnérabilité d'un hôte et l'influence de l'environnement. Ces trois instances explicatives de la maladie ont été, au cours des vingt dernières années, élargies au champ de la toxicomanie.

5. Conceptualisé par Zinberg, N.E. (1984). *Drug, Set and Setting. The Basis for Controlled Intoxicant Use.* Yale University Press.

6. Alors que le modèle écologique est plutôt représenté par des « boîtes » ou niches s'englobant les unes dans les autres (à la manière de poupées gigognes),

Le modèle écologique

Chacune des sphères se présente comme un système de causes potentielles, en interaction les unes avec les autres et avec celles des autres niveaux. La figure 6.2 tente une représentation de la dynamique générale du modèle écologique.

FIGURE 6.2

Le modèle écologique des sphères d'influences et les principales causes impliquées

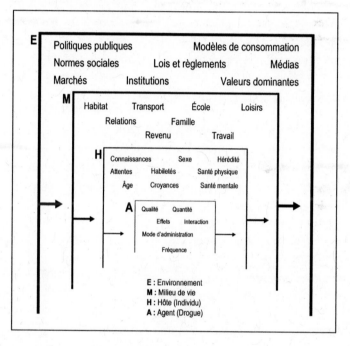

Les quatre sphères

La sphère de l'environnement présente des causes (ou instances de détermination) de types sociohistorique, politique, économique et culturel[7]. Il

comme dans la figure 6.1, le modèle systémique est le plus souvent reconnaissable à un ensemble de cercles concentriques de grandeurs croissantes.

7. Nous proposons ici une sélection de causes pertinentes en relation avec l'objet de la prévention en toxicomanie. Toutes ne sont pas là, bien sûr (pensons

est aisé de se représenter l'interaction pouvant exister entre plusieurs de ces causes: institutions/normes sociales; marchés/modèles de consommation; médias/valeurs dominantes; etc. La sphère du milieu de vie présente, comme son nom l'indique, des causes liées à l'environnement immédiat de chacun, là où s'élaborent les modes, les styles et les habitudes de vie des individus. Ici encore, ces causes sont au cœur d'un jeu d'influences réciproques (famille/relations; habitat/travail/revenu; etc.). La sphère de l'hôte rend compte des causes propres à l'individu, ses dispositions en quelque sorte, depuis le sexe, l'âge et l'hérédité jusqu'aux connaissances et croyances particulières, toujours selon le même principe de synergie. Finalement, la sphère de l'agent recouvre les causes directement liées aux SPA (quantité, qualité, etc.) également en interrelations les unes avec les autres.

La hiérarchie d'influence entre sphères

Dans un second temps, le recours au modèle écologique permet une analyse séquentielle entre sphères ou systèmes de causes, selon le principe de la hiérarchie d'influence. Prenons deux exemples de problématique de prévention pour illustrer des séquences de causes potentielles.

Situation indésirable: usage abusif de médicaments pour dormir.

Population à risque: femmes de plus de 60 ans de la région montréalaise.

Scénarios prévisionnels: marchés/institutions – relations/habitat – sexe/santé physique – effets/fréquence.

Explication: la pression du marché pharmaceutique sur l'institution médicale mène à une surprescription d'anxiolytiques chez les personnes âgées isolées, vivant en institutions, lesquelles sont majoritairement des femmes éprouvant des problèmes de santé physique les portant à consulter; l'effet calmant de ce genre de médicaments conditionne une utilisation répétée menant à une tolérance et à l'abus.

à la pollution, à la densité de population, au degré de violence et de criminalité sociales, etc.). Il en va de même pour les autres sphères d'influence.

Situation indésirable : usage excessif d'alcool.

Cible : étudiants universitaires des deux sexes du Québec.

Scénarios prévisionnels : valeurs dominantes/modèles de consommation – loisirs/relations – attentes/croyances – effets/quantité.

Explication : Les valeurs dominantes de plaisir et d'évasion, incarnées dans des modèles de consommation d'alcool axés sur la jeunesse et les interactions sociales, influencent les jeunes dans le contexte de leurs loisirs étudiants où la pression des pairs est importante, venant renforcer des attentes de satisfaction immédiate et la croyance dans le caractère inoffensif du produit ; l'augmentation des doses d'alcool vise, dans ce contexte, une maximisation des effets euphoriques ressentis, aboutissant à des situations d'usage excessif.

C'est l'appréhension de telles séquences clés qui permet d'anticiper le cours probable des événements dans le cadre de situations complexes comme celle de la toxicomanie ou d'autres grands problèmes sociaux contemporains. Les explications données dans les deux exemples ci-dessus fournissent un aperçu des résultats que l'on peut attendre d'un plan de recherche mené dans le cadre de l'analyse d'un problème et visant la compréhension des causes. Le résultat est l'identification de facteurs pouvant servir de base opérationnelle à la formulation d'un plan d'action. Nous y reviendrons dans un instant. Terminons par une dernière réflexion sur le modèle écologique.

Causes et conséquences

L'existence des séquences clés est suggérée, à la figure 6.2, par une première série de flèches, descendantes, qui représente en fait l'ordre des causes agissantes. La seconde série, ascendante, représente quant à elle l'ordre des conséquences. C'est dire les conséquences opèrent elles aussi en cascade, partant des effets des produits psychotropes jusqu'aux répercussions des problèmes d'usage de drogues sur la société entière. Comme vous le savez maintenant, l'établissement de ces conséquences est au cœur de la première étape de définition du problème, via la clarification des besoins[8].

---

8. Notons que l'approche de réduction des méfaits, dans le cadre d'une intervention précoce visant à limiter l'aggravation de problèmes, préconise une

La séquence complète causes/conséquences peut être figurée comme suit : la multiplicité des influences sociales conditionne les milieux et les modes de vie qui, eux-mêmes, façonnent les dispositions de certains individus à adopter des comportements d'utilisation de SPA pouvant présenter des risques. En retour, ces comportements affectent les individus consommateurs, lesquels sont susceptibles de devenir source de perturbations ou de dangers au sein des milieux où ils évoluent, entraînant, à terme, des répercussions négatives pour l'ensemble de la société (pensons ici aux problèmes comme la conduite avec facultés affaiblies ou l'usage de drogues par injection chez les usagers de la rue).

Le passage en revue des différents modèles complexes de compréhension nous démontre que le modèle écologique est le plus complet. L'approfondissement de ce modèle nous a permis non seulement de définir plus précisément chacune des sphères, mais aussi la hiérarchie d'influence existant entre elles et, enfin, la logique causes/conséquences à laquelle obéit l'enchaînement des situations[9].

Facteurs de risque et facteurs de protection

Il est impossible de planifier une action efficace qui vise à contrer des causes larges, trop générales. Comment en effet limiter l'influence des médias, des marchés, de la famille, du revenu, de la santé physique ou mentale ? Même dans le cas des causes relatives à l'agent, de portée plus restreinte, s'attaquer à la quantité, à la fréquence, aux interactions demeure trop imprécis. Pour planifier une action réaliste et efficace, il est nécessaire d'isoler des éléments causals spécifiques, que l'on désigne comme facteurs de risque et facteurs de protection[10]. Ces facteurs, bien sûr, émanent des « grandes » causes identifiées à l'intérieur des sphères du modèle écologique.

action sur les conséquences plutôt que sur le comportement d'usage lui-même. C'est dire qu'elle préconise, principalement, la limitation de l'impact des facteurs relatifs à l'agent sur l'individu consommateur et la limitation de l'impact de l'individu consommateur sur la communauté et la société.

9. Mentionnons l'existence d'autres modèles comme celui de l'approche transactionnelle (Sameroff et Chandler, 1975 ; Sameroff et Fiese, 1990), qui émane de la perspective développementale et intègre les inter-influences et la modification des facteurs dans le temps.

10. On rencontre aussi, à l'occasion, les appellations facteurs de vulnérabilité et facteurs de résilience ou, encore, facteurs bénéfiques en ce sens qu'ils sont uniquement ou principalement bénéfiques chez les gens à risque (Rutter, 1990).

Le facteur de risque

Le facteur de risque n'est pas une cause, c'est une caractéristique associée à une probabilité plus élevée d'incidence d'un problème. On peut le définir de la façon suivante : élément qui facilite, renforce, prédispose ou précipite l'apparition d'une situation jugée indésirable chez une population donnée. Les quatre verbes présents dans l'énoncé qualifient en fait les facteurs de risque en relation avec les quatre sphères d'influence : facteur facilitant (environnement), facteur de renforcement (milieu), facteur prédisposant (hôte) et facteur précipitant (agent). Autrement dit, ce qui est facilité socialement se trouve renforcé dans le milieu au point de s'actualiser en certaines prédispositions que viendra précipiter l'effet des substances.

Le facteur de protection

Le facteur de protection est une contre-caractéristique associée à une probabilité plus élevée d'incidence d'un problème. C'est un élément qui vient diminuer l'impact facilitant, renforçant, prédisposant ou précipitant du facteur de risque d'apparition d'un problème. On retrouve également dans la littérature certaines appellations pour les facteurs de protection, en regard de la sphère d'influence touchée : facteur limitant (environnement), facteur de renforcement (milieu), facteur immunisant (hôte) et facteur neutralisant (agent). La figure 6.3 donne un portrait d'ensemble des facteurs de risque et de protection contre ces risques, selon chacune des sphères d'influence.

Limites des facteurs

L'étude des facteurs, de risque ou de protection, provient des sciences médicales et de l'épidémiologie. Appliquer un modèle d'investigation scientifique à des phénomènes humains complexes présente, outre le danger de réductionnisme sur le plan de l'interprétation et de l'intervention, des limites méthodologiques. Plus on remonte vers les facteurs macrosociaux, plus la validation expérimentale est compliquée, et il faut s'en remettre alors à d'autres approches, plus qualitatives. En contrepartie, les aspects biologiques et de la personnalité sont plus faciles à mesurer. Il est également difficile d'isoler des facteurs spécifiques à un problème particulier : nous sommes plutôt en présence de facteurs génériques,

FIGURE 6.3

Facteurs de risque et de protection selon les sphères d'influence

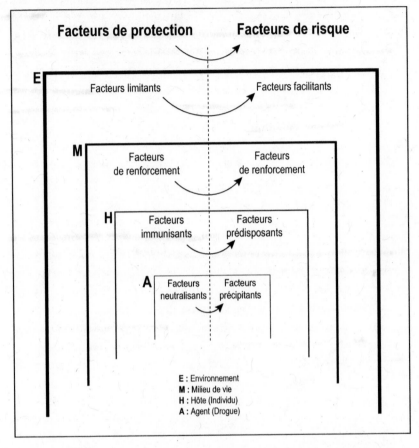

multiproblématiques. Le meilleur exemple en serait les antécédents familiaux de violence et d'abus, facteur de risque à la survenue de situations
indésirables en regard des drogues, de la criminalité, du rendement scolaire, etc. Par ailleurs, le problème se pose d'établir ce qui est antécédent
et conséquent dans une logique générale à multiples paliers, d'où l'importance, nous ne le répéterons jamais assez, d'une définition initiale très
claire de ce qui est indésirable et en regard de quelle population.

En résumé, un modèle préventif fondé sur l'identification de facteurs
de risque et de protection ne pourra jamais prétendre au caractère pré-
dictible et généralisable du modèle scientifique des sciences physiques ou

de la nature. Un tel modèle préventif repose sur l'établissement de conjonctures significatives de facteurs, représentant un potentiel avéré de risque et de protection contre ces risques.

Comment identifier les facteurs? Il est possible d'y aller de façon spontanée, intuitive mais, ainsi que nous l'avons fait pour l'opération de clarification des besoins, il est de loin préférable de procéder au moyen d'un plan de recherche: il s'agira ainsi d'utiliser les méthodes vues précédemment pour répondre à de nouvelles questions de recherche, portant cette fois sur les causes et organisées en fonction des quatre sphères.

L'identification des facteurs

À la recherche des indicateurs étiologiques

La phase initiale de recherche, entamée lors de la première étape, visait à répondre aux questions: QUI?, QUOI?, COMMENT? Il s'agissait alors de documenter quelle population éprouvait quelles conséquences et selon quel modèle de consommation, de façon à établir les besoins en matière de prévention. La seconde phase de recherche vise à répondre à la question du POURQUOI?, soit analyser ce qui est en amont du problème, qui incite, conditionne, conduit certaines populations à connaître des situations indésirables en matière de drogue et qui est également susceptible de les prémunir contre ces facteurs. Aux indicateurs sociodémographiques, sociosanitaires et épidémiologiques antérieurs, s'ajoutent maintenant les indicateurs étiologiques – relatifs aux causes – qui permettent d'établir une «carte» des facteurs de risque et de protection impliqués. Le tableau 6.1 présente le *design* de cette nouvelle phase de recherche.

Depuis les années 1990, diverses recherches menées en toxicomanie se sont attachées à identifier de façon plus systématique les facteurs de risque et de protection à la source de situations indésirables particulières (usage abusif d'alcool et de drogues chez les jeunes; usage abusif de médicaments psychotropes chez les aînés). Les figures 6.4 et 6.5 fournissent un aperçu d'un certain nombre d'éléments identifiés dans la littérature.

TABLEAU 6.1

Plan de recherche pour l'identification des facteurs

Questions de recherche	Méthodes de recherche techniques / indicateurs étiologiques	Analyse documentaire						Enquête sur le terrain							
		revue de littérature				revue de presse		sondage		consultation			observation		histoire de vie
		monographies	périodiques	annuaires, rapports	Internet	journaux, magazines	radio, télé	face à face	téléphone	groupes	informateurs clés	panel	participante	non participante	
POURQUOI ?															
FACTEURS DE RISQUE — CAUSES : FACILITATION de l'apparition du problème	de l'environnement — marchés, lois, institutions, etc.														
RENFORCEMENT des éléments facilitateurs de l'apparition du problème	du milieu de vie — famille, relations, revenu, etc.														
PRÉDISPOSITION à l'apparition du problème	de l'hôte — attitudes, santé mentale, connaissances, etc.														
PRÉCIPITATION de l'apparition du problème	de l'agent — quantité, mode d'administration, interactions, etc.														
FACTEURS DE PROTECTION — LIMITATION de l'apparition du problème	de l'environnement — marchés, lois, institutions, etc.														
RENFORCEMENT des éléments limitatifs de l'apparition du problème	du milieu de vie — famille, relations, revenu, etc.														
IMMUNISATION face à l'apparition du problème	de l'hôte — attitudes, santé mentale, connaissances, etc.														
NEUTRALISATION de l'apparition du problème	de l'agent — quantité, mode d'administration, interactions, etc.														

FIGURE 6.4

Facteurs de risque à l'usage inapproprié d'alcool et de drogues

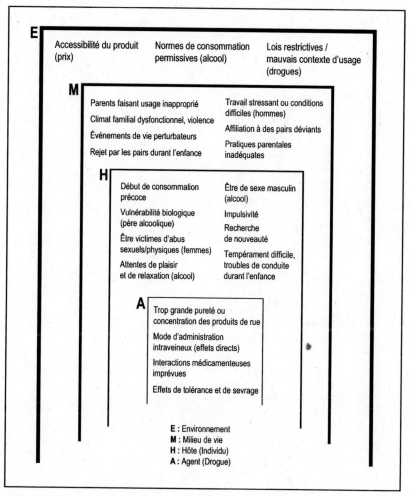

Adaptée de Nadeau et Biron; MSSS (2001)

FIGURE 6.5

Facteurs de protection contre les risques d'usage inapproprié d'alcool et de drogues

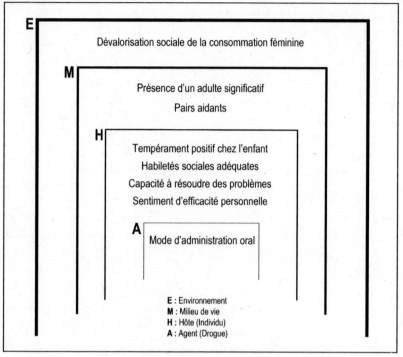

Adaptée de Nadeau et Biron; MSSS (2001)

Pour les besoins de notre démonstration méthodologique, nous allons poursuivre en utilisant un exemple type qui permettra à la fois une récapitulation de la première étape et une illustration de la seconde et de la suivante.

L'exemple de la conduite avec facultés affaiblies[11]

Un organisme de prévention de l'Estrie reçoit une subvention du gouvernement fédéral (Santé Canada) pour élaborer un programme régional de

_____

11. Les données fournies dans cet exemple, si elles sont plausibles et au plus près de la réalité, demeurent inventées et non tirées d'une recherche en bonne et due forme.

prévention autour de la question de la consommation d'alcool chez les jeunes. Une équipe de trois personnes est constituée pour mener à bien le projet : Gaétan, 50 ans, formation en éducation spécialisée et expérience d'entraîneur en milieu sportif ; Isabelle, 38 ans, formation en techniques infirmières et expérience d'intervention en promotion de la santé dans les écoles primaires et secondaires ; Maud, 24 ans, formation en service social, expérience de travail de milieu auprès des jeunes de la rue.

Clarifier ses propres valeurs

L'équipe tient une première rencontre de travail pour clarifier ses valeurs à propos de la situation générale à partir de laquelle il leur est demandé de concevoir un programme précis de prévention. Pour Gaétan, ce qui est indésirable, c'est l'usage précoce de boissons alcoolisées chez les 10-12 ans en raison de la grande permissivité de notre société. Il faut donc resserrer les contrôles sur l'âge légal d'accès aux produits alcoolisés et sensibiliser la population aux effets pervers d'une banalisation de l'usage chez les plus jeunes. Isabelle, de son côté, s'inquiète davantage du phénomène du *binge drinking* chez les adolescents, lesquels sont très attirés par les nouveaux produits à forte teneur en alcool (bières à plus de 5 %, boissons aromatisées à base de vodka). Pour elle, il faut de toute urgence mener des campagnes d'information dans les écoles secondaires sur les risques élevés d'intoxication aiguë avec l'alcool et sur la prudence à adopter avec certains produits attrayants mais plus dangereux à cet égard. Maud est d'accord avec la vision de ses deux partenaires, tout en ajoutant qu'il ne faut pas oublier la question centrale de l'usage inapproprié de l'alcool chez les jeunes conducteurs, particulièrement dans les régions où les distances sont grandes et les solutions de rechange à l'automobile, quasi inexistantes.

En résumé, Gaétan est davantage enclin à considérer la perspective légale en définissant l'indésirable comme un problème d'usage et d'inconscience collective. Isabelle penche du côté d'une perspective médicale en définissant l'indésirable comme un problème d'usage excessif et d'ignorance des conséquences. Finalement, Maud attire l'attention sur le problème d'usage inapproprié, s'inscrivant plutôt dans une perspective socioculturelle où sont pris en compte les facteurs de pression et de défavorisation qui agissent sur les populations touchées.

Établir un plan de recherche

Pour en arriver à un consensus quant à la définition du problème, l'équipe décide d'établir un plan de recherche qui clarifiera les véritables besoins de la région en la matière. Gaétan se charge de l'état de la recherche sur le sujet (Internet, bibliothèque universitaire et centre de documentation du CSSS). Isabelle décide de consulter trois « experts » sur la question : un fonctionnaire de la SAAQ, spécialiste des questions de prévention en matière d'alcool au volant, un intervenant de longue date dans les Maisons des jeunes et un professeur à la retraite ayant enseigné plus de trente ans dans un collège de la région. Maud, forte de son expérience en travail de rue, décide de visiter certains milieux, urbains et ruraux, pour y faire de l'observation : sortie des polyvalentes et des collèges, bals d'étudiants, cafés et discothèques fréquentés par les 15-24 ans.

Définir le problème

Une fois leurs résultats mis en commun et organisés, il ressort assez clairement de la recherche que la situation indésirable la plus répandue et présentant les conséquences les plus lourdes est celle de la conduite avec facultés affaiblies, plus particulièrement chez les jeunes hommes résidant en dehors du pôle urbain principal (Sherbrooke). Le problème est donc défini comme suit :

> **Situation indésirable :** usage inapproprié d'alcool (lors de la conduite automobile).
> **Population à risque :** les hommes de 18-24 ans habitant les villes et villages de la région de l'Estrie (hors de Sherbrooke).

À la suite de quoi, l'équipe énonce un but général à son intervention.

> **But général :** d'ici trois ans, réduire de 25 % l'incidence – l'apparition, la survenue – de l'usage inapproprié d'alcool (lors de la conduite automobile) chez les hommes de 18-24 ans vivant en Estrie (hors de Sherbrooke).

En clair, qu'il y ait une réduction du quart des nouveaux cas de conduite avec facultés affaiblies chez la population ciblée, au terme du projet subventionné.

Identifier les causes

Entamant la deuxième étape de leur démarche, l'équipe entreprend maintenant de mieux comprendre le problème qu'elle a défini en l'analysant en profondeur, afin d'en identifier les causes. Les mêmes techniques de recherche sont mises à contribution[12]. L'équipe aboutit alors à une variété d'informations à caractère étiologique qu'elle traduit en courts éléments, classés selon les sphères d'influence : la plupart sont des facteurs de risque (19), quelques-uns des facteurs de protection (6). Les figures 6.6 et 6.7 présentent les résultats obtenus par notre équipe fictive.

FIGURE 6.6

Facteurs de risque à l'usage inapproprié d'alcool (lors de la conduite automobile) chez les hommes de 18-24 ans de l'Estrie

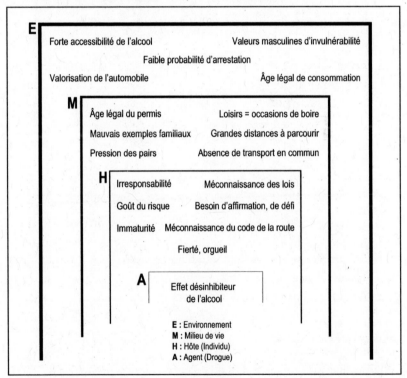

12. Dans la réalité, lorsque deux phases de recherche sont requises, il est plus commode de les mener dans un même temps. On fouille, interroge ou observe alors à partir de l'ensemble de la séquence des questions : qui ?, quoi ?, comment ? et pourquoi ? Une partie des données récoltées sert à clarifier les besoins, l'autre à identifier les facteurs.

FIGURE 6.7

Facteurs de protection contre les risques d'usage inapproprié d'alcool (lors de la conduite automobile) chez les hommes de 18-24 ans de l'Estrie

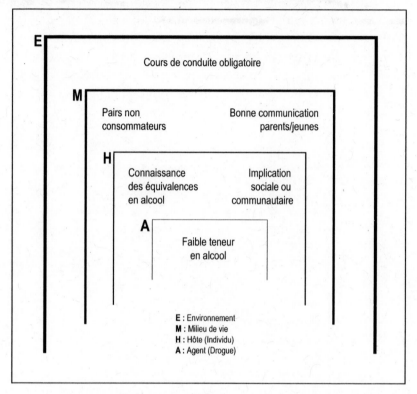

Les facteurs identifiés représentent une somme de connaissances importantes pour appréhender le cours probable des événements à la source du problème que l'équipe cherche à prévenir. Il est pourtant difficile de planifier une action sur autant de cibles (25). L'équipe en arrive donc à l'opération de priorisation de certains facteurs.

La priorisation des facteurs

L'analyse du problème a conduit, à travers un plan de recherche, à l'identification de vingt-cinq facteurs. Il est important lors de cette première opération de « sortir » le maximum de facteurs sans préoccupations d'ordre opérationnel. Dans un second temps, l'opération de priorisation consiste à faire une sélection parmi les facteurs identifiés, afin de ne garder que ceux sur lesquels portera l'action.

Il existe à cet effet des méthodes élaborées de détermination des priorités dans le cadre de la planification des interventions en santé publique et communautaire. Mentionnons, notamment, les critères de faisabilité et d'acceptabilité.

La faisabilité

L'évaluation de la faisabilité peut se faire à quatre niveaux :

1. économique : dispose-t-on des ressources financières nécessaires pour agir sur tel ou tel facteur ?
2. humain : dispose-t-on de la quantité et de la qualité des ressources humaines nécessaires pour agir sur tel ou tel facteur ?
3. temporel : dispose-t-on du temps nécessaire pour agir sur tel ou tel facteur ?
4. contextuel : dispose-t-on de la capacité de changement suffisante pour modifier l'impact d'un tel facteur ?

Les trois premières dimensions de la faisabilité sont étroitement liées. Ainsi, le manque d'argent peut être la cause du manque de ressources humaines qui, en retour, aboutit au constat d'un manque de temps pour accomplir la tâche projetée avec les ressources imparties. À l'inverse, de très courts délais pourront être surmontés en engageant des ressources additionnelles que permet un budget adéquat, etc. La faisabilité contextuelle implique davantage une réflexion sur la portée possible de l'action préventive à venir, dans le cadre des ressources dont on dispose. En effet, à moins que l'État lui-même n'agisse sur le plan de certains facteurs sociétaux, peu d'organismes ou d'équipes intervenant en prévention peuvent prétendre en contrer l'impact (par exemple, pour ce qui est de l'ordre des grandes politiques publiques ou des prescriptions légales).

L'acceptabilité

Le second critère à prendre en compte, plus subjectif, est celui de l'acceptabilité, sur deux plans :

1. éthique : l'intervention sur tel ou tel facteur pose-t-elle des problèmes en rapport à la population définie à risque (aux plans des valeurs, de la morale) ?

2. social : l'intervention sur tel ou tel facteur pose-t-elle des problèmes en rapport au contexte général dans lequel elle se situe (aux plans politique, économique, culturel) ?

Le critère d'acceptabilité force à une nouvelle clarification des valeurs, cette fois par rapport à la portée de l'intervention projetée, à propos de laquelle il peut s'avérer difficile ou délicat de trancher. Une intervention pourra paraître éthiquement discutable à des intervenants, alors qu'elle est répandue et apparemment acceptée socialement (par exemple, le recours à des formes de contrôle brimant la vie privée ou la liberté individuelle). À l'opposé, une action novatrice et légitime aux yeux d'une équipe de travail s'avérera trop audacieuse socialement, inacceptable dans tel contexte culturel ou politique ou encore aller à l'encontre d'intérêts en présence (par exemple, une action qui ne tient pas compte du caractère licite ou illicite des produits, une action qui s'oppose à des intérêts économiques dans le domaine de l'alcool ou des médicaments, etc.).

Imaginons nos protagonistes, Gaétan, Isabelle et Maud, passer en revue les vingt-cinq facteurs identifiés au crible de ces deux critères. La discussion est longue et un peu fastidieuse, comme c'est souvent le cas à cette étape. L'équipe choisit de n'éliminer que les facteurs faisant l'objet d'un consensus (suivre à partir des figures 6.6 et 6.7) :

ENVIRONNEMENT

Forte accessibilité de l'alcool, Âge légal de consommation, Âge légal du permis : acceptabilité difficile, matière à controverse sociale de même que problème de faisabilité contextuelle.

Cours de conduite obligatoire : problème de faisabilité dans le contexte du pouvoir de changement que peut mettre en œuvre l'équipe de prévention.

MILIEU

Mauvais exemples familiaux : problème d'acceptabilité au plan éthique en raison de l'implication d'un jugement et d'une confrontation des valeurs parentales.

Absence de transport en commun : problème de faisabilité compte tenu du temps et des ressources dont dispose l'équipe.

Une fois éliminés les facteurs de risque et de protection sur lesquels il serait irréaliste ou controversé d'agir, l'équipe se retrouve avec un tableau de dix-neuf facteurs, le quart constitué de facteurs de protection. Comme c'est souvent le cas, ce sont surtout des facteurs issus de la sphère macrosociale ou environnementale qui ont été éliminés. Cela est compréhensible, car il est souvent plus difficile et controversé de viser des changements à ce niveau. Pourtant, en raison de la détermination prépondérante de cette sphère d'influence, nous croyons – et c'est le cas également de notre équipe imaginaire ! – à l'importance de conserver des facteurs de l'environnement dans la priorisation finale. Ce qui nous mène au dernier critère, celui de la pertinence.

La pertinence : à l'heure de la priorisation effective

C'est ici que se joue la priorisation effective. La pertinence est un critère où peuvent se mêler des considérations objectives et subjectives, dont le mariage permet d'aboutir à un choix satisfaisant. Une série d'éléments doivent être pris en compte :

1. **Le poids de certains facteurs :** la redondance avec lequel un facteur est apparu dans la recherche et l'indication claire de sa prépondérance par rapport à d'autres (lors de l'analyse documentaire ou de l'enquête sur le terrain) est bien sûr un élément objectif de priorisation.

2. **La multidimensionnalité des problèmes à prévenir :** comme l'indiquent les recherches sur l'efficacité de la prévention (nous y revenons au chapitre 12) et comme le suggèrent les modèles interprétatifs contemporains, la prise en compte de l'ensemble des dimensions (biopsychosociales) d'un problème est d'une grande pertinence. Ce qui implique pour notre équipe de retenir des facteurs dans un maximum de sphères possible.

3. **La possibilité d'une action synergétique :** à la fois objectif et subjectif, la décision à ce niveau vise à sélectionner des séquences clés de facteurs afin de viser un effet optimum. Cela peut être un lien causal évident entre des facteurs de différents paliers ou la priorisation de facteurs de protection directement « opposés » à des facteurs de risque.

4. **La motivation de l'équipe :** ce dernier élément est éminemment subjectif, mais tout de même à considérer. L'intérêt, l'enthousiasme, voire la passion à vouloir s'attaquer à certains obstacles plutôt qu'à

d'autres ou à favoriser certaines dimensions est certainement un gage de créativité pour les phases subséquentes de la démarche, et cela peut parfois faire une grande différence en termes d'efforts consentis et de résultats obtenus. Cet élément ne devrait pas fonder toute la pertinence, mais être modulé en relation avec les dimensions plus objectives qui précèdent.

Que retiendra notre équipe comme plate-forme de facteurs jugés les plus pertinents en vue de la prochaine étape? Voici un des scénarios plausibles[13].

TABLEAU 6.2

Facteurs de risque et de protection priorisés pour l'établissement d'un programme de prévention de l'usage inapproprié d'alcool (lors de la conduite automobile) chez les hommes de 18-24 ans de la région de l'Estrie

E	M	H	A
Facteurs de risque			
Valeurs masculines d'invulnérabilité Valorisation sociale de l'automobile	Pressions des pairs Loisirs = occasions de boire	Besoins d'affirmation, de défi Méconnaissance des lois	Effet désinhibiteur de l'alcool
Facteurs de protection			
	Pairs non consommateurs	Connaissance des équivalences en alcool	

Ainsi, des vingt-cinq facteurs identifiés au départ, notre équipe aboutit finalement à une priorisation de neuf facteurs, dont deux de protection. Le facteur le plus redondant que nos équipiers avaient dégagé de

13. On comprend que deux équipes travaillant sur un même problème de départ et ayant plus ou moins récolté des données comparables à travers leur processus de recherche peuvent, à ce stade de la démarche, faire le choix de priorisations différentes, lesquelles détermineront des plans d'action et des programmes originaux, bien que visant le même but général. Partant d'une base rigoureuse, la prévention est un domaine d'intervention ouvert à énormément de créativité!

leur recherche était «la pression des pairs» qui, d'entrée de jeu, a été priorisée. Par la suite, des facteurs ont été sélectionnés dans les quatre sphères, certains en combinaison avec des facteurs de protection, d'autres en visant une certaine cohérence séquentielle (par exemple, «valeurs masculines» et «besoin d'affirmation»). Finalement, les facteurs environnementaux liés aux valeurs sociales (masculinité et culture automobile) plaisaient particulièrement aux membres de l'équipe qui ont choisi de les inclure plutôt que d'autres.

C'est à partir de ce tableau que nous illustrerons, dans le chapitre 7, les opérations propres à l'étape de planification de l'action.

*

Nous voici donc au terme de notre deuxième étape : l'analyse du problème. Pour en arriver à recueillir des données sur les facteurs de risque et de protection particuliers à la situation qui nous préoccupe, il nous aura fallu cerner les systèmes de causes potentielles en jeu. À cette fin, nous avons présenté l'évolution des modèles de compréhension en toxicomanie, et plus particulièrement le modèle écologique des sphères d'influence, lequel a servi de grille pour structurer les questions de recherche.

Le recours à un scénario imaginaire mais plausible a permis une récapitulation de la démarche et, plus spécifiquement, de comprendre l'opération d'identification, puis de priorisation des facteurs. Le résultat concret obtenu autorise maintenant à passer à l'étape suivante : l'élaboration du plan d'action.

En bref, nous savons ce qu'il faut empêcher et par quels enchaînements de facteurs cela risque de se produire. Nous sommes maintenant prêts à envisager l'action.

CHAPITRE 7

Troisième étape :
la planification de l'action

objectif général = intervenant point de vue

objectif spécifique = toxicomane objectifs.

Une fois le problème défini (chapitre 5) et analysé (chapitre 6), il est maintenant possible de planifier l'action préventive. La première opération consiste à énoncer, sous forme opérationnelle, c'est-à-dire mesurable et centrée sur les résultats, des objectifs d'action visant à mettre en échec, contrer, réduire l'influence des facteurs de risque priorisés (de façon directe ou, indirectement, via le développement des facteurs de protection). Le plan d'action est constitué de l'ensemble des objectifs opérationnels énoncés, lesquels doivent permettre de rencontrer le but général fixé au début de la démarche. Le second temps de la planification de l'action donne lieu à la détermination d'activités préventives concrètes qui découlent des objectifs formulés et visent leur atteinte.

Un aperçu général des moyens d'action – les six stratégies préventives assurant la mise en œuvre du programme – permet de bien cibler et de mieux articuler ces activités. L'approfondissement des stratégies en question constitue la matière de la troisième partie du livre.

L'énoncé des objectifs

L'énoncé ou formulation des objectifs est le «cœur créatif» de la démarche *étape* d'intervention, aboutissement du travail de clarification et d'identification effectué en amont, et pivot de la mise en œuvre et de l'évaluation qui vont *important* suivre, en aval. Il est donc important de ne pas «passer à côté» de cette étape sous peine d'hypothéquer l'ensemble du processus.

Des objectifs opérationnels

Lorsque l'on parle d'objectifs à ce stade, il s'agit d'objectifs opérationnels, dans le sens où ils sont directement centrés sur l'action. Cela les distingue du but général formulé au départ de la démarche qui, rappelons-le, est la projection du résultat qu'il est souhaitable d'atteindre du point de vue des intervenants, de l'organisme subventionnaire, de la société, bref de ceux qui exercent l'influence. L'action inscrite au cœur de l'objectif opérationnel est plutôt celle qu'accomplissent les populations visées et le résultat attendu est le changement souhaité de leur part.

Deux règles de base

Qu'est-ce qui caractérise de tels objectifs et quelle est la procédure pour les énoncer? Il y a d'abord deux règles de base à respecter pour obtenir des objectifs opérationnels :

1. Il doit s'agir d'énoncés mesurables.
2. Ces énoncés doivent être centrés sur les résultats ou changements escomptés.

Des objectifs sont mesurables lorsqu'ils sont construits à partir de critères suffisamment précis pour qu'on puisse en tirer des indicateurs de succès ou d'échec lors de l'évaluation. Nous verrons ces critères plus loin. Aussi, les objectifs centrés sur des résultats le sont en opposition à des objectifs centrés sur les moyens pour atteindre ces résultats : les premiers rendent possible une appréciation des effets de l'action, alors que les seconds ne permettent que des indications sur le processus[1] mis en œuvre.

Un exemple fera comprendre la différence entre objectifs opération-nels et non opérationnels en relation avec les deux règles de base. Parmi les facteurs priorisés par notre équipe imaginaire au précédent chapitre, retenons celui des «valeurs masculines d'invulnérabilité».

Si on énonce comme objectif: «à l'avenir, que soient diffusés des modèles moins machos à l'intention des jeunes hommes», c'est un vœu pieux, une noble intention mais pas très mesurable : d'ici quand? Auprès de quel groupe? Dans quel milieu? Il serait plus précis d'utiliser ce qui a déjà été clarifié dans la définition du problème et l'énoncé du but général et qui fournit des indicateurs concernant le QUAND?, le QUI?, le OÙ?: «D'ici 3 ans (ou telle date donnée), que soient diffusés des modèles moins machos à l'intention des jeunes hommes de 18-24 ans habitant dans des secteurs ruraux et semi-urbains de l'Estrie.» Que manque-t-il encore? L'action principale, comme c'est trop souvent le réflexe lors de la formu-

---

1. Les notions d'efficacité et de processus et tout ce qui concerne la procédure de l'évaluation sont abordés en détail au chapitre 12.

lation d'objectifs, est centrée sur le moyen utilisé (diffuser des modèles moins machos), c'est-à-dire le COMMENT ? : la seule retombée qui peut alors être vérifiée, c'est si oui ou non des nouveaux modèles ont été diffusés, sans connaître les changements que cela a entraînés. Peut-être cela a-t-il effectivement changé dans le sens voulu, peut-être aussi cela n'a-t-il rien donné et, au pire, peut-être que le moyen utilisé a généré des effets non désirés chez la population visée, comme un renforcement des stéréotypes machos.

La nature du changement escompté

Il manque donc la nature du changement escompté, soit le résultat que l'on souhaite atteindre en termes de connaissance, d'attitude, d'habileté ou de comportement, ce que nous désignons comme le QUOI ?. Prenons l'hypothèse que notre équipe souhaite contrecarrer l'impact du facteur priorisé par une action sur les attitudes. On pourrait alors imaginer la formulation suivante : « D'ici 3 ans, que les jeunes hommes de 18-24 ans habitant dans des secteurs ruraux et semi-urbains de l'Estrie considèrent favorablement des modèles moins machos de comportement, notamment en regard de la conduite automobile sous influence de l'alcool. » Un dernier indicateur peut être ajouté à cet énoncé : il s'agit du pourcentage de la population cible qui connaîtra un tel changement (le COMBIEN ?) ; nous revenons plus loin sur les balises permettant de fixer un tel pourcentage.

Cinq critères

En résumé, l'énoncé d'objectifs opérationnels doit comporter cinq critères – ou indicateurs de succès ou d'échec – permettant l'évaluation ultérieure des effets : QUAND ?, COMBIEN ?, QUI ?, OÙ ? et QUOI ? De ces critères, l'élément central doit être le QUOI ? (résultat), non le COMMENT ? (moyen), ce dernier élément étant développé dans l'opération suivante, la détermination des activités.

La procédure

Examinons maintenant la procédure particulière permettant l'énonciation d'objectifs opérationnels à partir de ces cinq critères. La figure 7.1 en présente les composantes.

FIGURE 7.1

Les trois composantes et les cinq critères d'un énoncé d'objectif opérationnel

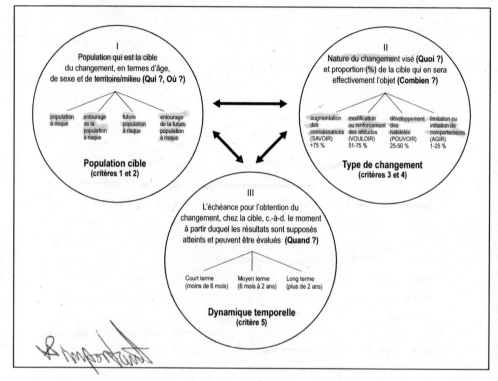

La première composante consiste en la définition précise de la population cible et de sa localisation, fournissant deux des critères recherchés. La seconde concerne la nature du changement et le pourcentage de gens susceptibles de l'atteindre, pour deux critères supplémentaires. Finalement, la troisième composante s'attache au critère de l'échéance. C'est l'interaction et l'articulation entre les composantes de la cible, du changement et de la dynamique temporelle qui permet l'énoncé d'objectifs qualifiés d'opérationnels. Voyons plus en détail chacune des composantes du processus.

La population cible

La composante de la population cible permet de déterminer les critères du QUI? et du OÙ?. Partant de la population à risque définie au départ de la démarche, d'autres cibles peuvent être précisées dans le cadre d'un plan d'action. La première tâche de l'équipe consiste à dresser un tableau le plus complet possible de tous les groupes ou cohortes d'individus pouvant constituer une cible, directe ou indirecte, pour l'action à venir. La « territorialisation » de ces cibles, si elle n'est pas déjà établie, est une donnée essentielle du tableau. Imaginons Gaétan, Isabelle et Maud, notre équipe imaginaire, procéder à l'inventaire du maximum de cibles possibles et plausibles, à partir des quatre catégories de base : population à risque (PAR), entourage de la population à risque (EPAR), future population à risque (FPAR), entourage de la future population à risque (EFPAR). Le tableau 7.1 offre un aperçu des résultats auxquels nos équipiers sont parvenus.

TABLEAU 7.1

Cibles potentielles pour l'action, à partir de quatre catégories de base, pour le problème de l'usage inapproprié de l'alcool (lors de la conduite automobile) chez les jeunes hommes de 18-24 ans vivant en Estrie

Population à risque (PAR)	• Jeunes hommes de 18-24 ans vivant en milieux ruraux ou semi-urbains de l'Estrie
Entourage de la population à risque (EPAR)	• Parents des jeunes hommes de 18-24 ans • Conjoints (petites amies) des jeunes adultes de 18-24 ans • Policiers des secteurs ruraux ou semi-urbains de l'Estrie • Commerçants (tenanciers de débits de boisson) des secteurs ruraux ou semi-urbains de l'Estrie • Politiciens des secteurs ruraux ou semi-urbains de l'Estrie • Journalistes de médias régionaux et locaux de l'Estrie • Population générale des secteurs ruraux ou semi-urbains de l'Estrie
Future population à risque (FPAR)	• Adolescents de 11-17 ans vivant en milieux ruraux ou semi-urbains de l'Estrie
Entourage de la future population à risque (EFPAR)	• Parents des adolescents de 11-17 ans • Enseignants des adolescents de 11-17 ans • Policiers des secteurs ruraux ou semi-urbains de l'Estrie • Commerçants (propriétaires de dépanneurs) des secteurs ruraux ou semi-urbains de l'Estrie • Politiciens des secteurs ruraux ou semi-urbains de l'Estrie • Journalistes de médias régionaux et locaux de l'Estrie • Population générale des secteurs ruraux ou semi-urbains de l'Estrie

Le portrait obtenu présente un total de douze cibles potentielles (certaines étant identiques dans les catégories EPAR et EFPAR). Il est suffisamment exhaustif pour permettre une réflexion créatrice menant à l'énoncé d'objectifs d'action précis. On remarquera que l'équipe a ciblé les petites amies ou conjointes des jeunes hommes comme tiers signifi-catifs de la population à risque, alors que ce sont les enseignants qui tiennent le même rôle pour la future population à risque (garçons de 11-17 ans). Un autre de leur choix est de privilégier les tenanciers de débits d'alcool, dans l'entourage des jeunes hommes, et les propriétaires de dépanneurs, dans celui des adolescents. Enfin, le choix de groupes comme les politiciens et les journalistes fait partie des options toujours disponibles pour mener une action, même si ces cibles ne sont, au bout du compte, pas utilisées. De même, l'inclusion de la population générale est toujours de mise, au cas où il serait pertinent d'avoir un impact sur l'opinion publique.

Pour faire un pas de plus vers l'énoncé d'objectifs, l'équipe doit main-tenant conjuguer le jeu des cibles avec celui des types de changement.

Le type de changement

La composante du type de changement est d'une grande importance, puisqu'elle assure le respect de la règle de base d'objectifs centrés sur les résultats plutôt que les moyens. Le résultat d'une action menée auprès de populations, nonobstant la nature du risque à contrer et du problème à prévenir, se traduit inévitablement en changement. Les agents de préven-tion sont des agents de changement, changement qu'ils ont pour tâche d'induire, de provoquer, de susciter chez les gens qu'ils touchent, par le biais des activités de leur programme. Rappelons la démonstration du chapitre 2 : les intervenants sociaux exercent une influence. L'élément central de l'objectif est la précision du changement souhaité, duquel découlera le choix d'un moyen d'action approprié.

Il y a quatre types de changements possibles pouvant être considérés comme des niveaux ou des stades au long d'un continuum[2]. La figure 7.2

2. Les théories et le continuum du changement constituent un corpus central en psychologie sociale et en sciences de l'éducation dont s'inspirent tous les intervenants en situation d'influencer des tiers : publicistes, politiciens, profes-seurs et… préventionnistes.

présente ce continuum dont les termes varient selon que l'on se réfère à la psychologie sociale, aux sciences de l'éducation ou à des approches davantage psychologiques ou philosophiques.

FIGURE 7.2

Le continuum du changement selon diverses désignations

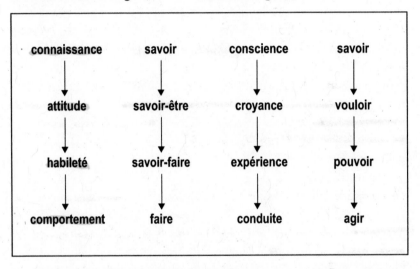

Il est question de continuum dans le sens où, suivant le cours normal du développement, des stades sont considérés préalables (connaissance, attitude, habileté) au niveau intégratif du comportement (de la conduite, du faire, de l'agir). Ainsi, ce sont les connaissances acquises sur le monde qui permettent peu à peu de se forger une attitude ou vision du monde, mélange d'opinions, de préférences et d'intentions d'agir ; ces intentions guident alors les choix de pratiques et l'acquisition progressive d'habiletés qui seront réellement mises à contribution une fois intégrées au cœur des comportements quotidiens, qu'il s'agisse d'habitudes professionnelles ou de vie. Moins prosaïquement, un publicitaire doit livrer un minimum d'informations pertinentes sur son produit, afin d'être à même de toucher les cordes sensibles de la clientèle, soit l'attitude et l'intention d'achat, espérant que cela se traduise par un essai du produit et, éventuellement, par une habitude de consommation, voire une fidélisation. Le cœur de la stratégie publicitaire ou politicienne est bien sûr le travail sur le maillon clé que constitue l'attitude, afin d'influencer l'intention d'achat ou l'intention de vote. En éducation, la situation est quelque peu différente : le développement du savoir-être, de la vision du monde, des intentions d'action n'est pas à ce point central, le but de la formation académique étant centré sur l'acquisition, la mise en pratiques et la capacité d'appliquer des connaissances dans le cadre d'une profession ou d'un emploi sur le marché du travail[3].

Dans le contexte d'un plan d'action en prévention, la réflexion sur le type de changement visé se fait en relation directe avec une population ciblée et par rapport à un facteur sur lequel il est décidé d'agir. La question à poser est alors la suivante : « QUEL CHANGEMENT SUR QUI ? » permettra d'avoir l'impact le plus significatif sur le facteur X. La réponse à cette question pourra résulter en plusieurs énoncés d'objectifs. À titre indicatif, les quatre niveaux de changement agencés aux quelque douze cibles potentielles de notre exemple donnent, théoriquement, quarante-huit possibilités d'objectifs. Dans les faits, toutes n'apportent évidemment pas de réponse pertinente pour l'action, mais il est clair qu'il existe toujours plus d'une façon d'avoir un impact préventif sur un facteur donné. Cette considération est importante dans la mesure où, pendant longtemps, la planification de l'action préventive s'est cantonnée à un seul type d'objectif, le plus élémentaire : un changement quant aux connaissances sur la population à risque. Ce manque de créativité aura produit plusieurs programmes de prévention unidimensionnels, consistant en de simples activités d'information destinées à la cible principale.

Reprenons le facteur environnemental ayant déjà servi d'exemple (*valeurs masculines d'invulnérabilité*) : il pourrait être ici concevable de modifier les attitudes de la population générale (EPAR), de même que celles des jeunes hommes de 18-24 ans (PAR), en même temps que de développer les habiletés des parents des adolescents (EFPAR). Nous obtenons alors trois possibilités d'objectif visant à contrer l'influence du facteur en question. À noter que la façon de faire est la même, s'il est décidé d'agir sur un facteur de protection : on se demande alors « quel changement sur qui ? » pourra non pas contrer mais favoriser l'influence du facteur en question.

---

3. Ce n'est évidemment pas toujours le cas. L'éducation au niveau primaire et secondaire, de même que celle prenant place dans un contexte fortement idéologique (religieux ou politique), peut accorder une grande importance au travail sur les valeurs et les opinions de la clientèle.

Au QUI?, OÙ? et QUOI? déjà pris en compte, nous sommes en mesure d'ajouter le COMBIEN?. Précisons d'entrée de jeu le caractère un peu arbitraire de la fixation de pourcentage dans les énoncés d'objectifs. Ce sont les éléments d'information fournis par la cueillette de données qui peuvent orienter le jugement d'une équipe à cet égard, à partir d'une base « objective ». Celle que nous retenons est la suivante : sur le continuum, les changements sont réputés plus complexes et difficiles à réaliser à mesure que l'on progresse vers le niveau du comportement. S'agissant d'augmenter les connaissances, on peut viser un pourcentage élevé (+ de 75 %) de gens ayant effectivement changé, alors que pour la modification ou le renforcement d'attitudes, la proportion sera plus modeste (51-75 %); dans le cas du développement d'habiletés, changement d'un registre plus complexe, un pourcentage de 26 à 50 % apparaît réaliste. La modification effective d'un comportement à la suite d'une activité préventive est chose nettement plus rare et ardue, de sorte qu'une proportion de l'ordre de 1 à 25 % de gens ayant changé est indiquée[4].

Il ne manque plus qu'un critère pour compléter les composantes d'un énoncé d'objectif opérationnel : le temps.

La dynamique temporelle

Comme l'indique la figure 7.3, la dynamique temporelle renvoie à l'échéance fixée par l'équipe pour l'atteinte d'un objectif, soit la réalisation du changement projeté. Cette échéance détermine le moment à partir duquel le résultat peut être évalué. Il est possible de procéder selon un échéancier à court terme (moins de six mois), à moyen terme (six mois à deux ans) ou à long terme (plus de deux ans) pour chacun des objectifs de même que pour l'ensemble d'un plan d'action[5].

4. Traduire en nombre ces pourcentages implique la connaissance du bassin total (du 100 %). Dans le cas de la population à risque, cette information devrait avoir été établie à l'intérieur de la recherche sur la clarification des besoins (indicateurs sociodémographiques).

5. Les programmes de prévention présentant un échéancier de mise en œuvre à long terme sont plutôt l'exception. Les contraintes de financement et les impératifs de résultats rapides cantonnent aujourd'hui la majorité des initiatives dans le court et le moyen terme, un programme dont l'implantation dépasse une année étant même considéré à long terme !

FIGURE 7.3

**Exemple d'une dynamique temporelle bimodale
(concurrent et séquentiel) pour un plan d'action en huit objectifs,
devant être mis en œuvre sur trois ans**

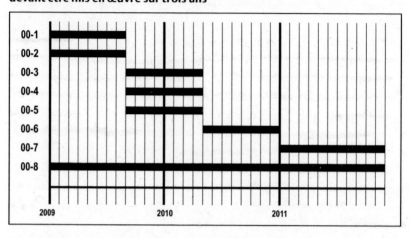

Même si l'indicateur du QUAND ? est généralement l'élément initial de l'énoncé d'un objectif (*d'ici 3 ans, que 30 % des...*), le bon sens veut que ce soit le dernier des critères à être précisé. En effet, lorsque le plan d'action est complété, c'est-à-dire lorsque tous les objectifs opérationnels ont été précisés pour assurer un impact (simple, double, triple, etc.) sur les facteurs priorisés, il est loisible d'en organiser la dynamique temporelle. Le premier repère à considérer est, bien sûr, l'échéancier global de travail dont dispose l'équipe, celui qui a présidé à l'énoncé du but général. Dans l'exemple type élaboré au chapitre précédent, une échéance de trois ans (long terme) a été fixée pour mener à bien la démarche d'intervention sur les jeunes conducteurs de l'Estrie. Partant de là, l'échéance de chacun des objectifs peut être établie, selon un mode concurrent (simultané) ou séquentiel (certains objectifs devant être atteints avant d'autres[6]). La figure 7.2 présente une illustration de dynamique temporelle pour un plan d'action comportant un total de huit objectifs.

Dans cette organisation dynamique, des objectifs sont menés concurremment (1-2 ; 3-4-5 ; 8), d'autres en séquence (bloc 1-2 ; bloc 3-4-5 ; 6 et 7). Pour les objectifs 1 et 2, l'énoncé débutera par « d'ici 8 mois... » ;

6. Par exemple, il peut être jugé nécessaire d'agir sur l'entourage de la population à risque (professeurs, parents) avant d'agir sur les jeunes eux-mêmes (PAR).

pour l'objectif 8, par «d'ici 3 ans...». Pour les objectifs intermédiaires (p. ex.: 3, 4 et 5), cela pourra être «d'ici 16 mois...» ou encore, «d'ici 8 mois suivant l'atteinte des objectifs 1 et 2...». Et ainsi de suite.

Nous sommes maintenant à même d'élaborer un réel plan d'action, fort de la connaissance des divers critères et composantes impliqués dans l'énoncé d'objectifs opérationnels. Revenons donc au scénario amorcé lors du chapitre précédent.

Exemple type : élaboration du plan d'action

À la suite de la deuxième phase de recherche menée par Gaétan, Isabelle et Maud pour identifier les facteurs à la source de la situation indésirable à prévenir (usage inapproprié d'alcool – lors de la conduite automobile – chez les jeunes hommes de 18-24 ans de l'Estrie), l'équipe en est venue à prioriser neuf facteurs : sept de risque, deux de protection (revoir le tableau 6.2, p. 140). Plusieurs séances de travail sont planifiées pour élaborer le plan d'action. Des discussions et décisions nombreuses naîtra un programme de prévention original, à l'image de l'équipe[7]. Le temps alloué pour ce travail varie en relation avec le nombre de personnes, l'obtention d'un consensus à six requérant plus de temps qu'à trois.

Première ébauche

Au cours d'une première phase de travail, après avoir précisé l'ensemble des cibles pouvant faire l'objet d'une action (figure 7.2), les trois équipiers élaborent un maximum d'objectifs inspirés par les neuf facteurs priorisés. Ils aboutissent à un total de quinze hypothèses d'action, que résume la figure 7.4.

Plusieurs options s'offrent à partir de ce stade, dont celle d'élaguer le plan, question de réalisme (temps et moyens à disposition). En effet, un plan d'action à quinze objectifs est un plan complexe, ambitieux. C'est ce que décide notre équipe et cela donne lieu à de nouvelles délibérations

---

7. Nous insistons encore pour souligner que la troisième étape de la démarche constitue le cœur créatif du processus de conception d'un programme, qui lui donnera sa couleur unique. Un peu à l'image de la démarche publicitaire où, en aval des études de marché et de motivation et en amont du plan de diffusion médias, les «créatifs» se réunissent pour accoucher DU message.

FIGURE 7.4

Première ébauche du plan d'action

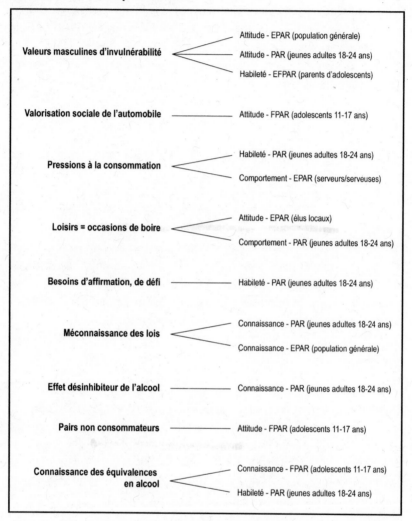

entre Gaétan, Isabelle et Maud. Gaétan souhaite conserver tous les facteurs priorisés en ne retenant qu'un objectif pour chacun, ce qui donnerait
un plan d'action à neuf objectifs. Les deux femmes sont plutôt d'avis de
prioriser encore plus finement les facteurs retenus, mais en les «attaquant»
sous plusieurs angles : à cet égard, un programme comportant huit objectifs d'action leur semble réaliste. Leur position est finalement adoptée et

FIGURE 7.5

Seconde ébauche du plan d'action

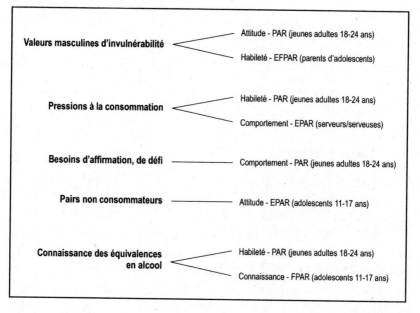

TABLEAU 7.2

Verbes d'action pour rédiger de façon précise la nature du changement escompté

TYPES DE CHANGEMENT	connaissances	attitudes	habiletés	comportements	
	D'ici **x** temps, que **y** % de la population **z**...				
VERBES D'ACTION	soient capables d'expliquer d'énumérer de reconnaître d'identifier de définir de nommer d'indiquer de comprendre soient conscients connaissent sachent etc.	soient d'avis que soient convaincus que pensent que considèrent que préfèrent que aient l'intention de aient le sentiment que etc.	soient capables d'exprimer de défendre de critiquer d'analyser de refuser d'évaluer de discuter de résoudre d'exposer de formuler d'exécuter de mettre en pratique etc.	*préciser le comportement* limité n'aient pas consommé vendu fréquenté acheté etc.	*favorisé* aient pratiqué rencontré participé exercé etc.
STRATÉGIES CORRESPONDANTES	information	persuasion	éducation et développement	contrôle	aménagement du milieu

les facteurs éliminés le sont par consensus. Le tableau final conserve des facteurs de risque et de protection dans trois des quatre sphères. Il reste cinq facteurs, quatre ayant été retranchés :

- valorisation sociale de l'automobile
- loisirs = occasions de boire
- méconnaissance des lois
- effet désinhibiteur de l'alcool

Seconde ébauche

Compte tenu des facteurs restants et dans la perspective d'un programme à caractère systémique (plusieurs cibles) et multivarié (plusieurs niveaux de changement), nos équipiers retravaillent une deuxième ébauche de plan d'action, cette fois comportant huit objectifs (figure 7.5).

Gaétan, Isabelle et Maud en sont maintenant à la phase de la formulation comme telle. La séquence des critères suivra cet ordre : QUAND ?, COMBIEN ?, QUI ?, OÙ ?, QUOI ? Au départ, ainsi que nous l'avons expliqué, l'échéance demeure ouverte jusqu'à ce que la réflexion sur la dynamique temporelle d'ensemble permette de fixer les délais d'atteinte de chacun des objectifs. En ce qui concerne le QUOI ? (concluant l'énoncé un peu comme *punch* final), nous vous référons au tableau 7.2 pour un aperçu des verbes d'action qui permettent de traduire l'énoncé sous la forme du changement escompté.

Plan final

L'équipe s'attelle à la tâche. Plusieurs versions d'un même objectif sont rédigées jusqu'à ce que l'énoncé du changement soit clair et explicite. Voici le plan d'action final auquel l'équipe en arrive (figure 7.6).

Il ne reste alors qu'à structurer la dynamique temporelle sur les trois années dont dispose l'équipe (à la manière dont nous en avons donné l'exemple, à la figure 7.3). Cela fait, les échéances obtenues sont incluses dans les énoncés du plan final.

FIGURE 7.6

Plan d'action final

Valeurs masculines d'invulnérabilité

D'ici x temps, que 51% des jeunes adultes de 18-24 ans habitant les secteurs ruraux et semi-urbains de l'Estrie considèrent favorablement des modèles moins machos de comportement, notamment en regard de la conduite automobile sous influence de l'alcool.

D'ici x temps, que 30% des parents d'adolescents de 11 à 17 ans habitant les secteurs ruraux et semi-urbains de l'Estrie soient capables de discuter avec leur jeune de l'influence qu'exercent certaines valeurs et stéréotypes masculins.

Pressions à la consommation

D'ici x temps, que 40% des jeunes adultes de 18-24 ans habitant les secteurs ruraux et semi-urbains de l'Estrie soient capables d'exprimer leur désaccord à l'endroit de pairs incitant à la conduite automobile sous influence de l'alcool.

D'ici x temps, que 20% des serveurs et serveuses des débits d'alcool situés dans les secteurs ruraux et semi-urbains de l'Estrie n'aient pas servi d'alcool après certaines heures à des jeunes hommes présentant déjà un fort taux d'alcoolisation.

Besoins d'affirmation, de défi

D'ici x temps, que 15% des jeunes conducteurs de 18-24 ans habitant les secteurs ruraux et semi-urbains de l'Estrie aient participé au rallye régional de l'entraide.

Pairs non consommateurs

D'ici x temps, que 51% des adolescents de 11 à 17 ans habitant les secteurs ruraux et semi-urbains de l'Estrie soient convaincus qu'un style de vie sans alcool peut être réaliste et agréable.

Connaissance des équivalences en alcool

D'ici x temps, que 40% des jeunes adultes de 18-24 ans habitant les secteurs ruraux et semi-urbains de l'Estrie soient capables d'évaluer leur degré d'alcoolémie lors d'épisodes de consommation.

D'ici x temps, que 76% des adolescents de 11 à 17 ans habitant les secteurs ruraux et semi-urbains de l'Estrie soient capables d'identifier les équivalences en alcool des divers types de boissons alcoolisées.

La détermination des activités

L'étape de planification de l'action se termine tout naturellement par la détermination des activités de prévention, qui découle du choix des moyens d'action. Les moyens d'action, ce sont les grandes stratégies auxquelles est consacrée la troisième partie du volume (chapitres 8 à 11) afin de permettre aux intervenants de mieux en connaître les caractéristiques, les conditions d'efficacité et les limites lors de l'implantation du programme dans le milieu.

Les objectifs opérationnels, les stratégies et les types d'activités

Le type de changement retenu dans les objectifs opérationnels détermine le choix des moyens. Dans un second temps, le type de moyen (ou stratégie) impliqué détermine le choix des activités. Tout procède donc de la logique établie dans le plan d'action. Le tableau 7.3 décortique cette logique.

TABLEAU 7.3

Les moyens d'action (stratégies) en relation avec les objectifs de changement et les types d'activités

Classes	communicationnelle	éducative	environnementale
Stratégies	Information Persuasion	Éducation Développement	Contrôle Aménagement du milieu
Objectifs de changement	Agir sur les connaissances ou les attitudes	Agir sur les habiletés (spécifiques ou générales)	Agir sur les comportements (limitation ou incitation)
Types d'activités	MESSAGES Présentations en personne, publications et imprimés, multimédias (exposé, dépliant, émission, télé, etc.)	MISES EN PRATIQUE Exercices individuels ou de groupe (travaux pratiques, groupes de partage, jeux de rôles, etc.)	MESURES Lois, règlements, politiques, contrats (heures, permis, prix, etc.)
			Mesures physiques, culturelles, communautaires, sociales (embellissement, loisirs, participation, emploi, réseaux, etc.)

Six stratégies

La typologie des moyens d'action comporte six grandes stratégies, regroupées en trois classes.

1. Les stratégies communicationnelles, soit l'information et la persuasion, permettent d'atteindre des objectifs visant un changement des connaissances et des attitudes, à partir d'activités de type messages (conférences, imprimés, audiovisuels, etc.).

2. Les stratégies éducatives, soit l'éducation et le développement, permettent d'atteindre des objectifs visant un changement des habiletés, spécifiques ou générales, à partir d'activités de type mises en pratique (exercices de groupe, formation, ateliers, etc.).

3. Les stratégies environnementales, soit le contrôle et l'aménagement du milieu, permettent d'atteindre des objectifs visant un changement des comportements, à partir d'activités de type mesures (lois, ressources de loisirs, améliorations physiques, etc.).

Notre équipe entre dans la dernière phase de «création» du programme. Pour ce faire, elle suit les étapes suivantes :

1. Identification claire des moyens d'action (stratégies) permettant d'atteindre le changement projeté de chacun des objectifs opérationnels (tableau 7.3).

2. Identification claire des types d'activités propres aux stratégies identifiées (tableau 7.3).

3. Détermination de chacune des activités préventives :
   a) en répondant aux questions : QUELLE ACTIVITÉ ?, OÙ ?, QUAND ? et POUR QUI ?,
   b) en optant pour un ou plusieurs volets[8],
   c) en évaluant globalement les coûts en ressources humaines et matérielles de chaque activité, de façon à respecter le budget alloué.

---

8. Quel que soit le nombre de volets, ils doivent demeurer cohérents avec le type d'activité et la stratégie dont ils relèvent. Par exemple, une activité d'information, visant l'augmentation des connaissances, pourra avoir plusieurs volets de type message, non un mélange de messages, de mises en pratique et de mesures.

FIGURE 7.7

Planification générale à partir d'un exemple type : facteurs, objectifs, stratégies et activités

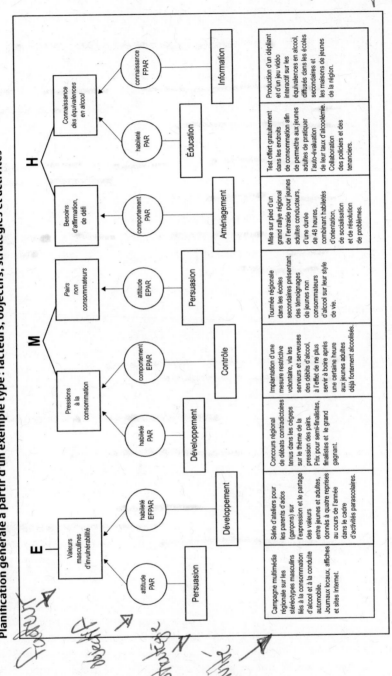

Ce travail accompli, Gaétan, Isabelle et Maud ont en main un document de planification rigoureux, complet et cohérent leur permettant d'entrer résolument dans l'étape de mise en œuvre[9] (ou de la confier à une autre équipe d'intervenants) avec toutes les chances de réussite de leur côté. En terminant, nous présentons la synthèse opérationnelle à laquelle est parvenue notre équipe de prévention au terme des trois premières étapes de sa démarche.

*

Nous venons de voir la troisième étape d'une démarche en prévention, soit la planification de l'action, rendue possible par la formulation d'objectifs mesurables, centrés sur les résultats, puis par la détermination d'activités préventives à un ou plusieurs volets.

L'étape suivante de la mise en œuvre n'est pas abordée dans le cadre de cet essai. Elle consiste en l'implantation et la gestion du programme dans le milieu. Pour ce faire, une bonne connaissance des moyens d'action est requise. Ces moyens d'action font l'objet de la troisième partie, le cadre stratégique. Il présente six grandes stratégies, regroupées en trois classes, dont nous venons de prendre sommairement connaissance à l'occasion de la précision des activités. Nous les approfondirons dans les quatre chapitres à venir. Mais avant, un intermède récapitulatif de la seconde section et prospectif de ce qui s'en vient...

9. Lors de cette étape, il importera d'identifier toutes les tâches qu'implique la réalisation des activités pour l'équipe de travail et, le cas échéant, de planifier ces tâches sous forme d'objectifs intermédiaires. Les allocations budgétaires précises et leur administration font également partie intégrante de l'étape de mise en œuvre.

Où nous en sommes

Le processus parcouru jusqu'à présent nous a permis de suivre une équipe fictive d'intervenants à travers les étapes de conception d'un programme destiné à prévenir l'usage inapproprié d'alcool (lors de la conduite automobile) chez les jeunes adultes masculins habitant hors des grands centres dans la région de l'Estrie. En guise de rappel, et en conservant cet exemple type, la figure A résume la démarche dans laquelle nous nous inscrivons.

FIGURE A

Rappel des trois étapes de la démarche méthodologique *important*

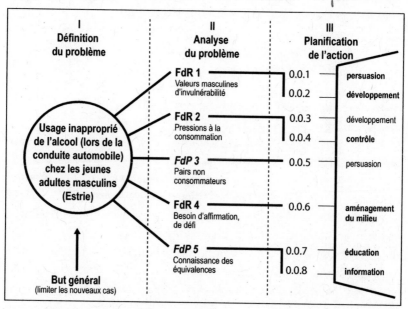

Partant de la définition du problème et de l'énoncé d'un but général, l'équipe passe à l'identification de cinq facteurs (trois de risque, deux de protection), puis à la formulation de huit objectifs opérationnels. Ces huit objectifs renvoient à huit stratégies de mise en œuvre soit, dans le présent cas, les six stratégies de base (en gras) et deux qui se répètent[1].

Trajectoire historique : de l'imposition à l'autonomisation

Avant d'aborder dans le détail les trois classes et les six stratégies, il peut être utile de les mettre en perspective. Sur un plan historique, d'abord, le recours à des moyens d'action sur les populations a suivi une trajectoire, notée dans le chapitre sur la promotion de la santé, allant de l'imposition à la proposition de choix ou, du point de vue des populations visées, de la soumission à l'autonomisation.

L'approche traditionnelle

Les efforts des responsables de l'hygiène publique, au xixᵉ siècle et au début du xxᵉ, consistaient essentiellement en la combinaison des stratégies de persuasion et de contrôle en raison de l'urgence des enjeux, du peu de moyens à disposition et du faible niveau d'éducation et de pouvoir de décision que possédaient les populations d'alors. L'objectif était simple : convaincre – voire conditionner à l'acceptation – du bien-fondé de mesures limitatives et contraignantes devant être appliquées pour le bien commun. Le mariage des stratégies de contrôle et de persuasion n'a cessé d'être le recours des autorités en place dans des situations où, pour une raison ou l'autre, le rapport d'intervention privilégié devait être l'*agir sur* (revoir tableau 2.1, p. 41). Dans notre secteur, cela s'est traduit par la combinaison des mesures prohibitionnistes et de la propagande antidrogue, ce que nous pouvons qualifier d'approche traditionnelle en prévention des toxicomanies. Cette approche, rappelons-le, est largement tributaire de la vision des problèmes de santé qui existait à l'époque des épidémies, soit la nécessité de dominer une menace extérieure – le fléau – par des mesures de contrôle (police médicale, unité de désinfection), ainsi que la diffusion de messages d'alerte aux populations à risque. Ce schéma classique de type médical s'est trouvé transposé en toxicomanie, la drogue

1. Un programme planifié différemment aurait pu ne présenter que deux ou trois stratégies différentes, utilisées à plus d'une reprise. Nous avons délibérément inclus dans notre planification le recours aux six stratégies de base, afin de pouvoir nous en servir comme exemple type au long de la troisième section.

étant assimilée à un fléau. En conséquence, cette prévention-influence par excellence ou prévention double C (contrôle et communication) consiste à gérer la disponibilité et l'usage des produits par des lois et règlements et à faire œuvre de dissuasion auprès des gens sujets à y contrevenir. Les initiatives bien connues de «tolérance zéro» et les programmes inspirés du célèbre *Just Say No* se situent dans cette ligne d'action, de même qu'une bonne part des entreprises de lutte contre le tabagisme et la conduite avec facultés affaiblies.

L'approche classique

Au cours du siècle passé, l'approche traditionnelle de tendance souvent autoritaire s'est trouvée peu à peu relayée par (ou combinée à) une approche plus respectueuse des personnes, forte du développement de nouveaux outils de connaissance des comportements et d'un niveau accru de compétences au sein de la population. L'information et l'éducation sont ainsi devenues les fers de lance des entreprises de prévention, dorénavant axées sur un objectif de responsabilisation : augmenter ses connaissances concernant les faits et méfaits des drogues et de leurs usages et s'entraîner aux situations exigeant de faire des choix, de prendre des décisions. Cette approche préventive, que nous pouvons qualifier de classique, tend aujourd'hui à dominer notre secteur, notamment depuis la revitalisation apportée par la réduction des méfaits pour qui les stratégies d'information et d'éducation sont centrales. Des retours ponctuels ou intermittents à la «coercition» font néanmoins toujours partie du paysage.

L'approche nouvelle

Finalement, les trente dernières années ont vu l'apparition de nouvelles stratégies, moins spécifiques et plus génériques, sous l'influence du courant de la promotion de la santé, tout particulièrement le volet «santé des populations». Une approche préventive nouvelle[2] a donc vu le jour, recourant aux stratégies du développement des compétences et de l'aménagement du milieu. Dans les meilleurs cas, ces stratégies ouvrent la porte

---

2. Les dénominations «traditionnelle», «classique» et «nouvelle» pour qualifier les diverses approches préventives en toxicomanies, à partir des stratégies privilégiées, sont de notre cru.

à l'acquisition et à l'accroissement d'une plus grande autonomie de vie, à l'appropriation et à l'exercice de son pouvoir dans l'environnement. Ainsi en est-il de programmes axés sur la capacité d'exprimer et d'affirmer ses valeurs et de résoudre des problèmes ou de programmes offrant des « solutions de rechange » et une meilleure qualité de vie comme voie originale de prévention des problèmes liés aux SPA.

La dynamique multistratégique

La seconde mise en perspective des stratégies d'action concerne leurs étroites interrelations, un peu à la manière des niveaux hiérarchiques des sphères d'influence abordés au chapitre 6. La figure B représente cette dynamique.

FIGURE B

Dynamique entre les différentes classes de stratégies

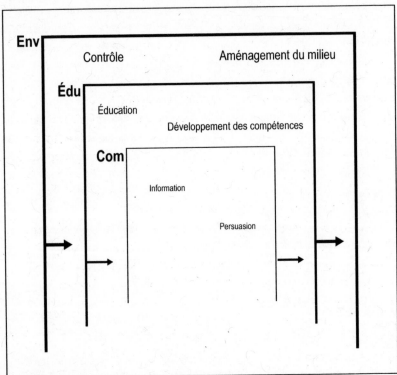

Comme nous pouvons le constater, certaines classes de stratégies sont de nature plus globale et englobante que d'autres. C'est dire que le recours aux stratégies environnementales (contrôle et aménagement du milieu) inclut une part implicite d'habilitation et de communication (stratégies éducatives et communicationnelles). Par exemple, si on édicte des contrôles sur les armes à feu pour prévenir la violence urbaine, il est acquis que l'on devra non seulement en informer la population, mais aussi la convaincre de la légitimité de la mesure et lui fournir des instructions précises sur la manière de procéder à l'enregistrement des armes autorisées. De même, l'implantation de mesures culturelles ou récréatives comme solution de rechange à l'usage des drogues implique un certain travail, préalable ou simultané, sur les connaissances (informer que cela existe), les attitudes (persuader que cela est utile) et les habiletés (voici comment faire).

De la même façon, les stratégies éducatives (éducation et développement des compétences) impliquent les stratégies communicationnelles : il est clair que toute mise en pratique doit être précédée ou accompagnée des consignes nécessaires (connaissances), et reposer sur une adhésion des participants (attitude)[3].

Le processus du changement

Cela signifie-t-il que les objectifs opérationnels devraient essentiellement viser un changement de comportement, étant donné que les stades préalables y sont d'emblée inclus? La question ici posée est celle du processus du changement, brièvement abordé au chapitre 7. Sans entrer dans ce vaste thème qui relève tout à la fois des théories de l'apprentissage, des théories du comportement et de la science des communications, disons qu'il existe deux scénarios possibles pour modifier le comportement, but ultime de toute entreprise d'influence. La figure C en présente une schématisation.

---

3. Par exemple, avant de suivre des cours pratiques de ski alpin, non seulement doit-on minimalement être convaincu de l'intérêt de la chose, mais aussi avoir assimilé un minimum d'informations théoriques sur les différents types de position, l'équipement, etc.

FIGURE C

Scénarios du processus de changement de comportement

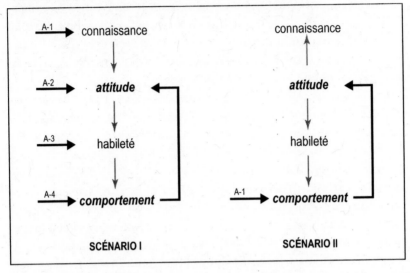

Le scénario d'intégration progressive

Dans un contexte qui le permet, non coercitif, le premier scénario est le plus naturel et celui qui devrait prévaloir dans la plupart des contextes de prévention. Lors de la formulation des objectifs opérationnels, les intervenants déterminent quel type ou niveau de changement peut être visé chez une population cible afin d'obtenir un impact sur l'un ou l'autre des facteurs priorisés. Selon ce scénario, ils s'interrogent systématiquement : le savent-ils ? S'ils le savent, le veulent-ils ? S'ils le veulent, le peuvent-ils ? Et s'ils le peuvent, le font-ils ? En fonction de la connaissance qu'ils possèdent du groupe en question, les intervenants choisissent alors d'agir à un niveau plutôt qu'à un autre du processus (ou continuum) de changement. Dans le cas de gens informés, motivés et compétents mais qui ne passent pas à l'action, les stratégies environnementales (et donc touchant directement le comportement) seront de mise.

Le scénario du changement imposé

Dans un contexte qui ne permet pas de respecter le processus naturel d'acquisition ou de modification d'un comportement (en contexte coercitif, notamment), il est effectivement possible d'agir directement sur le comportement et d'obtenir quand même des résultats. Le second scénario illustre ce processus par lequel un changement imposé de comportement est suivi d'une adhésion sur le plan de l'attitude; par la suite, les connaissances et/ou les habiletés requises par la situation pourront être acquises. Ce phénomène est depuis longtemps expliqué par les théories de la dissonance cognitive et de l'auto-attribution[4]: il existe, en effet, une tendance à conformer *a posteriori* ce que l'on fait avec ce avec quoi l'on est d'accord de faire pour éviter un état inconfortable de tension. C'est ainsi que, dans les années 1980, lorsque nous nous sommes pliés au nouveau règlement sur le port de la ceinture de sécurité (comportement), sans nécessairement disposer de toute l'information et être convaincu du bien-fondé de la mesure, nous en sommes majoritairement venus à penser qu'il s'agissait là d'une chose utile (attitude); nous avons alors intégré les arguments rationnels à l'appui de cette position (connaissances) tout en nous exerçant à ne pas oublier de nous attacher en montant dans une voiture (habileté).

Cela dit, l'attitude joue toujours un rôle de premier plan, même dans le cas d'un processus d'intégration progressive du comportement (scénario 1). Ce scénario, à la différence du second où il y a une action directe sur le comportement, sans que soit «préparé» le terrain, produit de meilleurs résultats à long terme, soit des comportements plus stables, mieux intégrés et avec beaucoup moins de risques d'effets pervers.

Ce rappel et cette mise en contexte introduisent à notre prochaine section, où sera présentée et approfondie chacune des six stratégies de mise en œuvre.

4. Voir Kapferer, J.-N. (1978). *Les chemin de la persuation*. Paris, Bordas.

CADRE STRATÉGIQUE

CHAPITRE 8

Les stratégies communicationnelles : information et persuasion

Nous entamons avec ce chapitre la troisième partie de cet ouvrage sur les aspects théoriques et méthodologiques de l'intervention préventive, appliquée au secteur des toxicomanies. Les quatre chapitres qui suivent sont consacrés à une revue systématique des moyens ou stratégies d'action dont disposent les intervenants pour mettre en œuvre le programme de prévention dont les trois étapes précédentes (seconde partie) ont permis la conception. À la fin du chapitre 7, nous avons présenté une vue d'ensemble de même qu'une mise en contexte des moyens d'action, lesquels sont répartis en trois classes et comptent six stratégies spécifiques. Le présent chapitre porte sur la classe des stratégies communicationnelles, le suivant sur les stratégies éducatives, alors que les deux derniers exposeront les stratégies environnementales. Pour qu'il soit aisé de s'y retrouver, les quatre chapitres présentent la même structure : d'abord, une définition de la classe générale ; puis, pour chacune des stratégies, un rappel de l'objectif de changement pour lequel elle est utilisée ; ensuite, une description des caractéristiques qui lui sont propres, illustrée d'exemples d'activités ou de mesures ; en dernier lieu, l'exposé des conditions d'efficacité ainsi que les limites ou problèmes inhérents à chacune des stratégies.

Les stratégies communicationnelles permettent l'actualisation d'activités de type messages avec pour objectif une action sur les connaissances (stratégie d'information) ou sur l'attitude (stratégie de persuasion). L'efficacité et les limites de ces stratégies relèvent de la dynamique de tout processus de communication qui implique une source, un message, un véhicule et un destinataire. Le recours aux stratégies communicationnelles ne garantit qu'un impact à court terme et ne peut, à lui seul, prétendre à une modification des comportements. Mal maîtrisé, il peut en revanche générer des effets nuls ou contraires. Finalement, malgré des caractéristiques propres, information et persuasion ont tendance à se confondre au profit de la persuasion, en raison des enjeux et des valeurs dont est fortement imprégné notre secteur de pratiques.

Définition : informer et persuader

Commençons par une définition générale. La classe des stratégies communicationnelles a pour but d'augmenter les connaissances, ou alors de renforcer ou de modifier les attitudes et éventuellement d'influer sur les intentions d'action d'une population cible. Elle se présente sous deux volets distincts : l'information et la persuasion. Elle se traduit en action par le recours à des messages.

L'information et la persuasion comptent parmi les stratégies de prévention les mieux établies et sont, de ce fait, largement mises à contribution, voire surutilisées. Cela est attribuable à plusieurs facteurs :

- le coût généralement plus faible de la production de messages, en comparaison de l'organisation de mises en pratiques ou de l'implantation de mesures ;
- la croyance répandue dans une société d'information et une culture publicitaire en l'efficacité des médias et des messages ;
- le côté souvent visible, parfois spectaculaire, de ce type d'actions (messages télévisés, affiches, conférences-choc, etc.) ;
- la longue tradition de recours à l'information comme stratégie préventive depuis les années 1970.

Ce ne sont pas nécessairement là de bonnes raisons de recourir à la classe des stratégies communicationnelles. La seule raison qui tienne, c'est que l'information ou la persuasion permettent de réaliser le changement le plus pertinent chez une population donnée, ainsi que l'analyse du problème et la planification de l'action l'établissent. Les prétendus avantages cités ci-dessus s'avèrent éminemment relatifs au contexte d'implantation du programme, au budget alloué pour élaborer les activités et à la dynamique d'ensemble, multistratégique :

- le recours aux grands médias peut coûter beaucoup plus cher que l'implantation d'une mesure physique locale, en aménagement du milieu, comme fournir du matériel d'art aux enfants d'un quartier ;
- l'efficacité des messages est plus limitée qu'on ne le croit et doit être envisagée en complément d'autres stratégies ;
- le côté visible et spectaculaire n'est pas en soi un enjeu de prévention et témoigne plutôt d'un besoin de reconnaissance et de publicité des intervenants eux-mêmes ;

- les conclusions des meilleures pratiques soulignent l'intérêt de combiner l'information avec d'autres stratégies.

L'information

Le rappel de l'objectif : expliquer

La première distinction entre information et persuasion concerne leur objectif. L'information a pour but d'agir sur les connaissances, c'est-à-dire les augmenter ou les clarifier. Les connaissances, c'est ce qu'on acquiert : renseignements, savoir, culture, érudition. À partir des connaissances acquises, nous sommes à même de faire des choix et de nous forger une attitude, soit une façon de considérer le monde et d'agir en conséquence. Le but de l'information est de faire comprendre, d'expliquer, d'éclairer.

Les caractéristiques : les faits, rien que les faits !

L'information est identifiable à trois caractéristiques centrales :

- l'aspect **factuel**, qui se traduit par la préoccupation de présenter des faits, c'est-à-dire ce qui existe, qui est réel, qui est établi de façon probante ou appuyé scientifiquement ;
- l'aspect **exhaustif**, qui se traduit par la préoccupation de présenter les faits de la façon la plus complète et contextuelle possible, afin de favoriser une compréhension plus juste ;
- l'aspect **objectif**, qui se traduit par le maintien d'une position de réserve et de neutralité, par rapport aux faits et par la présentation de plusieurs points de vue[1].

Ces caractéristiques confèrent à l'information des attributs : l'élaboration et la logique dans le développement du sujet, l'argumentaire pour et contre, la complexité du propos. Le cadre de référence professionnel par excellence de cette stratégie est le journalisme, non pas éditorial ou d'humeur (*columnist*) mais d'enquête ou d'affaires publiques[2]. Notons que

1. L'objectivité pure est un mythe : on parle plutôt ici d'adopter une position éthique de recherche de la plus grande objectivité possible par rapport à la diffusion de messages.
2. L'information journalistique contemporaine est par ailleurs de plus en plus mise en péril par le règne de l'information spectacle et du journalisme

l'information est également centrale aux domaines de l'essai théorique ou scientifique et de la diffusion technique. Elle l'est aussi pour les praticiens de l'enseignement, du primaire à l'universitaire. Journalisme, information scientifique et technique, essais, enseignement sont ainsi des sources d'inspiration et d'apprentissage, des modèles d'intervention professionnels pour qui souhaite maîtriser la stratégie de l'information.

Les activités (techniques ou mesures)

Nous avons déjà mentionné que le propre de cette classe de stratégies est de recourir à des messages. Au plan technique, ces messages peuvent revêtir trois formes :

- **les présentations en personne,** soit les conférences, les exposés ou toute activité face à un public. Dans le cadre de la stratégie d'information, on peut penser à la conférence proprement dite ou à la présentation magistrale visant la vulgarisation scientifique, l'exposé des faits ou, plus rarement, à une performance à visée didactique ;
- **les publications et les imprimés,** soit toute activité dont le support principal est composé de matériel écrit ou visuel, souvent propice à la diffusion d'information. Il peut s'agir de dépliant, brochure, guide, rapport ou livre, affiche ;
- **les produits audiovisuels et multimédias,** soit toute activité dont le support principal est composé de matériel audio, vidéo ou informatique. Il peut s'agir de messages audio, de films, de séquences vidéo ou d'émissions de télé, de logiciels interactifs.

Les exemples de recours à la stratégie d'information sont nombreux, mais moindres qu'on pourrait l'imaginer, car une bonne partie du matériel dit informatif est en vérité de nature persuasive (nous abordons ce point plus loin).

Au chapitre des présentations en personne, les initiatives les plus fréquentes sont les exposés d'intervenants invités en contexte scolaire. Éducateurs en prévention des toxicomanies (EPT)[3], policiers communau-

---

d'opinion. Nous en reparlerons lorsque nous aborderons le problème de la confusion des genres.

3. Revoir le passage à ce sujet au chapitre 1.

taires, intervenants des maisons de thérapie, consultants privés, une variété de présentateurs ont défilé et défilent encore dans les classes des écoles primaires et secondaires pour faire de la prévention en matière de SPA avec la visée d'augmenter les connaissances des jeunes sur le sujet.

Au chapitre des publications et imprimés, beaucoup de matériel informatif de qualité a été produit au fil des années par les gouvernements ou des organismes crédibles dans le domaine. Mentionnons Santé Canada (*Drogues, faits et méfaits*), le MSSS (*Les drogues, parlons-en*), le Comité permanent de lutte à la toxicomanie (*Savoir plus, risquer moins*), Éduc'alcool, le Centre de toxicomanie et de santé mentale de l'Ontario. Le noyau dur de l'information qu'on y trouve concerne la présentation des produits et de leurs effets, le fonctionnement du système nerveux central (SNC), de même que les aspects légaux liés à l'usage des SPA. On retrouve également des brochures sur les équivalences en alcool et le calcul du taux d'alcoolémie, les dangers de l'alcool lors de la grossesse, etc. Dans le contexte de la réduction des méfaits, la publication de matériel informatif sur les dangers liés à l'utilisation de substances et sur l'usage sécuritaire, à faible risque, a connu un essor particulier. Mentionnons le matériel de l'AITQ (*FX, un guide d'information*) et du GRIP[4] (Fiches d'information sur les substances récréatives).

Côté produits audiovisuels et multimédias, la part d'information est plus mince, ce type de support semblant de façon générale davantage dédié au message persuasif (c'est le cas de beaucoup d'émissions de télévision diffusées sur le thème de «la drogue»). Certains documents clairement axés sur l'acquisition ou la clarification des connaissances peuvent quand même être cités : *Les psycho...quoi?* (CECM, 1987) ; *Questions de drogues* (ONF, 1990) ; *À toi de juger* (Éduc'alcool, 1992). En réduction des méfaits, une vidéo sur l'injection à risque réduit a été produite par l'organisme communautaire Concertation Toxicomanie Hochelaga-Maisonneuve (CTHM), en 1995. Mentionnons aussi les produits interactifs permettant l'évaluation des dangers liés à ses habitudes de consommation d'alcool ou l'évaluation de ses connaissances en matière de drogues, qui se prêtent bien à un objectif informatif (sous forme de tests autoévaluatifs, par exemple).

4. Revoir la section sur les pratiques d'information, éducation et communication, au chapitre 4.

La persuasion

Le rappel de l'objectif : convaincre

La persuasion a pour but de modifier ou de renforcer l'attitude chez une population donnée. L'attitude peut être décrite comme un ensemble constant de croyances, de sentiments, de prédispositions face à un objet, un individu ou une situation. Elle comporte trois composantes intimement liées : les opinions (ce que je pense), les préférences ou penchants (ce que je ressens) et les intentions d'agir (ce que je compte faire). L'attitude constitue en quelque sorte le point d'ancrage et de projection de la personnalité et de l'identité de chacun. On comprend dès lors pourquoi son rôle est si grand comme ressort et renforçateur du comportement et l'importance que lui accordent les propagandistes comme les publicitaires. Le but de la persuasion est de faire adhérer, de convaincre, d'entraîner.

Les caractéristiques : tout pour l'impact !

La persuasion est identifiable à trois caractéristiques centrales :

- l'aspect **émotionnel**, qui se traduit par la préoccupation de toucher les « cordes sensibles » des gens visés, principalement au moyen d'effets de dramatisation, de peur, de culpabilité ou d'humour ;
- l'aspect **réducteur**, qui se traduit par la préoccupation de ne présenter que les faits favorables à l'impact souhaité en omettant délibérément les autres ;
- l'aspect **partisan**, qui se traduit par l'adoption et la défense d'une position particulière et par l'affirmation d'un point de vue subjectif voire idéologique sur le sujet présenté.

Ces caractéristiques confèrent à la persuasion des attributs tels la recherche de synthèse, un traitement impressionniste et percutant du sujet, la simplicité de l'argumentaire. Le cadre de référence professionnel par excellence de cette stratégie est la publicité qui s'affiche clairement comme une entreprise de persuasion, qu'elle soit au service de l'entreprise (commerciale) ou de causes d'intérêt public (sociétale). D'autres créneaux excellent également dans la maîtrise de cette stratégie : la propagande, politique ou religieuse (de fait, souvent confiée à des publicitaires), le plaidoyer, juridique ou social, la réclame pour la vente sous toutes ses formes, l'éditorial ou la chronique d'opinion journalistiques. Si on y pense bien, la propension à vouloir persuader, toucher, séduire, convaincre est nettement plus commune et répandue que celle à vouloir informer. Toute l'expression littéraire et artistique, des grands classiques ou produits à la mode, carbure à l'émotion, au sentiment et à l'opinion dans le but de susciter la réaction et gagner l'adhésion du public, jusqu'à la déclaration d'amour à l'aimée (celle de Roméo, de Tristan ou de Cyrano) qui constitue une entreprise de persuasion parmi les plus efficaces et redoutables! Les sources d'inspiration et les modèles d'intervention pour qui souhaite maîtriser l'art de la persuasion sont donc multiples et, de ce fait, inégaux. Il est facile de croire que cela est à la portée de tous, mais il n'en est rien. L'apprentissage de la « rhétorique » (maîtrise de l'expression, art de l'éloquence) était jadis la voie à suivre pour qui souhaitait épater et convaincre. Qui pourrait croire qu'il est facile de trouver les bons arguments de défense et de les présenter sous leur meilleur jour comme le font les avocats de renom ou que cela est donné à tout le monde de trouver le bon angle de traitement d'un produit avec le slogan qui va faire date?

Les activités (techniques ou mesures)

Les messages persuasifs empruntent les mêmes techniques que les messages informatifs :

- les présentations en personne qui, dans le cas de la persuasion, sont le plus souvent des témoignages ou des performances à forte teneur émotionnelle (théâtre, spectacle) ;
- les publications et imprimés qui, dans le cas de la persuasion, adoptent davantage la forme compacte et légère du tract, du dépliant, de l'affiche et du macaron ou encore de supports non conventionnels tels le napperon, le carton d'allumettes, etc. ;
- les produits audiovisuels et multimédias qui, en général, s'avèrent propices à la persuasion. Il peut s'agir d'annonces publicitaires, de CD musicaux, de films, de jeux informatiques.

Sur le plan des présentations, le grand classique persuasif est bien sûr le témoignage de personnes ayant connu un problème en lien avec la question des SPA, ex-consommateurs de drogues ou personnes ayant vécu les conséquences d'une conduite avec facultés affaiblies. On les retrouve aussi bien devant un auditoire étudiant qu'adulte de même qu'à l'intérieur d'émissions spéciales sur la question. La tradition de partage de son vécu devant un groupe, familière aux membres des fraternités anonymes, est mise à contribution dans ce type de contexte persuasif.

Les publications et imprimés ne sont pas le support de prédilection du message persuasif à l'exception de l'affiche, de courts dépliants ou d'objets « promotionnels » divers servant à rappeler une idée, un slogan, un mot d'ordre. La production d'affiches est abondante, sur tous les sujets, et émane souvent de l'État : tabagisme, alcool au volant, usage de drogues, passage à l'injection, dangers de certains médicaments. Ce matériel peut être dérivé de grandes campagnes télévisuelles. À noter cependant qu'une part encore importante des messages publicitaires préventifs se retrouvent dans l'imprimé.

Finalement, la persuasion domine quant aux produits audiovisuels et multimédias. La plupart des organismes producteurs de films, vidéos, clips ou autres, utilisent ce médium pour obtenir un impact plus percutant et convaincre leur auditoire. Dans le cas des *spots* publicitaires, c'est l'évidence même. Que l'on pense à la célèbre série de messages antidrogues diffusés au cours des années 1980, aux États-Unis, à l'enseigne de *Partnership for a Drug-Free America* ou aux annonces d'*Éduc'Alcool* et d'*Opération Nez Rouge* à l'approche de la période des Fêtes. Il y a également les messages retentissants de la SAAQ contre la conduite avec facultés affaiblies, diffusés depuis vingt ans au Québec. Pour ce qui est des autres produits – séquences vidéo éducatives, émissions de télévision, jeux informatiques –, malgré la prétention souvent avancée de constituer des documents d'information, il s'agit fréquemment d'entreprises de défense et d'illustration d'une perspective particulière sur les problèmes en toxicomanie et leur prévention.

Les conditions d'efficacité des stratégies communicationnelles

L'efficacité des stratégies de type communicationnel, qu'il s'agisse d'information ou de persuasion, doit être replacée dans le cadre de ce qu'il est convenu d'appeler le schéma canonique de la communication, tel que le représente la figure 8.1.

Toute communication origine d'une source qui doit coder ce qu'elle a à transmettre sous forme de message ; ce dernier doit être véhiculé via un

FIGURE 8.1

Le schéma canonique de la communication

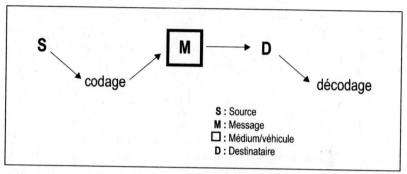

S : Source
M : Message
□ : Médium/véhicule
D : Destinataire

médium ou canal pour atteindre la cible visée ou destinataire, lequel doit alors décoder ce qui lui est transmis, à partir de son propre bagage. La source, le message, le médium et le destinataire sont les composantes de base de tout processus de communication. Comment être efficace en utilisant la communication en prévention des toxicomanies ? En tenant compte de certaines règles ou variables relatives à chacune de ces composantes.

Les connaissances préalables et le statut de la source

Que l'on ait le désir d'éclairer ou la volonté d'émouvoir, la connaissance préalable de l'auditoire, c'est-à-dire la compréhension de l'univers de référence du destinataire est indispensable pour pouvoir se mettre sur la même longueur d'ondes que lui et assurer qu'il y ait « décodage » adéquat de ce que l'on transmet. Cette connaissance permet de formuler adéquatement le message et d'être « entendu », à défaut de quoi tout processus de communication est coupé. Que l'on veuille informer ou persuader, le message ne sera pas livré de la même manière ou empruntera des outils différents s'il s'adresse à des jeunes de la rue ou à des personnes âgées, à des étudiants ou à leurs parents. C'est pour cette raison que les publicitaires effectuent des études de motivation et de marchés afin de concevoir des messages « ciblés ».

L'autre ingrédient indispensable à une source (ici, l'équipe d'intervenants chargée de l'implantation du programme de prévention), c'est sa crédibilité. L'équipe doit penser à cela dans le choix qu'elle fait d'un conférencier : par exemple, inviter tel ou tel artiste qu'affectionnent des jeunes. Le statut, l'image d'autorité et le prestige aux yeux du destinataire varient toutefois d'un public à l'autre. Qu'un policier en uniforme se présente pour faire un exposé auprès d'enfants du primaire, cela a certainement de la crédibilité à leurs yeux ; mais que le même policier en uniforme se présente devant des étudiants du dernier cycle secondaire pour leur parler des drogues, il n'est pas assuré d'être perçu et reçu de la même manière ! La connaissance préalable des gens à qui l'on s'adresse permet, dans ce genre de situation, de développer une crédibilité, si l'auditoire n'est pas gagné d'avance.

Le principe de connaissance de son public et de crédibilité s'applique aussi dans le choix des techniques utilisées : un jeu interactif mettant en vedette des *rappers*, utilisé pour convaincre des parents qu'il est possible d'user de certaines drogues de façon sécuritaire, fera d'emblée perdre de la crédibilité aux intervenants sans compter que le message risque de n'être tout simplement pas compris !

Le message, le médium et le destinataire

Le mode de présentation des messages, les caractéristiques du médium et l'intérêt des destinataires sont des variables interreliées qui dépendent de la nature des objectifs, informatifs ou persuasifs, que l'on poursuit. En gros, cela donne lieu à deux scénarios : les messages informatifs se doivent d'être nuancés et crédibles et ont davantage d'efficacité s'ils utilisent des véhicules ou supports qui favorisent le discours argumenté (conférences, publications, logiciels) ; leur efficacité repose également sur l'intérêt volontaire du public visé, intérêt qui peut être maximisé par des éléments participatifs, interactifs.

C'est ce qu'un des programmes pionniers dans le domaine, *Le Bar ouvert*, a compris en permettant aux jeunes à qui il s'adresse un dialogue interactif avec un barman imaginaire au terme duquel, à travers une variété de cheminements possibles, ils obtiennent des informations pertinentes sur leur situation de consommation d'alcool. Dans la même veine, bien que dans un registre plus étroit, la SAAQ utilise elle aussi un logiciel interactif (*Colles sur l'alcool*) visant à vérifier et à augmenter les connaissances générales au sujet du produit.

Les messages persuasifs, au contraire, se doivent d'être condensés, frappants, redondants et trouvent leur efficacité via un médium qui permet une exposition maximale et une diffusion fréquente (performances, affiches, radiodiffusion) : leur efficacité repose également sur la capacité de capter l'attention involontaire, facilement distraite, de gens qui ne sont pas d'emblée intéressés à recevoir le message.

Personne ne cherchant à être persuadé, les messages de ce type doivent attirer l'attention et/ou être souvent répétés. Le témoignage à sensations suscite immanquablement l'attention et est souvent employé en prévention des toxicomanies pour cette raison. C'est aussi ce qu'ont compris les responsables de la santé publique chargés, en 2006, d'une campagne de prévention du passage à l'injection chez les jeunes de la rue (*Pourquoi commencer ?*) : une série d'affiches choc montrant le côté morbide de la vie d'un UDI a fait l'objet d'une campagne de proximité agressive dans le quadrilatère du centre-ville montréalais. Les affiches se retrouvaient partout, dans les toilettes du secteur, la station de métro, sur les bacs de récupération, placardées aux arbres, etc.

Les limites ou les problèmes des stratégies communicationnelles

Les limites ou problèmes associés aux stratégies de type communicationnel sont de trois ordres.

L'efficacité à court terme

L'information et la persuasion ont pour l'essentiel une efficacité à court terme. Elles agissent de façon ponctuelle, comme des déclencheurs. Pour que les connaissances acquises ou pour que les opinions, préférences et intentions se maintiennent dans le temps, il faut assurer une permanence, répéter, réitérer ce que l'on a à dire, sinon cela risque d'être bien vite dilué et oublié dans la surenchère actuelle des messages. C'est ce que les autorités publiques n'ont cessé de pratiquer ces dernières trente années concernant l'alcool au volant ou l'arrêt du tabagisme.

L'efficacité des stratégies communicationnelles est également limitée au plan du changement. Les études sur l'impact des communications publiques indiquent que le pouvoir de l'information comme de la persuasion en est surtout un de renforcement, et que c'est là le meilleur usage que l'on peut espérer en faire. En d'autres mots, les gens cherchent d'abord l'information liée à leurs champs d'intérêts et les connaissances ainsi acquises contribuent à élargir ce qu'ils savent déjà plutôt que de les amener sur des voies inédites. En ce qui a trait aux messages persuasifs, les gens auront tendance à ne retenir ou à n'adhérer qu'à ce qui va dans le sens de leur conviction : c'est le double phénomène bien connu de la perception et de la persuasion sélectives.

Les effets contraires

L'information et la persuasion peuvent susciter des effets contraires (aussi appelés effets pervers ou effets boomerang) lorsque des problèmes interviennent dans le processus de communication – phénomène qualifié de « bruits » : problèmes de source (manque de crédibilité), de message (impertinence, incompréhensibilité), de médium (choix inadéquat) ou de destinataire (désintérêt, agressivité). En ce cas, au lieu d'augmenter les connaissances, des intervenants peuvent accroître la confusion, la perplexité, voire l'ignorance des gens (diffuser une information trop complexe sur les effets des drogues à des individus non préparés). Côté persuasion, des interventions peuvent susciter des réactions (opinions, sentiments) à l'opposé du but recherché. L'exemple le plus notoire est celui de campagnes sur-dramatisantes quant aux dangers des drogues illégales, devant des auditoires mal jaugés ou hostiles : de telles campagnes ont tendance à susciter le défi du danger plutôt que sa crainte et la méfiance envers les intervenants plutôt qu'envers les substances elles-mêmes !

À cet égard, les spécialistes s'entendent généralement pour dire qu'il est préférable de ne pas aborder directement la question de la consommation avec les jeunes non à risque et non confrontés aux substances. Toutefois, dès les 5e et 6e années, la réalité peut fort bien rendre nécessaire de traiter du sujet, mais à partir des interrogations des jeunes et surtout, sans aborder les substances auxquelles ils ne sont pas encore confrontés[5].

La confusion des genres

Finalement, il existe une confusion des genres entre information et persuasion, au profit de cette dernière. Il est facile de confondre information

---

5. Voir notamment : Vitaro, F., Gagnon, C. *et al.* (2000). *Prévention des problèmes d'adaptation chez les enfants et les adolescents. Tomes I et II.* Québec : Presses de l'Université du Québec.

et persuasion, puisqu'elles se présentent sous les mêmes formes. Outre le fait que les techniques utilisées sont les mêmes, en pratique, il est rare d'avoir affaire à de l'information ou de la persuasion strictes. Aucun communicateur – journaliste, professeur, agent de prévention – ne peut faire abstraction totale de ses valeurs, et cela transparaît notamment dans la façon dont il sélectionne et organise l'information à transmettre, nonobstant le degré d'objectivité de celle-ci. De plus, livrer des connaissances peut s'avérer aride et rébarbatif, de sorte que le communicateur est porté à enjoliver sa présentation par des passages plus subjectifs, de l'humour, etc., procédés de « séduction » qui relèvent de la persuasion.

De la même manière, toutes les formes de persuasion comportent une part d'information, même si celle-ci sert de prétexte à faire passer des idées, une émotion, une cause. À preuve, la publicité, qui est discours persuasif par excellence, véhicule aussi de l'information réelle sur les produits et les services annoncés qui lui sert en quelque sorte d'alibi. Autrement dit, information et persuasion sont indissociables, il y a contamination inévitable entre les deux registres.

Prenons un ouvrage de type technique sur les médicaments, rédigé par un pharmacien, et un autre de type polémique, publié par un sociologue. Dans le premier, on trouvera une somme encyclopédique d'informations sur les produits prescrits ; dans l'autre, une dénonciation impitoyable du marché des médicaments. Le premier ouvrage, malgré son caractère objectif, pourrait facilement omettre des faits controversés sur certains produits afin de ne pas ternir l'image de la profession ; de son côté, le plaidoyer antimédicaments, dont on s'attend d'emblée à ce qu'il défende férocement un point de vue sur la question, renferme aussi des informations pertinentes à une compréhension plus complète de l'industrie de la santé.

L'important est que l'intention principale soit claire, pour le communicateur comme pour sa cible : soit on est en présence d'une démarche d'information qui cherche d'abord à transmettre des connaissances, nonobstant les valeurs et les opinions sous-jacentes ou les digressions possibles ; soit on est devant une entreprise de persuasion qui vise d'abord à convaincre et à susciter l'adhésion, par-delà les éléments d'information utilisés pour les besoins de la démonstration.

Le problème se pose lorsque l'on ne sait plus si on est en présence d'information ou de persuasion, lorsque précisément il y a confusion des genres. Dans le secteur particulier des toxicomanies, où les enjeux s'avèrent controversés et où fleurissent les débats de valeurs, l'omniprésence de la communication persuasive se substitue souvent à l'information, notamment dans les médias de masse, où le sensationnalisme des activités criminelles ou des tragédies personnelles remplace la diffusion de connaissances avérées et une véritable mise en contexte du phénomène drogue. Ce qui est véhiculé dans les médias est souvent réducteur, puisqu'on est largement centré sur les drogues illicites, et partial, puisqu'on y présente de façon prépondérante le point de vue de certains intervenants (policiers, médecins). Pourquoi pareil traitement? Sans doute en raison du clivage entre drogues licites et illicites et des intérêts économiques que cela sous-tend, en raison de la crédibilité et du prestige des sciences médicales appelées à répondre pour tout, et également, du fait que nous nous sentons interpellés, sinon personnellement touchés, par ce type de problème répandu dans toutes les couches de la société, ce qui contribue à faire perdre la distance critique.

Une des conditions pour éviter la confusion des genres chez les intervenants est d'effectuer une clarification des valeurs lors du début de la démarche (première étape, chapitre 5). Si les gens d'une équipe d'intervention précisent d'emblée leur perspective en regard du phénomène drogue (antidrogue, santé, libre choix et sociale), ils devraient être capables de s'en tenir à l'énoncé des objectifs lorsque viendra le temps de déterminer activités et moyens d'action. Nul ne saurait être dispensé d'une telle clarification de ses valeurs dans un domaine à haute teneur émotive comme celui de l'usage des drogues.

*

Nous venons de faire le tour de la première classe des stratégies préventives, les stratégies communicationnelles. Information et persuasion permettent une action centrée sur la dimension des connaissances et de l'attitude (laquelle inclut les intentions d'action). Elles ne permettent toutefois pas de modifier à elles seules les comportements. Malgré leurs caractéristiques propres, ces deux stratégies flirtent constamment l'une avec l'autre et, dans la pratique, il est difficile qu'il en soit autrement: ce qui ne doit pas nous empêcher de reconnaître un message technique d'un message polémique, distinguer une simple nouvelle d'un éditorial. Aucune des deux stratégies n'est meilleure. Ce sont les objectifs poursuivis dans le plan d'action qui justifient d'opter pour l'un ou l'autre de ces moyens d'action.

L'efficacité tout comme les limites ou problèmes des stratégies communicationnelles relèvent d'une bonne compréhension et d'une bonne maîtrise du processus de communication et de ses composantes clés : la source, le message, le médium et le destinataire.

Nous poursuivons au prochain chapitre notre exploration des stratégies de mise en œuvre avec la classe éducative et ses deux composantes : l'éducation et le développement.

CHAPITRE 9

Les stratégies éducatives : éducation et développement

Nous avons entrepris l'étude des stratégies qui assurent la mise en œuvre des activités déterminées lors de la planification de l'action. Nous avons d'abord abordé la classe des stratégies communicationnelles qui, à travers l'information et la persuasion, permet d'atteindre des objectifs de changement sur le plan des connaissances et de l'attitude. Dans ce chapitre, nous traitons des stratégies éducatives.

Les stratégies éducatives rendent possible la mise en œuvre d'activités ayant pour but d'accroître les habiletés. Il peut s'agir d'habiletés dans des situations spécifiques à l'utilisation de psychotropes (éducation) ou encore de compétences générales liées aux situations de la vie courante (développement). Si plusieurs visées éducatives peuvent être poursuivies (habiletés à faire de meilleurs choix, à user des drogues de façon sécuritaire, à résoudre des problèmes, etc.), la caractéristique centrale, dans tous les cas, est la nécessité d'une expérience pratique qui permette l'acquisition d'un véritable savoir-faire ou savoir-vivre.

Les stratégies éducatives s'inscrivent dans le cadre général des relations entre animateur et participants : leur efficacité repose donc sur des conditions d'autorité et d'alliance fondée sur la confiance. Cette efficacité doit être mise en balance avec le danger, toujours présent, d'abus de pouvoir, ainsi qu'avec un problème de confusion des genres entre ces stratégies et les deux précédentes.

Définition : éduquer et développer

Définition

Commençons par une définition générale de la classe. La classe des stratégies éducatives a pour but d'accroître les habiletés personnelles d'une population cible, soit en relation avec des situations d'usage de psychotropes, soit en rapport à des situations générales de vie. Elle se présente sous deux volets : l'éducation et le développement. Elle se traduit par des activités de type mises en pratique.

Contrairement à l'information et à la persuasion, l'éducation et le développement sont centrés sur un même registre de changement ; l'acquisition d'habiletés. L'habileté peut être définie comme la capacité d'accomplir certaines tâches, bref, la capacité de faire[1]. Si l'attitude était le ressort du comportement, l'habileté en est l'assise. En ce sens, l'éducation et le développement prolongent l'action des stratégies communicationnelles en un continuum qui va du savoir et de l'intention de faire aux savoir-faire et savoir-vivre et, finalement, au faire, incarné dans les habitudes de vie. La figure 9.1 resitue les stratégies éducatives dans le cadre de ce continuum.

FIGURE 9.1

Place des stratégies éducatives dans le continuum du changement

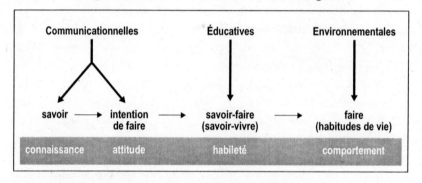

Une évolution des mentalités et des connaissances

La classe des stratégies éducatives est populaire de nos jours, « à la mode », pourrions-nous dire, pour plusieurs raisons :

- la prise de conscience de l'impact limité des seuls messages, informatifs ou persuasifs, pour obtenir un impact décisif en termes de prévention ;

1. On rencontre également les termes « aptitude » et, surtout, « compétence » pour désigner ce registre d'acquisition. À noter que la notion de compétence connaît ces dernières années une extension de son champ taxinomique en éducation : elle sert aujourd'hui à désigner tous les registres d'acquisition ou types de changement. On parle ainsi de compétence cognitive ou théorique, affective, pratique et d'intégration. Pour notre part, nous n'utilisons le terme compétence qu'en tant que synonyme d'habileté.

- la possibilité de mettre en œuvre des activités plus larges, qui intègrent des dimensions informatives et persuasives ;
- une tradition d'intervention éducative auprès des tiers (entourage de la population à risque) pour obtenir un meilleur impact sur la cible principale.

Ces motifs sont pertinents et dénotent une évolution, autant des mentalités que des connaissances scientifiques dans le domaine. Il est vrai que, longtemps, la prévention s'est limitée à informer/persuader des auditoires captifs, et que de faire un pas vers l'habilitation rapproche de la possibilité d'un véritable changement de comportement. Il est également vrai que la mise en œuvre d'activités d'habilitation présente un niveau plus complexe et englobant qui implique des éléments informatifs et persuasifs[2].

Il est finalement vrai qu'à partir des années 1980, la prévention en toxicomanies s'est intéressée à une perspective d'intervention systémique auprès des tiers significatifs, nommément les parents, dans le dessein d'obtenir une plus grande efficacité préventive auprès des jeunes. Toutes de « bonnes » raisons qui doivent toutefois respecter certains critères :

- il faut coupler les stratégies éducatives et les stratégies communicationnelles dans un plan d'ensemble, non substituer les premières aux secondes, car il importe toujours, en rapport aux cibles choisies, d'agir préalablement sur leurs connaissances et leur attitude lorsque cela s'impose ;
- de la même manière, le fait d'inclure des éléments informatifs et/ou persuasifs dans une activité éducative ne devrait viser que sa préparation et son bon déroulement, pas suppléer à des activités d'augmentation des connaissances ou de modification de l'attitude jugées nécessaires[3] ;

2. Nous avons expliqué cette caractéristique dans la mise en contexte *Où nous en sommes*, à la figure B.

3. En guise d'exemple : un programme bien connu consistait à mettre des élèves en situation d'être les seuls à devoir refuser l'offre d'une *peanut* afin de développer l'habileté spécifique à dire NON à l'offre de drogues. Cet exercice pouvait cependant être précédé d'une longue séance d'information sur les drogues et surtout du message persuasif qu'il était inacceptable et dangereux d'en prendre. Ce genre d'intervention comportait en fait trois activités confondues, avec trois objectifs distincts, bien que se présentant comme une activité éducative parce qu'il y avait une mise en situation.

- l'emploi de stratégies éducatives auprès de tiers fait partie intégrante d'une vision systémique de la conception d'un programme, ainsi que nous le préconisons. On ne doit pas y recourir dans le cadre d'une pure entreprise idéologique[4], mais comme choix découlant des étapes d'analyse et de planification, en fonction des facteurs priorisés. Les mises en garde précédentes s'appliquent donc aussi dans ce contexte.

Afin de comprendre la nature des stratégies éducatives, voyons-en maintenant les paramètres pour chacun des volets.

L'éducation

Le rappel de l'objectif : acquérir des habiletés spécifiques

Ce qui permet à la base de distinguer l'éducation et le développement, c'est le caractère spécifique ou non à la question des drogues. L'objectif de l'éducation est ainsi d'accroître les habiletés personnelles liées à des situations précises où l'usage des psychotropes est impliqué. En ce sens, nous parlons d'habiletés spécifiques ou techniques pour la stratégie d'éducation, à la différence d'habiletés générales, de vie ou de caractère dans le cas du développement.

Le fait de centrer les habiletés sur des situations d'usage a tendance à réduire l'éducation à la maîtrise de certains types de « tâches ». Ces tâches sont de trois ordres : l'évitement de situations d'usage, l'apprentissage de l'usage et la prise de décision en regard de l'évitement ou de l'apprentissage. On rencontre traditionnellement l'éducation dans le contexte préventif de l'usage des drogues illicites, mais aussi, de plus en plus, dans celui de la conduite avec facultés affaiblies.

Les habiletés spécifiques ou techniques que l'on cherche à développer par l'éducation sont, principalement, la capacité de :

- dire non à une offre de drogues ;
- résister aux pressions de pairs, de l'entourage, de la société incitant à consommer tel ou tel psychotrope, à conduire en état de facultés affai-

---

4. Une entreprise idéologique notoire en prévention des toxicomanies fut celle du courant persuasif *Just Say No*. Dans ce cadre, plusieurs actions éducatives destinées aux parents ne découlaient pas tant d'une action sur des facteurs pertinents, mais visaient *l'habilitation à persuader* leurs enfants de refuser toute offre de drogues.

blies ou à monter dans une voiture conduite par quelqu'un dans cet état ;

- affirmer son choix et ses valeurs relativement à l'usage de SPA par la communication et l'expression de soi ;
- utiliser un psychotrope selon un mode sécuritaire, en suivant des règles ou des modalités d'emploi ;
- évaluer les risques de situations d'usage de façon à faire un choix éclairé et responsable.

Les caractéristiques : de l'expérience avant toute chose !

La caractéristique centrale s'appliquant aux stratégies éducatives est la nécessité qu'il y ait expérimentation, c'est-à-dire une intégration par la mise en pratique.

Pour dépeindre l'éducation, reprenons l'exemple du sport : il est possible d'informer les gens sur les principes du golf ; on peut également les persuader que le golf est le sport « branché » par excellence ; pour en faire un loisir, la personne renseignée et intéressée devra nécessairement s'initier par des cours pratiques lui permettant d'acquérir un minimum d'habiletés. Il en va de même de la cuisine chinoise ou du tango : l'acquisition d'habiletés spécifiques nécessite un entraînement, une « expérience vécue », pour reprendre une expression familière. Et cela reste vrai même pour les autodidactes : avant de « performer » dans un domaine et que cela devienne acquis comme comportement, qui dira le cheminement d'essais et d'erreurs qu'ils ont dû parcourir !

Concernant l'usage de drogues, si le principe est le même, la situation se pose souvent à l'inverse. On parlera de développer l'habileté à éviter certains comportements ou de « mauvaises habitudes ». Ainsi, s'il est possible d'informer les jeunes des risques des différentes drogues ou de tenter de les persuader qu'il est préférable de s'abstenir d'en consommer, il s'avère souvent utile de les mettre dans une situation où ils peuvent s'exercer, concrètement, à refuser.

Bien sûr, comme pour d'autres comportements à risque (la conduite automobile), il est envisageable d'éduquer à savoir se servir intelligemment des psychotropes. Or, le recours à la stratégie d'éducation dans le but d'apprendre comment user des SPA demeure matière à controverse. Dans les sociétés primitives de type chamanique, la consommation d'hallucinogènes à des fins de visions constituait un savoir codifié qu'il fallait transmettre par une initiation en bonne et due forme. Dans les sociétés modernes, on connaît l'exemple des cultures méditerranéennes où perdure une certaine tradition d'éducation familiale à la consommation du vin. Côté médicaments, le médecin et surtout le pharmacien ont le devoir de bien conseiller les utilisateurs mais, en ce domaine (comme dans la majorité des situations d'usage de SPA), l'acquisition d'un savoir-faire s'acquiert ultimement de façon autonome ou au contact des pairs (à ses risques et périls). L'approche de la réduction des méfaits, dont l'influence se fait sentir depuis deux décennies sur le plan des stratégies préventives, ouvre dorénavant la porte à ce type d'éducation en matière de drogues, visant ouvertement le développement des habiletés requises pour une consommation sécuritaire[5].

Le modèle d'intervention professionnel dont s'inspire la stratégie d'éducation est la formation (professionnelle, technique, spécialisée, sportive, artistique, etc.) qui consiste, au-delà de l'acquisition de connaissances théoriques, à l'entraînement nécessaire pour exécuter des tâches, remplir certaines fonctions, performer de telle manière ou dans telle circonstance. À la différence de l'enseignement général, la formation constitue un cadre où les savoirs sont au service de l'acquisition ou du perfectionnement des savoir-faire.

Les activités (techniques ou mesures)

Les activités relevant de ce type de stratégie, dans le cadre d'un programme de prévention, revêtent deux formes :

1. Les exercices individuels : travaux, répétition, expérimentation, etc.
2. Les exercices de groupe : travaux d'équipe, groupes de partage, jeux de rôles, simulations, débats, forums, etc.

La meilleure illustration du recours à des activités d'éducation est celle du programme *Tes choix, ta santé*, produit par Santé Canada au cours

---

5. Dans les faits, cette « nouvelle éducation » en matière de drogues, inspirée de la réduction des risques (stade primaire) et des méfaits (stade secondaire), demeure encore le plus souvent dans le registre communicationnel (les pratiques IEC, mentionnées au chapitre 4). Le contexte des sites d'injection supervisés ou le travail avec et par les usagers, où sont impliqués des pairs aidants, peut toutefois donner lieu à des formes réelles d'entraînement à un usage sécuritaire des drogues illicites.

des années 1990. À travers une visée générale de promotion de la santé, plusieurs documents de la série portaient sur des habiletés spécifiques que l'on souhaitait voir se développer chez les jeunes de la fin du primaire et du début du secondaire dans un but de prévention de la toxicomanie[6]. Chacune des séquences vidéo présentait une dramatique illustrant la pertinence d'une habileté et la façon de la développer ou de la renforcer ; un guide d'animation accompagnait la série qui spécifiait les exercices à effectuer en classe avec les élèves pour qu'ils s'entraînent minimalement à l'acquisition de ces habiletés.

Le document *Dialogue sur les drogues*, de l'Association canadienne des chefs de police, proposait quant à lui un outil à des fins similaires mais destiné aux parents. Dans ce cas, de courtes dramatiques illustrent des situations d'impasse ou de conflit potentiel entre parents et enfants concernant la question de l'usage des SPA. Une animatrice à l'écran reprend chacune des scènes en les déconstruisant, afin de mettre en lumière les habiletés communicationnelles spécifiques à acquérir de la part des parents. Comme nous l'exposons plus loin, ce type de produit doit être utilisé comme un déclencheur de mises en pratique pour pouvoir être qualifié d'éducatif.

Le développement

Le rappel de l'objectif : acquérir des habiletés générales

L'objectif poursuivi par le développement est plus large, car il s'agit d'accroître des habiletés personnelles pouvant être utiles dans n'importe quel contexte de vie. On parle d'ailleurs, en rapport avec cette stratégie, d'habiletés générales, d'habiletés de vie ou encore d'habiletés « de caractère », ainsi que les désigne Ken Low[7]. Le développement n'est pas centré sur une tâche particulière liée au contexte de consommation de SPA. Cette stra-

---

6. La série comportait treize cassettes : dix mettaient en scène des situations de vie à risque pour la santé des jeunes ; la première introduisait la série et les deux dernières présentaient des programmes existants adoptant une perspective éducative.

7. Low, K. (1994). Les jeunes, les drogues et la dépendance : éléments d'une prévention radicale. *In* P. Brisson (éd.) : *L'usage des drogues et la toxicomanie*, vol. II (295-321). Boucherville, Gaëtan Morin.

tégie renvoie à l'apprentissage de façons de faire permettant d'acquérir plus de pouvoir dans et sur sa vie, une capacité «générique» plutôt que spécifique d'adaptation. Il est dès lors possible de parler de « savoir-vivre »[8], et non d'un simple savoir-faire.

La stratégie de développement, incarnation du courant de la promotion de la santé dans le contexte des approches préventives, part du principe que des populations globalement plus compétentes sont davantage à même de faire face aux risques et enjeux que présente l'usage de psychotropes. Si nous revenons à la distinction établie au second chapitre entre les deux ordres de la prévention (influence et autogestion), il est clair qu'il s'agit là de la stratégie la plus à même de créer les conditions de l'autonomie personnelle et, donc, de l'aptitude à la prévention dans son existence.

Le genre de compétences générales que l'on cherche à favoriser par le développement sont, principalement, les capacités de :

- résoudre des problèmes, soit être capable d'évaluer justement les situations problématiques et les ressources disponibles pour y faire face ;
- exprimer ses émotions et ses sentiments, soit être capable d'accueillir ce que l'on ressent et en témoigner ;
- affirmer ses opinions et ses valeurs, soit pouvoir communiquer clairement et dans le respect d'autrui sa vision du monde ;
- exercer son jugement et son pouvoir personnel, soit pouvoir agir sur l'environnement dans le but de changer les choses, d'influencer les gens ;
- reconnaître ses sources d'influence, soit être capable d'observation et d'autoréflexion, afin de déceler ce qui motive et déclenche ses comportements ;
- gérer le stress, soit pouvoir maîtriser certains outils permettant de conserver vigilance et jugement dans les situations de grande pression.

8. Nous faisons référence ici au registre de l'expérience de vie, non à celui, restreint, des règles de politesse.

Les caractéristiques : de l'expérience avant toute chose ! (bis)

La caractéristique de base est la même que précédemment, soit la nécessité d'une mise en pratique. Notons que cette nécessité est plus souvent perdue de vue lorsqu'il s'agit d'habiletés générales. Pourtant, comme pour les habiletés spécifiques, il faut les exercer pour véritablement les acquérir. C'est un point sur lequel insiste beaucoup Ken Low, en rappelant que notre culture tend de plus en plus à valoriser les habiletés spécifiques (qu'il qualifie de « techniques ») au détriment des habiletés de caractère, alors que dans les cultures traditionnelles et, encore aujourd'hui, au sein de la civilisation orientale, il est considéré que le développement de la curiosité, du jugement, de la détermination, du courage, etc. relève d'un apprentissage, parfois sur de longues années.

Dans une démarche de prévention idéale, le recours à la stratégie de développement devrait précéder le recours à celle de l'éducation : cultiver le pouvoir des individus, leur capacité d'expression d'eux-mêmes, de jugement et d'action dans l'environnement, avant de travailler leur capacité à réagir dans telle ou telle situation particulière. De la même manière, notre société devrait viser la formation d'êtres complets avant d'en faire de bons techniciens ou des spécialistes. Et Ken Low d'aller plus loin : les problèmes de dépendance avec les drogues que nous connaissons aujourd'hui ne proviendraient-ils pas, essentiellement, d'une lacune sur le plan des habiletés de caractère dont sont dotés les individus pour faire face à la vie ? Or, les habitudes que les jeunes acquièrent de nos jours dans la famille et à l'école ne visent trop souvent qu'à en faire de bons exécutants – et, pour une minorité, des virtuoses – au plan technique. Rien à voir avec une aptitude à l'autogestion.

Ce n'est donc pas une surprise que le cadre de référence professionnel propre au développement soit l'enseignement et, dans le domaine privé, l'éducation parentale. Quoi qu'il puisse en être dans le contexte de nos sociétés avancées, le lieu d'apprentissage du « comment vivre » demeure l'école et la famille. Un débat a cours aujourd'hui sur la difficile transmission, d'une génération à l'autre, des habiletés de vie, de la force de caractère, de l'autonomie (ainsi que nous en faisions état au chapitre 2). Les parents se trouvent souvent dépourvus, eux-mêmes accaparés par l'exigence de maintenir leur niveau d'habilitation technique dans un univers de performance. Alors on se rabat sur l'école qui y supplée plutôt mal que bien avec de rares cours, jadis de développement personnel et social, aujourd'hui d'éthique et citoyenneté, noyés dans le cortège des matières académiques. L'assurance d'un développement de la personne, en complément à l'acquisition des savoirs, était jadis l'apanage de l'éducation classique[9], qu'aujourd'hui ont reprise à leur compte les lieux d'enseignement privé.

Le cadre psychothérapeutique ou de la dynamique de groupe, à visée de croissance personnelle, peut également être considéré comme un modèle de référence pour le développement, dans la mesure où ces contextes mettent en situation des participants désireux d'acquérir ou de parfaire leurs habiletés générales de vie. D'aucuns diront qu'il s'agit là d'espaces de récupération, à l'âge adulte, dont nos sociétés ont besoin afin de compenser le déficit au plan du développement légué par la famille et l'école...

Les activités (techniques ou mesures)

Les activités de développement initiées dans le cadre d'un programme de prévention recourent aux mêmes techniques que l'éducation : des exercices individuels ou de groupe.

Plusieurs exemples d'activités de développement existent sans que ces dernières ne soient nécessairement associées à des programmes de prévention de la toxicomanie. Mentionnons, tiré de la revue effectuée à l'intérieur de la série *Tes choix, ta santé*, une initiative intéressante et peu coûteuse menée par deux psychoéducatrices en milieu scolaire. Il s'agit d'un groupe de partage pour des enfants du primaire, sur l'heure du midi, qui a pour objectif de développer leur capacité d'expression des émotions et des sentiments liés à la séparation de leurs parents et à la garde partagée ou à la monoparentalité qui sont leur lot.

Pour les parents, toute forme (ateliers, forums d'expression, mises en situation) leur permettant d'acquérir de meilleures habiletés parentales peut être citée au chapitre du développement. Les ateliers pratiques accompagnant le livre à succès *Parents efficaces*, de même que les ateliers actuels sur la communication non violente entre parents et enfants, en sont des exemples.

9. On y faisait œuvre d'instruction (apprentissage académique) et d'éducation (formation de la personne).

Mentionnons finalement le programme de prévention *Système D*, développé par les responsables de la santé publique de la Montérégie et aujourd'hui implanté dans plusieurs régions du Québec. Destiné aux élèves du primaire, dans un contexte antérieur à la consommation de SPA, ce programme fait une grande place à des activités éducatives dites de «développement personnel et social», afin de prévenir l'apparition du tabagisme et des problèmes de toxicomanie lors du passage à l'adolescence et à l'école secondaire.

Les conditions d'efficacité des stratégies éducatives

La nature de l'intervention propre aux stratégies éducatives est la «relation d'animation» que l'on retrouve aussi bien dans la formation et l'enseignement que dans un cadre thérapeutique ou de dynamique parentale. Les conditions d'efficacité de l'éducation et du développement sont donc à resituer dans le contexte de ce rapport animateur/participant qui peut se décliner sous le mode formateur/intervenant, professeur/étudiant, thérapeute/client ou parent/enfant. Il s'agit essentiellement d'un rapport d'autorité, fondé sur la confiance. Telles sont les deux conditions de l'efficacité des stratégies éducatives. Voyons-les plus en profondeur.

Faire autorité

L'autorité se définit par le «pouvoir (reconnu ou pas) d'imposer l'obéissance» ou la «supériorité de mérite» qui impose cette obéissance[10]. Cette autorité peut être de droit, dans le cas des parents ou des tuteurs, ou acceptée comme légitime dans le cadre d'une formation, de l'enseignement ou de la thérapie. Pour l'intervenant en prévention ayant à livrer des activités de nature éducative, l'important est de posséder cette autorité vis-à-vis d'une population cible. Et s'il ne la possède pas, d'engager des gens dont le statut ou l'expertise gagneront cette reconnaissance. Pourquoi? Précisément par ce que cela permet «d'imposer l'obéissance». Bien entendu, il ne s'agit jamais, en éducation ou en développement, d'une autorité non reconnue se devant d'imposer l'obéissance par la contrainte, la force ou l'abus, ainsi que le ferait une autorité dictatoriale. Imposer

10. *Petit Robert*, 2008, p. 187.

l'obéissance signifie, dans un contexte éducatif, imposer le respect, à savoir le respect des règles, des consignes, des modalités, des directives qui guident la mise en pratique. Cela est capital. Des parents ou des professeurs en qui les enfants ou les élèves ne reconnaissent pas d'autorité sont bien mal pris pour faire œuvre d'éducation ou de développement.

La position d'autorité est aux stratégies éducatives ce que la crédibilité était aux stratégies communicationnelles. Les deux sont d'ailleurs souvent liées – la crédibilité conférant une certaine autorité –, mais elles n'ont pas le même impact. Un artiste venant témoigner de son expérience d'ex-consommateur devant une classe de jeunes sera une «source» d'une grande crédibilité et imposera l'écoute, mais il ne sera pas nécessairement obéi s'il donne des consignes de travail en équipes, pour lequel on ne lui reconnaît pas d'autorité. En revanche, le professeur de cette même classe, même si sa crédibilité n'est pas encore bien établie, pourra dès le premier cours «imposer» aux élèves de se prêter à un atelier d'équipes…, parce qu'il a une autorité institutionnelle reconnue en cette matière. La même chose est vraie dans un cadre familial: des enfants auraient beau accorder toute la crédibilité du monde au nouveau conjoint de leur mère, possédant une expérience de vie hors du commun, ce dernier aura beaucoup de misère à leur imposer des règles de vie en lieu et place du véritable parent. Il faut donc comprendre que l'étape de la mise en pratique (se commettre dans un jeu de rôles, se dévoiler dans un groupe de partage, etc.) est plus impliquant et engageant pour des participants que simplement devoir s'exposer à des messages. Inversement, c'est une chose que d'être un bon communicateur, c'en est une autre que d'être un animateur efficace.

Établir un lien de confiance

Être en position d'autorité peut ne pas suffire à faire passer les gens en mode d'expérimentation. Cela sert en fait de point d'appui pour développer l'indispensable relation de confiance entre les parties, base de tout le processus. C'est tellement vrai qu'une personne en autorité qui n'a jamais su gagner ou a perdu la confiance de ses interlocuteurs devra se rabattre sur la contrainte pour imposer l'obéissance. À l'inverse, des intervenants, sans autorité particulière au départ mais ayant réussi à créer un fort lien de confiance, peuvent obtenir d'un groupe qu'il se prête à peu près à n'importe quel exercice. S'il n'y a pas confiance, il y a résistance de la part des participants (et même, dans certains cas, de l'entourage) à obtempérer aux directives de mise en pratique quand les demandes sont trop exigeantes ou engageantes. Notons au passage que le même principe s'applique en intervention curative : un clinicien, fût-il la plus grande « autorité » dans son domaine, se doit d'établir ce que l'on nomme une alliance thérapeutique avec son client comme condition centrale à l'efficacité du traitement.

Les limites ou les problèmes des stratégies éducatives

Les limites ou problèmes qui se posent avec les stratégies éducatives sont de deux ordres : le danger d'abus de pouvoir dans la relation qui s'est établie et la confusion des genres entre cette classe de stratégies et la précédente. *2 problèmes.*

L'abus de son autorité

Encore davantage que pour l'information et la persuasion, là où la cible est moins impliquée affectivement (voire physiquement) un souci éthique est de rigueur lorsque des gens ont investi leur confiance et se sont engagés dans l'acquisition d'habiletés, afin d'éviter des abus de pouvoir ou d'autorité. Détournées de leur objectif, l'information peut sans doute dégénérer en entreprise de « bourrage de crâne » et la persuasion, en « lavage de cerveau ». Cependant le pouvoir des messages demeure limité et ponctuel. En agissant sur le plan de l'expérience vécue, l'éducation et le développement mobilisent davantage la globalité de la personne et, utilisés à mauvais escient, peuvent prêter flanc à une manipulation, voire au conditionnement des individus exposés.

Lorsque l'on utilise les stratégies éducatives en prévention des toxicomanies, le principal enjeu éthique est le respect des valeurs d'autrui. Cela ne va pas nécessairement de soi puisque, tel que nous l'avons mentionné en début de chapitre, l'éducation et le développement doivent incorporer les éléments communicationnels nécessaires à leur mise en œuvre. La tentation est alors grande pour les intervenants en autorité d'en profiter pour faire passer leur message et subordonner la mise en pratique au respect d'une orientation philosophique quelconque. Ce respect des valeurs dans le cadre de la relation professeur/étudiant se pose lors de

et que (handwritten)
pour (handwritten)
un (handwritten)
prof (handwritten)

l'évaluation des travaux : un enseignant (qu'on peut qualifier d'intervenant pédagogique) soucieux d'éthique ne devrait pas juger les valeurs, la philosophie ou l'idéologie d'un étudiant, mais bien sa performance en regard de critères pré-établis permettant de vérifier s'il a ou non développé certaines habiletés (cohérence, qualité d'écriture, argumentation, pertinence de la documentation, etc.)[11].

En ne prenant pas au sérieux cette possibilité d'utiliser à mauvais escient son autorité et la nécessité d'un souci éthique pour s'en prémunir, l'intervenant limite malheureusement le potentiel des stratégies éducatives. Et s'il abuse délibérément de son pouvoir, il court le risque de générer des effets pervers, ceux-ci s'avérant généralement plus problématiques que les effets boomerang de mauvais messages[12]. Dans tous les cas, l'intervenant s'expose, tôt ou tard, à perdre la confiance des populations au service desquelles il est censé être, voire à faire perdre confiance en toute forme d'intervention éducative. Et cela n'est pas un problème à négliger.

La confusion des genres

Si la distinction entre éducation et développement est maintenant claire, la confusion la plus répandue dans le cadre qui nous occupe est d'un autre ordre et constitue un problème (ou une limite) associé à la présente classe de stratégies. Certains intervenants pensent mettre en œuvre des activités d'éducation ou de développement alors qu'en fait, ils sont toujours dans le registre de l'information ou de la persuasion : il y a méprise et confusion, souvent par ignorance, entre les stratégies de la première et de la seconde classes. La cause de cette méprise provient essentiellement de l'oubli de la caractéristique centrale qui fonde les stratégies éducatives : la nécessité de mise en pratique.

Le cas d'espèce le plus courant est celui-ci : une intervention est fondée sur la présentation médiatique de mises en situation où, le plus souvent, des jeunes ou leurs parents s'exercent à certaines habiletés, spécifiques ou

11. À moins que le travail académique implique directement le questionnement, la déconstruction de ses valeurs et de sa vision du monde, comme dans le cadre d'une formation en philosophie.

12. On peut penser au cadre de référence parental ou thérapeutique pour saisir l'ampleur de perturbations pouvant découler d'entreprises manipulatoires ou de conditionnement dans un cadre éducatif.

générales. Le visionnement n'est pas accompagné d'exercices individuels ou de groupe (via une animation ou des travaux à faire) pour qu'effectivement soient pratiquées les habiletés en question. Il s'agit dès lors d'une intervention préventive de type communicationnel : augmenter les connaissances ou mousser une attitude favorable à l'endroit de certaines habiletés à acquérir pour faire face aux situations d'usage de drogues ou aux aléas de l'existence.

Pour bien comprendre la distinction entre « communiquer à propos des habiletés » et les acquérir réellement, pensons à l'exemple patent de l'outil *Tes choix, ta santé* : pour être assuré qu'il y ait bel et bien mise en pratique, la cassette de présentation de la série illustre la façon de procéder pour mener l'animation après visionnement. De plus, lors de son lancement, le programme n'était diffusé et disponible qu'en contexte scolaire, à des enseignants ayant suivi une formation sur la façon de s'en servir !

On peut aller plus loin. Cette série fut, à l'époque, présentée dans le cadre d'une émission télévisée sur la chaîne de Radio-Canada. On y diffusait un des treize documents, suivi d'une animation en studio où des jeunes se prêtaient aux exercices prescrits, comme s'ils étaient les élèves d'une classe. Cependant, les téléspectateurs de l'émission dans leur foyer assistaient, eux, à une communication publique concernant un nouveau programme préventif fondé sur l'habilitation et la façon de l'animer au sein d'un groupe cible. En soi, l'écoute d'une émission de télévision ou de radio n'habilite en rien, à moins qu'il n'y ait des exercices pratiques à faire chez soi, comme ces programmes sur la condition physique où les téléspectateurs sont invités à s'exécuter dans leur salon. Inutile de dire que les *do it yourself*, à l'écran ou à partir d'un livre, ne peuvent jamais être aussi motivants et efficaces que des ateliers menés en groupe avec un animateur.

En terminant, il existe un autre niveau de confusion, plus insidieux. Imaginons une mise en pratique suivant un document ayant porté sur l'acquisition de l'habileté à résoudre des problèmes. L'intervenant-animateur forme des équipes et demande alors aux élèves de s'exprimer sur le contenu qu'ils viennent de visionner. On ne contribue alors qu'à développer l'habileté d'exprimer ses opinions ou ses valeurs en groupe sur un sujet donné, non à acquérir la compétence dont il était question dans le document. Celle-ci, souvent, requiert des mises en situation plus complexes ou une implication plus importante des participants. Sur la confusion des genres, deux choses sont donc à retenir :

- tous les produits visant à accroître les habiletés qui ne comportent pas d'exercices pratiques sont des produits informatifs ou persuasifs sur le thème des habiletés, sans plus, d'où l'importance des guides d'animation et autres cahiers d'accompagnement qui offrent outils et instructions pour la mise en pratique;

- les exercices prescrits pour mettre en pratique les habiletés représentées dans un document ne sont pas toujours et nécessairement adéquats pour atteindre ce but: l'acquisition d'habiletés n'est pas une tâche simple, et souvent la seule habileté que les intervenants se donnent la peine de favoriser dans un groupe est celle d'exprimer publiquement son opinion[13].

*

Ainsi se termine le survol de la seconde classe des stratégies préventives. Éducation et développement préparent à l'instauration de nouveaux comportements qui, pour s'actualiser, demandent des mécanismes permanents d'intégration dans la vie quotidienne. De la même manière que les gens qui sortent de l'école doivent continuer à mettre en pratique leurs acquis ou les gens qui sortent d'un processus thérapeutique doivent incarner leur changement dans la vraie vie. Sinon, cela reste des virtualités qui s'estomperont vite aux profits des vieilles habitudes ou des tendances favorisées par le milieu.

Les stratégies environnementales, que nous abordons dans les deux prochains chapitres, ont ce pouvoir un peu particulier de limiter ou de modifier des comportements ou, alors, d'en instaurer de nouveaux. Ils agissent au terme du continuum, permettant aux changements acquis par les stratégies précédentes de se concrétiser de façon cohérente et durable.

13. Ce qui, du reste, n'est même pas toujours le cas. Dans le contexte d'une présentation en classe, spécialement au primaire, la pression à se conformer au groupe et au point de vue de l'animateur empêche souvent une véritable expression de ce que l'élève ressent ou pense par rapport à ce qu'il vient de voir et d'entendre.

CHAPITRE 10

Les stratégies environnementales : le contrôle

Nous terminons la revue des stratégies de mise en œuvre d'un programme de prévention en traitant de la dernière classe, celle des stratégies environnementales. Ces dernières reposent sur la mise en place de mesures (règlements ou ressources) ayant pour but de changer le rapport des populations à l'offre de produits psychotropes, soit en régissant les conditions d'usage (contrôle), soit en modifiant les milieux et leur dynamique pour que l'usage s'avère moins attrayant, nécessaire ou dangereux (aménagement du milieu).

Contrairement aux précédentes, cette classe de stratégies sera traitée à l'intérieur de deux chapitres. La raison en est le traitement particulier que requiert la première des deux stratégies, le contrôle. Bien qu'il ne s'agisse que d'un des six moyens d'action à disposition pour des intervenants en prévention, le contrôle ouvre sur des perspectives culturelles, sociales et politiques beaucoup plus larges de par la nature de ses tenants et aboutissants. Sans qu'il soit dans notre dessein d'explorer toutes les questions concernant ce thème, nous prenons néanmoins l'espace nécessaire pour bien exposer les contours de cette stratégie.

La stratégie de contrôle a pour objet central d'influer sur les comportements par une action sur la disponibilité des produits, au moyen de politiques, lois, règlements et ententes contractuelles. La caractéristique centrale d'une telle stratégie est l'adhésion au postulat de base selon lequel, plus il y a de disponibilité de substances, plus il y a de problèmes d'usage. L'application du contrôle inclut des mesures pénales aussi bien que des modalités réglementaires ou contractuelles régissant l'accès, l'utilisation ou la circulation des produits psychotropes. Dans tous les cas, deux avenues d'intervention sont possibles : l'édiction de nouvelles mesures et la modification des mesures existantes ou de leur application.

Les stratégies environnementales renvoient, de façon générale, à un cadre organisationnel, directif ou participatif, qui permet d'avoir un impact sur les comportements d'une population. Dans le cas de la stratégie de contrôle, les conditions d'efficacité sont de deux ordres au plan matériel, s'assurer de pouvoir faire respecter les règles édictées; au plan symbolique ou culturel, que ces mesures rencontrent un seuil déterminant d'approbation dans la population visée. Si de telles conditions ne sont pas réunies, le contrôle est une stratégie dont les limites ou problèmes peuvent être critiques. Ces derniers sont qualifiés de coûts secondaires ou d'effets pervers, tels l'amplification des situations indésirables ou le déplacement des pratiques vers des comportements à plus haut risque.

Définition : contrôler et aménager le milieu

Commençons par une définition générale de la classe. La classe des stratégies environnementales a pour but d'agir sur les comportements d'une population cible, en modifiant les rapports à l'environnement dans lequel cette dernière vit et où circulent les produits psychotropes. Elle se présente sous deux volets : le contrôle et l'aménagement du milieu. Dans l'action, elle se traduit par le recours à des mesures.

Qu'est-ce qui distingue ces stratégies des précédentes ? C'est qu'elles visent une action directe sur les comportements plutôt que sur le registre préalable des connaissances, de l'attitude ou des habiletés. Une autre façon de voir cette distinction est de considérer les stratégies de la troisième classe sous l'angle de l'offre et de la demande, perspective familière à l'univers de la prévention traditionnelle en toxicomanie, particulièrement dans le cas des drogues illicites. Alors que les stratégies communicationnelles et éducatives cherchent à influencer le pôle de la demande, les stratégies environnementales agissent sur le pôle de l'offre, tentant soit de la réglementer (le contrôle) ou de la neutraliser par une contre-offre plus attrayante (aménagement du milieu). La figure 10.1 illustre cette différence stratégique.

Comme nous le verrons au cours de ce chapitre et du suivant, nous avons ici affaire aux stratégies les plus englobantes et ambitieuses qui, forcément, intègrent des aspects communicationnels ou éducatifs dans leur mise en œuvre. Le principe de l'emboîtement des classes de stratégies joue ici à plein. Abordons, sans plus tarder, le volet du contrôle.

FIGURE 10.1

Mode d'action des stratégies environnementales en comparaison des précédentes, en relation avec l'offre et la demande de SPA

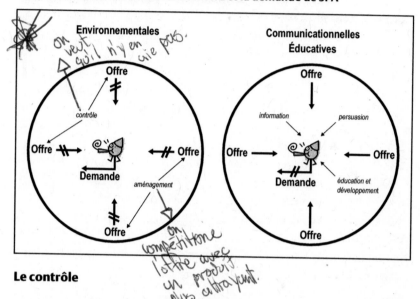

Le contrôle

Nous avons déjà présenté le contrôle comme première véritable stratégie préventive déployée en matière de SPA (avec sa consœur la persuasion), suivant l'apparition des lois et règlements concernant l'alcool et les drogues au cours du siècle précédent. On pense aux premières législations antidrogue sur les produits opiacés, peu à peu étendues à tout un groupe de substances aujourd'hui illicites ; également, à l'avènement de la prohibition de l'alcool en Amérique du Nord. Encore de nos jours, le contrôle demeure une stratégie centrale en prévention des toxicomanies.

Le rappel de l'objectif : réguler l'accès et l'usage

La stratégie préventive de contrôle a pour objectif général d'encadrer, de limiter ou d'empêcher certains comportements associés à des situations indésirables en matière d'utilisation des SPA. Elle y parvient en régissant les modalités d'accès, d'usage et de circulation des produits psychotropes dans une société : en cela, il s'agit bien d'une action sur l'offre par le moyen de la restriction ou de l'encadrement de la disponibilité des produits. Il importe de mentionner que ce «pouvoir» direct sur le comportement d'usage, par des contraintes exercées sur ce qui est offert, procède également d'un effet persuasif implicite, inhérent à l'efficacité de tout contrôle : la force de dissuasion. Il s'agit de la crainte des conséquences d'un non-respect des mesures en question, comme nous le verrons plus loin au chapitre des conditions d'efficacité.

Il ne faut cependant pas confondre les mesures de contrôle avec les mesures répressives ou punitives dont peuvent être assortis ces contrôles. Nous présentons le contrôle en tant que stratégie de prévention primaire visant la limitation de l'incidence de comportements liés aux SPA. Dans le champ connexe des problématiques liées à la criminalité, le contrôle cherche à prévenir l'incidence de délits, d'actes délinquants. Dans ce cadre, les mesures de répression et de punition constituent des interventions de stade secondaire ou tertiaire, visant la limitation de la prévalence (perpétration de crimes) et, ultimement, des conséquences (réparation, prévention de la récidive) des comportements délictueux que les mesures de contrôle n'ont pas réussi à empêcher. Le continuum des stades d'intervention dans le secteur de la criminalité pourrait être représenté ainsi que la figure 10.2 nous le montre.

FIGURE 10.2

**Continuum de l'intervention en rapport au contrôle de la criminalité
(ou continuum de l'intervention en criminologie)**

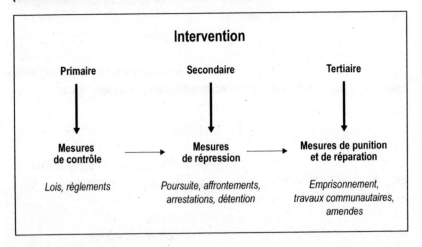

En d'autres mots, le recours à une stratégie comme le contrôle dans l'univers de la prévention en toxicomanie est un moyen d'action pertinent parmi d'autres pour éviter, en amont, qu'une situation indésirable ne se produise. L'édiction d'une règle de conduite interdisant la consommation de SPA sur le territoire d'un établissement scolaire en serait un exemple. Et, dans ce cas, si l'indésirable advient (des élèves sont pris à consommer), d'autres stratégies « non criminalisantes » peuvent être mises en œuvre dans le cadre d'interventions de stade secondaire ou tertiaire (intervention précoce de type réduction des méfaits ou intervention curative).

Cependant, si l'intervention primaire au moyen du contrôle échoue et que l'on « bascule » vers la voie de la répression et de la punition (arrestation des jeunes, expulsion de l'école), nous glissons dans un continuum d'intervention pour contrer la criminalité, non la toxicomanie. Ce danger de confusion du but poursuivi est bien présent dans notre secteur, en raison du statut criminel associé à l'usage de certaines drogues et du fait que les policiers agissent comme intervenants dans le domaine[1].

Caractéristique : plus de disponibilité égale plus de problèmes !

La caractéristique centrale de la stratégie de contrôle, en regard de la prévention en toxicomanies, est d'être fondée sur un postulat rarement remis en question[2]. Cet axiome est le suivant : davantage de disponibilité des SPA entraîne davantage de problèmes pour la société ou, en d'autres mots, plus l'accès aux SPA est facile, plus il y a de gens qui connaissent des problèmes et plus la situation devient socialement indésirable. Ce postulat recouvre deux volets ou prémisses, à la manière d'une règle de trois, lesquels ne se vérifient pas nécessairement dans tous les contextes.

L'équation en deux temps est celle-ci : a) plus de disponibilité égale plus d'usage ; b) plus d'usage égale plus de problèmes. En conséquence, davantage de disponibilité égale davantage de problèmes.

1. Cette situation de conflit entre l'indésirable « toxicomanie » et l'indésirable « criminalité » est à la source d'un débat récurrent dans le secteur de la prévention, notamment en milieu scolaire. Un objectif de prévention de la criminalité peut en effet augmenter les méfaits autour de la consommation de SPA plutôt que de les prévenir.

2. C'est d'ailleurs le propre du postulat que de se présenter comme un « principe indémontrable, qui paraît légitime, incontestable » (*Petit Robert*, 2008, p. 1978).

Plus de disponibilité égale plus d'usage

Pour le premier pan de l'équation, on doit évidemment convenir que la disponibilité est une condition *sine qua non* de l'usage : « S'il n'y en a pas, tu ne peux en prendre. » Si la disponibilité est une condition nécessaire de l'usage, ce n'en est pas une condition suffisante : autrement dit, ce n'est pas parce qu'une substance est disponible que, forcément, les gens vont l'expérimenter et l'adopter. Il faut, pour qu'un usage social se développe, que cela corresponde à des besoins, à des attentes sociales, que cela soit minimalement en résonance avec la culture ou les sous-cultures existantes[3].

Il est possible de donner beaucoup d'exemples d'invalidation de ce premier volet de la règle. Prenons la libéralisation de la distribution du vin dans les dépanneurs au Québec, à partir de 1979. Malgré l'augmentation majeure de la disponibilité du vin que cela a provoqué (10 000 points de vente supplémentaires, du jour au lendemain), aucune augmentation de la consommation moyenne d'alcool par habitant ne fut enregistrée au Québec, au cours des années suivantes. L'augmentation notée du vin au détriment des bières et spiritueux était déjà une tendance, avant 1979, pour un niveau d'alcoolisation totale demeurant inchangé.

Toujours en rapport à l'alcool, un autre exemple frappant est la situation de sa consommation au Québec par rapport au reste du Canada et de l'Amérique du Nord : le Québec est un des endroits sur le continent nord-américain où l'alcool a été et demeure le plus facilement disponible, en raison de l'âge légal de consommation, de la multiplicité des points de vente et de l'extension des heures d'ouverture. Le Québec s'est pourtant maintenu dans le peloton des provinces canadiennes ayant le plus faible *per capita* de consommation jusqu'au milieu des années 1990 ; encore aujourd'hui, la consommation est plus élevée en Ontario et dans certaines provinces de l'Ouest en dépit de modalités d'accès plus restrictives qu'au Québec.

Il est alors possible de rétorquer que, dans le cas de substances réputées très dangereuses, aucun risque ne doit être pris : par crainte d'une flambée de la consommation de tels produits, notre devoir est de limiter, voire d'interdire, l'accès à des fins préventives. Pourtant, la catégorie de

3. Un peu à la manière des produits de consommation : les consommateurs achètent des produits qui correspondent à leurs besoins, eux-mêmes en lien avec ce qui est culturellement valorisé, quitte à ce que ces besoins soient créés de toutes pièces par les fabricants. Mais cela est une autre histoire...

produits psychotropes la plus potentiellement toxique de toutes se trouve être largement accessible, partout et à tous, aux enfants notamment, la plupart du temps à un prix dérisoire. Pis, la plupart d'entre nous en gardons dans nos maisons. En dépit de tout cela, il s'agit de substances pour lesquelles l'incidence de consommation est toujours demeurée marginale. Nous parlons ici des produits volatils, dérivés du pétrole et du gaz propane (dissolvant, colle, essence, aérosols, etc.) et appartenant à la classe des dépresseurs du SNC. Leur consommation est confinée à certaines sous-cultures[4] et, selon toute vraisemblance, est motivée par des besoins très particuliers de fuite de la réalité[5].

Cela ne veut pas dire qu'une société peut rendre n'importe quelle substance accessible sans risque aucun. La prémisse disponibilité/usage, même si elle ne s'applique pas arbitrairement à toutes les situations, doit inciter à la prudence et au discernement. N'est-ce pas là l'argumentaire central des discussions entre prohibitionnistes et partisans de la légalisation des drogues ? Pourtant, c'est en prenant en compte, non seulement les données pharmacologiques ou légales d'un produit, mais aussi l'évolution des tendances sociales et les traits dominants de la culture qu'il est réellement possible de se prononcer sur ce type d'enjeu. Pour ne donner qu'un exemple, il n'est pas sûr qu'une libéralisation de l'accès aux substances hallucinogènes serait suivie d'un grand boom de consommation dans le contexte socioculturel actuel, où les besoins et les valeurs se trouvent du côté de la performance, de la compétition et de rationalité à outrance. En contrepartie, le retour à une accessibilité facile des amphétamines prescrites[6] pourrait générer une «épidémie» de consommation… et de sérieux problèmes de santé publique !

4. Nous pensons aux jeunes de certaines communautés autochtones isolées ou de milieux défavorisés dans les pays du Sud ou encore aux alcooliques itinérants en manque d'alcool.

5. Cela n'empêche pas, bon an mal an, des tenants de la prémisse disponibilité = problèmes de réclamer des mesures de contrôle plus drastiques sur les substances volatiles, dans la foulée de certaines tragédies hypermédiatisées.

6. Les stimulants majeurs de type amphétamines étaient, avant les années 1960, aussi facilement disponibles auprès d'un médecin que le sont aujourd'hui les sédatifs et antidépresseurs.

Plus d'usage égale plus de problèmes

Cela nous conduit à la seconde partie de l'équation : davantage d'usage égale davantage de problèmes. Ce volet est certes plus souvent avéré, simplement parce qu'il tombe sous le coup de la loi des probabilités : les risques qu'un comportement ne dégénère en dommages effectifs ont plus d'occasions de se manifester si le comportement en question se trouve très répandu. À cet égard, il en va pour l'usage des SPA comme pour la conduite automobile ou la consommation de *junk food*. En santé publique, les modèles statistiques et épidémiologiques militent en faveur de la restriction des bassins de consommateurs et des niveaux moyens de consommation afin de limiter l'incidence de problèmes sociosanitaires corrélés[7]. C'est ainsi que l'on peut s'expliquer la supériorité des coûts sanitaires et sociaux associés à l'usage de l'alcool et du tabac en comparaison de ceux des opiacés ou de la cocaïne, dans notre société. Le bassin de consommateurs des deux premières substances étant si large et ceux des deux dernières, si restreint, le constat n'est guère étonnant.

Cela dit, la prémisse usage/problèmes est loin d'être constamment fondée. Dans ce cas, la dangerosité des substances et la connaissance des niveaux de risque et de sécurité liés à leur usage sont les éléments clés permettant de prédire les situations problématiques. Par exemple, dans le cas que nous citions au paragraphe précédent, le tabac génère au total des coûts sociosanitaires plus élevés que l'alcool (en raison d'une toxicité plus grande), en dépit qu'il ne soit consommé que par un cinquième de la population, comparativement à quatre cinquième pour l'alcool. La même logique s'applique à la caféine sous toutes ses formes (café, thé, colas, médicaments), encore plus consommée que l'alcool, mais entraînant nettement moins de dommages au plan social. L'élément éducatif peut également faire une grande différence. Pour des taux comparables d'usagers d'héroïne, des pays comme la Suisse et l'Allemagne encourent moins de coûts sociaux que les États-Unis, en raison de leur investissement

7. Sans entrer dans les détails, les explications sont de deux ordres : hasard et/ou proportionnalité. Pour l'un, l'augmentation sociale de comportements présentant un risque accroît d'autant la prévalence des « accidents » ; pour l'autre, la proportion de cas problèmes pour un comportement donné demeurant inchangée lorsqu'il y a croissance sociale dudit comportement, cela équivaut à davantage de cas problèmes, en nombre absolu.

significatif dans des politiques de réduction des méfaits[8]. Par ailleurs, à nouveau dans le domaine de l'alcool, des chercheurs ont mis à jour ces dernières années le «paradoxe préventif»: alors que la consommation moyenne d'alcool baisse dans une population donnée, les coûts sociaux associés à cette substance peuvent quand même augmenter... en raison des comportements à haut risque développés par certains groupes de buveurs[9]!

En bref, plutôt que de découler d'une logique d'action précise sur certains facteurs clés, le contrôle s'est historiquement imposé et se justifie encore trop souvent par l'adhésion à une croyance qui demande, à tout le moins, d'être validée pour chaque contexte donné et en comparaison d'un recours à d'autres stratégies qui pourraient s'avérer aussi, sinon plus, efficaces.

Le modèle d'intervention professionnel dont s'inspire la stratégie de contrôle est, de façon évidente, celui du législateur et du cadre des relations, autoritaires ou paternalistes, existant entre un État et ses citoyens. On peut également apparenter la stratégie au contexte de toutes relations de pouvoir permettant à une instance (institutionnelle ou informelle) d'instaurer des mesures de contrôle au bénéfice (ou au détriment) de certaines populations: dirigeants, employeurs, entraîneurs, professeurs, parents.

Les activités (techniques ou mesures)

Les activités préventives menées à partir de la stratégie de contrôle sont qualifiées de mesures. Elles s'incarnent de quatre manières.

---

8. Pour prendre un exemple similaire dans un autre domaine, si deux territoires possèdent le même parc automobile, il y a fort à parier que celui n'offrant pas de possibilité de cours de conduite à sa population ou possédant des routes dangereuses et mal entretenues se retrouvera avec davantage d'accidents et de coûts sociaux à assumer.

9. Voir à ce sujet: Demers, 2000. Alors qu'il y a diminution ou stabilisation de la consommation moyenne *per capita* dans plusieurs pays occidentaux, le phénomène de la consommation excessive (*binge drinking*) est à la hausse chez certains groupes, comme les jeunes, entraînant une augmentation des coûts sociaux liés à l'alcool.

1. **Des mesures politiques**, soit un ensemble de principes et de programmes se traduisant en directives et s'appuyant, au besoin, sur des lois, des règlements, des ententes contractuelles.

2. **Des mesures législatives**, soit un ensemble de prescriptions pouvant relever du *Code criminel* ou du *Code civil* et touchant le domaine des médicaments, de l'alcool, du tabac et des drogues illicites.

3. **Des mesures réglementaires**, soit des interdictions précises découlant de l'application d'une politique, d'une loi, d'un code de conduite.

4. **Des mesures contractuelles**, soit des ententes particulières entre parties (protocoles, règles de conduite), assorties de conditions dont le non-respect est sujet à des conséquences, pouvant ou non être d'ordre légal.

Dans le contexte d'un programme de prévention en toxicomanie, il est hors de portée des intervenants d'initier des politiques publiques ou de modifier des lois. Il leur est cependant possible de faire des pressions en ce sens ou de contribuer à la mise en place de mesures localisées : politiques internes, codes réglementaires ou de conduites en regard des produits psychotropes, au sein d'entreprises et d'établissements scolaires.

Les mesures de contrôle dans le domaine des SPA renvoient le plus souvent aux moyens mis de l'avant par l'État, afin d'exercer un encadrement sur la production, la distribution et l'usage des produits dans une perspective de protection de la santé des populations. À cet égard, la société oscille entre des mesures prohibitionnistes, telle l'interdiction criminelle de certains comportements en relation avec des catégories précises de produits, et des mesures libérales de non-réglementation ou de déréglementation laissant libre cours aux lois du marché et à l'autorégulation des acteurs impliqués. Voyons maintenant les champs actuels ou contextes d'application des mesures de contrôle.

Le contexte médical

La mesure de contrôle connue, propre au contexte médical, est celle de l'ordonnance. Cette mesure découle des prescriptions des lois canadiennes en matière de drogues[10], entérinées par les ordres professionnels chargés

---

10. Il s'agit de la *Loi réglementant certaines drogues et autres substances (LRDS)* et de la *Loi sur les aliments et drogues (LAD)*.

de les appliquer (médecins et pharmaciens). Elle est assortie de règles à propos des produits et des indications de traitement[11].

L'autre contrôle est exercé par le gouvernement à l'endroit des compagnies productrices. Il s'agit de la possibilité d'octroyer ou non des permis de mise en marché, lesquels découlent de l'évaluation de l'innocuité et de l'efficacité des produits par des fonctionnaires chargés d'administrer la *Loi sur les aliments et drogues*[12]. On peut toutefois se demander «qui contrôle qui» en raison de certains éléments troublants[13] :

- l'approbation des médicaments est souvent le résultat d'études biaisées, où est systématiquement minimisée l'importance des risques au profit de bénéfices fortement publicisés ;
- ce sont de plus en plus les fonds de l'industrie elle-même qui financent les coûts d'évaluation des médicaments, de sorte que l'autocensure et le laxisme règnent au sein des agences gouvernementales responsables.

En l'absence de réels mécanismes de contrôle gouvernementaux de la qualité (et de la pertinence) des produits mis en marché, ce sont les consommateurs qui font les frais d'erreurs de parcours et doivent intenter des poursuites contre l'industrie dans le cas de préjudices.

Le contexte domestique (alcool, tabac)

Ainsi que nous le mentionnions, l'État dispose d'une grande latitude pour intervenir dans le domaine des drogues, depuis la déréglementation totale jusqu'à l'interdiction pénale. Entre ces pôles, une série de mesures réglementaires et stratégiques permettent l'établissement d'un cadre à géométrie variable, capable d'évoluer dans un sens plus restrictif ou plus souple, en tenant compte de la logique du marché et de la dynamique de la demande sociale. L'articulation cohérente de ces mesures est la base des

---

11. Les produits narcotiques (p. ex.: la méthadone), de même que les produits amphétaminiques et barbituriques sont les substances dont l'accès est particulièrement restreint et l'usage contrôlé.

12. Il s'agit de la Direction des produits thérapeutiques (DPT) du ministère canadien de la Santé.

13. À propos de ce qui suit, voir : Beauchesne, L. (2006). *Les drogues: légalisation et promotion de la santé.* Montréal : Bayard, p. 162-164.

politiques publiques en matière de produits licites qui doivent réaliser l'équilibre entre les risques et les intérêts impliqués, entre santé et profitabilité[14]. Les mesures à disposition comprennent:

- le contrôle du contenu des produits (composition, dosage);
- le contrôle de la promotion des produits (étiquetage, publicité, activités promotionnelles);
- la taxation des produits;
- les lieux de vente des produits (octroi de permis, heures d'ouverture);
- l'âge légal d'achat et de consommation des produits;
- les lieux publics de consommation des produits;
- l'information et l'éducation sur l'utilisation sécuritaire des produits (programmes de prévention).

Après la levée de la prohibition en Amérique du Nord, le modèle «réglementaire» québécois (monopole gouvernemental sur la distribution de l'alcool) s'est répandu au Canada et dans plusieurs États américains, permettant un encadrement social de la consommation à travers le contrôle des lieux de vente, de la promotion et du niveau de taxation. S'ensuit une libéralisation économique et une déréglementation politique qui concourent à la banalisation sociale de l'alcool: diminution de l'âge légal, extension des heures d'ouverture, libéralisation de l'octroi de permis, large diffusion d'un discours publicitaire sur l'alcool en l'absence de programmes d'information et d'éducation sur le sujet. Seul le monopole d'État sur la distribution des vins et spiritueux perdure.

À partir des années 1980, le vent tourne: l'idée que l'alcool est aussi une drogue comportant sa part de dangers entre peu à peu dans les mœurs. Les gouvernements légifèrent alors sur la conduite avec facultés affaiblies (mesures d'ordre criminel) et mettent de l'avant de nombreuses campagnes concernant l'alcool au volant, la consommation lors de la grossesse et, plus récemment, le «calage» d'alcool.

L'itinéraire «politique» du tabac est un peu à l'inverse. Le tabac connaît une libéralisation de son usage dès la fin de la Première Guerre, valorisé du fait de son utilisation par les soldats. S'ensuit un traitement comme produit agricole (subventionné!) plutôt que comme drogue et une diffusion commerciale massive qui marquera fortement la culture popu-

14. La gestion des jeux de hasard relève de la même dynamique.

laire. À partir des années 1960, c'est le début du bras de fer entre gouvernements et industrie, au fur et à mesure que les contraintes réglementaires et les normes culturelles évoluent en regard du produit. Les premières mesures restrictives, au cours des années 1970, touchent la publicité directe du tabac dans les journaux et à la télévision, auxquelles s'ajoutent plus tard les commandites d'activités sportives et culturelles. Parallèlement, de nombreux programmes de prévention et d'arrêt du tabagisme sont lancés. À partir des années 1980, la taxation et la restriction des lieux de consommation deviennent le nerf de la guerre de la lutte antitabac, en sus des mesures de contrôle des lieux de vente, de l'âge légal d'achat et de l'étiquetage des produits.

Les avis sont partagés quant à l'évolution des mesures de contrôle en matière de tabac. Pour certains, il s'agit d'une dérive progressive de l'État de mesures de protection de la santé publique à des mesures de plus en plus coercitives, à visée quasi prohibitionniste.

Le contexte illicite

L'histoire de l'interdiction criminelle de certains psychotropes est toute récente. Bien que des épisodes ponctuels et géographiquement limités de prohibition de substances aient eu lieu avant le xxᵉ siècle, les conventions internationales de contrôle, assorties d'obligations de législations nationales correspondantes pour les pays signataires, sont apparues au début du siècle dernier, à l'instigation du gouvernement américain.

Entre 1912 et 1988, sous l'autorité morale des États-Unis, les traités internationaux sont mis à jour, ralliant toujours davantage de pays[15]. Dans les années 1960, le Canada adopte la *Loi sur les stupéfiants* (1961) et la *Loi sur les aliments et drogues* (1968) afin de respecter les engagements découlant de son adhésion aux conventions. Ces lois sont «calquées» sur les prescriptions internationales et, avec les législations américaines, comptent parmi les plus sévères au monde en la matière. En 1996, pour répondre

---

15. En 1961, la *Convention unique sur les stupéfiants* remplace toutes les ententes multilatérales antérieures et devient la référence en matière de contrôle international. Elle est suivie, en 1971, par *la Convention sur les substances psychotropes* et, dernière en date, par la *Convention de Vienne*, en 1988. Quelque 150 pays sont à ce jour signataires de l'une ou l'autre des conventions, le Canada ayant ratifié les trois.

au renforcement des mesures de répression exigées par la *Convention de Vienne*, le Canada fond en une seule loi tout ce qui a trait aux substances illicites : la *Loi réglementant certaines drogues et autres substances* (LRDS). Malgré des assouplissements concernant la possession personnelle de cannabis ou le trafic de moins de 30 grammes de cette substance, la nouvelle loi demeure dans la logique de la répression pénale, en dépit des représentations nombreuses faites afin de changer l'approche de la question des drogues illicites au pays. Au contraire, le nombre de substances criminalisées est accru de même que les pouvoirs de fouille et de perquisition des policiers.

Les avenues d'intervention

Pour chaque type de mesures, dans un contexte ou l'autre d'application, deux avenues d'intervention sont possibles.

a) **L'adoption de mesures nouvelles**
Exemples : nouvelle politique d'embauche d'une entreprise exigeant le test obligatoire de dépistage de la consommation de substances illicites ; nouvelle réglementation sur la consommation de tabac en milieu institutionnel ; etc.

b) **La modification des mesures existantes ou de leur application**
Exemples : modification de la *Loi sur la conduite avec facultés affaiblies* pour baisser le taux criminel à 0,5 g ; application stricte des lois anti-drogues actuelles par l'exercice de la tolérance zéro pour tout délit de possession simple ; application plus souple d'un code de conduite en milieu scolaire concernant la distance requise pour fumer la cigarette ; etc.

Il est intéressant de noter que les avenues d'intervention en matière de mesures de contrôle peuvent, dans une optique préventive, donner lieu à l'assouplissement, voire à l'abrogation de contrôles existants. Cette situation est justifiée, si l'analyse du problème révèle que des mesures de contrôle constituent en elles-mêmes des facteurs de risque à la survenue de certains problèmes avec les SPA. Ainsi, la surveillance excessive de comportements de consommation dans un milieu donné peut entraîner certains groupes vulnérables à s'isoler et à se marginaliser davantage, rendant difficile de les rejoindre par des stratégies préventives.

Les conditions d'efficacité de la stratégie de contrôle

Force de dissuasion et force de conviction

La première condition à l'efficacité pratique de n'importe laquelle des mesures de contrôle repose sur la combinaison de deux critères essentiels : la force de dissuasion et la force de conviction. La force de dissuasion est relative à la sévérité des peines encourues pour ceux qui ne respectent pas les mesures. La force de conviction est relative à la probabilité d'être interpellé en rapport au non-respect de ces mesures. Pour qu'une mesure de contrôle fonctionne, c'est-à-dire qu'elle réussisse à limiter l'incidence d'un comportement donné, ces deux critères doivent être réunis.

Certains expliqueront par exemple l'inefficacité des lois antidrogues actuelles à empêcher la circulation et la consommation de substances illicites par une déficience du second critère ; en dépit de peines théoriquement parmi les plus sévères en Occident, il n'y a pas assez d'effectifs pour arrêter les nombreux contrevenants. D'autres prétendent que c'est plutôt la réelle force de dissuasion des lois qui fait défaut puisque, malgré l'arrestation de dizaines de milliers de contrevenants chaque année, ceux-ci n'écopent que de petites sentences ou réussissent à se faire acquitter. C'est pour cette raison que les corps policiers adoptent périodiquement des offensives dites de « tolérance zéro », généralement fortement médiatisées. La publicisation d'arrestations spectaculaires et des conséquences qui s'ensuivent doit convaincre la population de la probabilité élevée de se faire arrêter, même pour les délits mineurs, et d'être poursuivie en justice (empreintes, dossier criminel, etc.).

Dans le cas de l'ivresse au volant, il semble que les mesures de contrôle aient gagné en efficacité au cours des dernières années. En effet, les peines ont été augmentées au point où leur force dissuasive est aujourd'hui bien réelle (perte du permis à la première offense), dans un contexte où la probabilité de conviction est davantage présente (toute arrestation pour infraction au code de la route pouvant donner lieu à la vérification de l'alcoolémie, sans compter les opérations ciblées de barrages routiers).

Pour ce qui est de l'efficacité des politiques publiques, soit des mesures non pénales régissant l'accès aux produits licites et leur utilisation en société, les conclusions des études évaluatives et des spécialistes sur le sujet sont loin de faire l'unanimité et peuvent même apparaître contradictoires. Du fait de la « dilution » de l'impact dissuasif et de la probabilité de conviction à travers une série de paramètres, aucun ne semble avoir une influence décisive, sauf peut-être l'augmentation des prix, dans certaines conditions bien précises. L'exemple historique récent du tabac peut ici être cité : l'augmentation des taxes sur la cigarette, à partir des années 1980, a joué un rôle dissuasif certain sur plusieurs consommateurs peu fortunés ; pourtant, la majoration trop brutale des prix vers la fin de cette décennie aura entraîné un test décisif de la force de conviction en cette matière : des groupes ont alors réussi à contourner la politique des prix en vendant des cigarettes hors taxes.

La nouvelle réglementation sur l'interdiction de fumer dans les lieux publics, assortie d'une force de conviction suffisante des propriétaires contrevenants, vient s'ajouter à la taxation élevée des produits et aux campagnes d'information sur la santé pour créer les éléments d'une politique sur le tabagisme globalement plus efficace. C'est donc la synergie de divers paramètres réglementaires qui assure un impact positif, en conjonction avec les facteurs socioculturels en présence. Ce qui nous conduit à la seconde condition d'efficacité des mesures de contrôle.

Les formes symboliques de contrôle

L'autre condition d'efficacité des initiatives préventives fondées sur des mesures de contrôle réside dans le nécessaire alliage des formes dites matérielles (que nous venons d'examiner) à des formes dites symboliques de contrôle. Les formes ou instances symboliques de contrôle d'une société lui viennent de l'éducation, des valeurs partagées, de la morale commune qui favorisent la capacité d'autocontrôle des populations face aux comportements à risque ou proscrits. Ces formes sont également garantes du degré de légitimité et d'acceptation sociales que connaissent les mesures matérielles comme les lois, règlements et codes de conduite. Paradoxalement, plus les formes symboliques de contrôle sont présentes et répandues dans une société, moins les mesures strictement matérielles s'avèrent nécessaires. Et vice versa[16].

Dans le contexte précis d'un programme de prévention, la nécessité d'agir simultanément sur les pôles de l'offre et de la demande prend ici

16. Cela nous ramène aux leçons tirées des deux ordres de la prévention (chapitre 2) : l'influence exercée est d'autant plus efficace et moins nécessaire qu'elle a cours dans un contexte où la capacité d'autogestion est forte.

tout son sens : l'apport des stratégies communicationnelles et éducatives permet non seulement d'accroître l'efficacité, mais également de justifier la présence de mesures de contrôle. En effet, bien qu'ayant théoriquement le pouvoir d'agir directement sur les comportements, les mesures de contrôle seront facilement défiées si les gens ne possèdent pas suffisamment d'informations sur leur utilité ou ne sont pas suffisamment convaincus de leur pertinence.

L'exemple des mesures de contrôle sur la conduite avec facultés affaiblies peut encore être cité. Une part de l'efficacité globale croissante de cette mesure au fil des années tient au fait de l'évolution des mentalités et d'une désapprobation sociale de plus en plus répandue à l'endroit du comportement visé.

Les limites ou les problèmes de la stratégie de contrôle

La stratégie de contrôle, en raison de son caractère directif et contraignant, est certes le moyen d'action le plus sujet à critiques. À partir du moment où des mesures de contrôle sont édictées en l'absence d'un véritable fondement sur le plan de l'analyse et/ou en l'absence des conditions, matérielles et symboliques, assurant son efficacité, des limites et problèmes sérieux apparaissent. Qu'il s'agisse d'une société, d'une institution, d'un milieu de vie, ces limites ou problèmes sont alors qualifiés de contre-productivité, d'effets pervers ou, selon l'expression de plusieurs auteurs, de coûts secondaires[17]. Cela revient à dire que la mise en œuvre de mesures de contrôle génère plus de problèmes que ce qu'elle permet de prévenir. Ou, selon la formule consacrée, que le remède (du contrôle) est pire que la maladie (situation indésirable associée à l'usage de SPA).

Nous pouvons grouper la majorité des effets pervers générés par des mesures de contrôle, impertinentes ou inefficaces, en deux types de problèmes qui, très souvent, se manifestent en synergie.

1. **L'amplification des problèmes que l'on cherche à prévenir** : les principales situations indésirables que le contrôle cherche à prévenir sont de l'ordre de la santé publique et de la sécurité publique : qu'il y ait

---

17. Les coûts secondaires sont les coûts sociaux engendrés par les mesures de contrôle sur l'usage de certains produits, en comparaison des coûts primaires découlant de l'usage des mêmes produits.

moins de conséquences négatives sur la santé des usagers et pour la sécurité de la population. Parmi les coûts secondaires attribuables à l'existence des contrôles antidrogues, l'accroissement de la toxicité des produits (qualité et dosage inconnus) et l'augmentation de la criminalité chez les fournisseurs et les usagers (guerres liées à la production et au trafic, vols et fraudes liés à l'approvisionnement) sont les plus fréquemment cités.

2. **Le déplacement des comportements brimés vers des pratiques plus problématiques** : dans un contexte où des mesures de contrôle sont imposées contre la volonté d'une population ou en l'absence de solutions de rechange bien établies, des comportements de compensation plus nocifs peuvent se développer, afin de libérer les tensions ou combler les besoins frustrés (consommation substitutive de produits plus toxiques, produits volatils et drogues dures, par exemple, ou émergence de comportements domestiques violents lors d'états de manque).

Étant donné l'incapacité d'appliquer efficacement les lois antidrogues et l'ensemble des résultats négatifs découlant de leur maintien, plusieurs s'interrogent aujourd'hui sur la pertinence de mesures criminalisant l'accès et l'usage. Pourquoi persiste-t-on à défendre et à investir dans cette voie, apparemment peu productive en termes de prévention ? Il n'y a pas de réponse simple à cette question. Bien que ce ne soit pas le lieu d'analyser en profondeur cet aspect, des réponses ont été avancées au fil des ans par les observateurs de la question. Quelques « motivations » peuvent ainsi être dégagées :

• La conservation des emplois et des acquis dans les grandes bureaucraties chargées de l'application des législations antidrogues actuelles.

• La légitimation des drogues et des entreprises licites aux yeux du public.

• Le contre-pouvoir puissant des mafias qui profitent largement du contexte prohibitionniste.

• Le détournement de l'attention du public des causes réelles des problèmes de toxicomanies ou d'autres problèmes sociaux comme l'éducation, la pauvreté, l'immigration, etc.

• L'alibi procuré par la « guerre à la drogue » comme prétexte à l'ingérence dans la vie privée des citoyens et les affaires des pays producteurs.

*

Tout au long du XXe siècle, la stratégie du contrôle s'est imposée comme moyen de prévention des toxicomanies, à travers l'adoption des législations prohibitionnistes (opiacés, alcool, cocaïne, cannabis, etc.), puis au moyen de politiques, lois et réglementations destinés à régir l'accès, l'usage et les produits eux-mêmes. Le champ opérationnel des contrôles est vaste, recouvrant plusieurs contextes d'utilisation et donnant lieu à diverses avenues d'intervention. Conséquemment, cette stratégie demeure l'une des plus couramment utilisées, malgré la faiblesse de son fondement théorique, les difficultés d'une application efficace et le danger d'un glissement vers une logique de prévention du crime.

Nous abordons dans le chapitre qui suit l'autre volet de la classe des stratégies environnementales, l'aménagement du milieu. Contrairement au contrôle, cette stratégie est moins notoire et plus timidement appliquée. Pourtant, elle constitue un complément des plus utiles à la mise en œuvre de mesures de contrôle, pouvant justement permettre que certaines des conditions d'efficacité en soient réunies.

Ce chapitre sera complété par un retour synthèse sur les stratégies de mise en œuvre que nous tenterons d'appliquer au programme conçu par notre équipe fictive pour prévenir l'usage d'alcool lors de la conduite automobile.

CHAPITRE 11

Les stratégies environnementales : l'aménagement du milieu

Nous traitons dans ce chapitre de la dernière des stratégies d'action en prévention des toxicomanies : l'aménagement du milieu. Il s'agit du second volet des stratégies environnementales, abordées au chapitre précédent. La stratégie d'aménagement du milieu a pour objet une action sur les milieux de vie et/ou leur dynamique, au moyen de mesures physiques, récréatives, communautaires ou sociales. Cette stratégie a, à l'instar de sa proche parente, le développement (chapitre 9), pour caractéristique principale, son aspect promotionnel. L'accent est placé sur des activités de prévention non spécifiques à la question des drogues (dans la majorité des cas), centrées sur l'amélioration des conditions de vie.

De par la nature même de ses actions (implantation de ressources, création de nouvelles dynamiques), la condition centrale d'efficacité des mesures en aménagement du milieu est le travail concerté, l'implication et la participation de la population concernée à l'amélioration de son cadre de vie. Les limites ou problèmes éprouvés par l'aménagement tiennent à la façon dont trop souvent les initiatives de cet ordre sont perçues dans notre société : coûteuses, idéalistes, à trop long terme et, éventuellement, politiquement dérangeantes.

L'aménagement du milieu

L'aménagement du milieu est la plus récente des stratégies de prévention dans le domaine des toxicomanies. Cette stratégie est tributaire de l'influence du courant sociocommunautaire d'intervention en santé mentale, de même que de l'avènement de la promotion de la santé. L'aménagement du milieu est, à plusieurs égards, la stratégie préventive la plus ouverte et complète, de par les multiples domaines où elle peut s'appliquer et en raison des activités quasi illimitées auxquelles elle est susceptible de donner lieu. À l'instar du volet contrôle des stratégies environnementales, l'aménagement du milieu incorpore, en règle générale, des composantes tant communicationnelles qu'éducatives dans le cadre de sa mise en œuvre.

Le rappel de l'objectif : initier des comportements nouveaux

La stratégie préventive d'aménagement du milieu a pour objectif général de favoriser, de susciter, voire d'initier des comportements nouveaux, différents et non associés à des situations indésirables en matière d'utilisation des SPA. En cela, elle rejoint le dessein ultime de toute entreprise de prévention. Elle y parvient en modifiant les milieux de vie ou la dynamique des milieux de vie, de sorte que l'offre de psychotropes ou que l'usage de ceux-ci deviennent moins attrayants et moins nécessaires (ou encore, moins dangereux). Comme nous le disions précédemment en présentant la classe des stratégies environnementales, l'aménagement du milieu constitue une manière, différente du contrôle, de modifier le rapport à l'offre et à l'usage de SPA en créant un effet de neutralisation, de déplacement, de substitution au regard de comportements considérés comme problématiques.

Les caractéristiques : promouvoir la santé et le bien-être

La caractéristique centrale de cette stratégie est son association avec les pratiques de promotion de la santé et l'accent mis sur des mesures d'intervention, le plus souvent non spécifiques à la question des drogues, des mesures visant à améliorer la qualité de vie des populations cibles. En d'autres mots, le recours à cette stratégie est fondé sur l'hypothèse que, si les conditions générales de vie de ces populations s'améliorent, le recours problématique à des solutions comme l'usage de drogues s'en trouvera diminué. L'aménagement du milieu implique donc une vision des conditions et de la qualité de vie comme déterminants majeurs de la santé physique et mentale des individus, les problèmes comme la surconsommation de psychotropes (ou l'échec scolaire, la délinquance, la violence domestique, etc.) se trouvant dès lors envisagés davantage comme des symptômes. Cette façon de voir va dans le sens de la préoccupation pour le développement social des communautés (DSDC) des programmes de santé publique mis en œuvre au Québec.

Promouvoir la santé et le bien-être rapproche l'aménagement du milieu de la stratégie éducative de développement qui, rappelons-le, visait à accroître des habiletés de vie, non spécifiques aux situations d'usage de drogues. Cette proximité des deux stratégies peut faire en sorte de les confondre. Ainsi, la modification de certains milieux passe par la mise sur pied d'activités qui permettront éventuellement aux individus d'accroître leurs compétences. De plus, le développement d'habiletés générales chez des populations nécessite bien souvent l'implantation préalable de ressources qui constituent en soi un aménagement du milieu. Pour éclaircir ce point, il convient de revenir aux objectifs du programme, qui s'inscrivent dans un plan d'action général sur des facteurs clés. Se pose alors la question : doit-on, dans l'immédiat, chercher un accroissement des habiletés à travers certaines expérimentations ou plutôt favoriser de nouveaux comportements qui pourront, par la suite, donner lieu à l'acquisition d'habiletés formelles ?

Le modèle professionnel d'intervention, dont s'inspire la stratégie d'aménagement du milieu, est le contexte de l'intervention communautaire et sociale, que celle-ci émane d'institutions, d'organisations ou de groupes de citoyens. À la différence du contrôle, on peut apparenter l'aménagement du milieu à toutes relations de collaboration et de concertation visant l'instauration de mesures favorables à un plus grand engagement des populations dans la définition de leur milieu de vie.

Les activités (techniques ou mesures)

Stratégie globale en prévention des toxicomanies, l'aménagement du milieu recouvre deux formes d'action complémentaires : l'amélioration de la qualité des milieux de vie et l'amélioration de la qualité (ou dynamique) de vie dans ces milieux. Le second type d'intervention renvoie le plus souvent à la mise sur pied de solutions dites de rechange à la consommation de drogues.

L'amélioration de la qualité des milieux de vie

L'amélioration de la qualité des milieux de vie recouvre un large éventail d'actions possibles ayant pour objectif la transformation des environnements dans lesquels vivent les individus, de façon à les rendre moins pathogènes, dangereux, hostiles, générateurs de stress, etc. Ainsi, l'humanisation du cadre physique de l'école, l'accroissement de la sécurité au travail, la diminution de la pollution urbaine, l'embellissement des quartiers par la création d'espaces verts, participent-ils de cette forme d'action.

L'amélioration de la qualité de vie dans les milieux

L'autre volet concerne l'amélioration de la qualité de vie à l'intérieur des milieux, ce qui implique de travailler sur des objectifs d'intégration et de participation (sentiment d'appartenance, prise de décision, réalisation de soi, etc.). Intervenir à ce niveau peut signifier s'attaquer à certains problèmes de base, comme la pauvreté et le chômage, qui constituent des sources majeures d'isolement, d'aliénation et de démobilisation au plan social. Cela peut aussi prendre la forme d'activités sociales, politiques, communautaires, conçues comme des mesures qui permettent l'engagement, la participation et le dépassement. En d'autres termes, l'amélioration de la qualité de vie inclut aussi bien des mesures politiques en faveur du plein emploi ou du revenu minimum garanti que la création de groupes communautaires d'entraide ou de revendications, en passant par la mise en place d'activités artistiques, scientifiques ou sportives, offertes aux jeunes d'une école ou d'un quartier.

Quatre types de mesures

Les moyens d'action à la disposition des intervenants sont des outils, des ressource, des services, répartis en quatre grands types de mesures.

1. **Les mesures physiques.** Il s'agit de modifier physiquement des milieux de vie comme l'école, le travail, le quartier pour les rendre plus agréables, moins stressants et ennuyeux, et, de là, influer sur les comportements quotidiens des populations. Par exemple:

   - redécorer une polyvalente pour la rendre plus gaie;
   - réduire la pollution par le bruit dans une usine;
   - planter des arbres dans un quartier.

Il pourra aussi s'agir d'installer ou de rendre disponibles certaines ressources matérielles dans ces milieux, par exemple :

- des équipements sportifs ou culturels ;
- des espaces physiques (locaux, espaces verts).

Mentionnons ici certaines mesures spécifiques à la question des SPA, soit la disponibilité de produits sans alcool dans le cadre de loisirs ou encore, dans le contexte de la réduction des méfaits, la fourniture de matériel stérile et la mise en place de dispositif de *testing*[1].

2. **Les mesures culturelles et récréatives.** Il s'agit de mettre en place des solutions de rechange qui permettent de combler autrement les besoins qui motivent l'usage de SPA. Mentionnons quelques-uns de ces besoins :

- recherche de sensations fortes ;
- recherche de sens ;
- recherche d'interactions sociales, d'appartenance ;
- recherche d'euphorie, de plaisir ;
- recherche de relaxation ;
- recherche d'évasion ;
- recherche d'expériences hors de l'ordinaire.

Les mesures culturelles et récréatives constituent ainsi des expériences pouvant être qualifiées de « substitutives »[2]. Nous avons tenté de les regrouper en dix grandes catégories pouvant faire l'objet d'aménagements du milieu, dans le but de combler le type de besoins mentionnés ci-haut :

1. Ces mesures dites « physiques » peuvent, dans bien des cas, être le sous-produit de mesures communautaires, impliquant des éléments de participation et d'appartenance. Cela dépend, comme pour le reste, de la logique de planification et des facteurs en présence.

2. On peut faire remonter cette philosophie préventive au tournant des années 1960 et 1970 où des intervenants ont entrepris de faire la promotion « d'outils nonchimiques d'expansion de la conscience », incluant à l'époque diverses techniques et voies d'exploration sur les plans physique, psychique et spirituel. Ainsi, le célèbre livre d'Edward Rosenfeld, paru en 1973 en anglais et en 1983 en français, qui colligeait 250 façons de connaître les paradis artificiels sans drogues (Rosenfeld, 1983).

- exercices de relaxation (yoga, méditation, etc.) ;
- danse, expression corporelle ;
- activités sportives, individuelles ou en équipe ;
- contact avec la nature (randonnées, travaux en plein air, etc.) ;
- activités de groupes (scouts, clubs 4-H, etc.) ;
- activités artistiques ou scientifiques ;
- activités procurant de fortes sensations (parachutisme, survie en nature, etc.) ;
- projets communautaires, bénévolat, militantisme ;
- séminaires de discussion, ateliers sur les valeurs, l'éthique, la morale ;
- formation ou activités à caractère spirituel.

Ce type de mesures fournit des occasions précises d'acquisition d'habiletés et pourraient aussi tenir lieu d'activités préventives dans le contexte des stratégies éducatives[3].

3. **Les mesures communautaires.** L'objectif est d'agir sur la dynamique du milieu en créant des ressources et des projets qui favorisent l'intégration sociale, le sentiment d'appartenance, la participation et la prise de décision, le sens communautaire. Par exemple :

- mise en place de services pour une communauté (garderie) ;
- organisation de spectacles et d'événements dans un milieu ;
- ouverture de lieux de rassemblement sur une base générationnelle ou culturelle ;
- création ou renforcement des réseaux de support et d'entraide ;
- accroissement des possibilités de participation, de décision au sein d'organismes et d'institutions.

C'est dans ce cadre qu'on retrouve une seconde mesure bien connue d'aménagement du milieu, spécifique à la problématique de la toxicomanie,

---

3. Rien n'empêche un plan d'action de recourir au même « cadre » pour l'atteinte de plusieurs objectifs qui, de toute façon, sont interreliés. Ainsi, l'organisation d'un événement ayant la visée de faire participer une population peut, à un autre niveau ou dans un deuxième temps, donner lieu à des activités d'augmentation des connaissances ou d'habilitation auprès de la même cible ou d'autres cibles. Tout dépend à nouveau de la clarté et de la cohérence du plan d'action.

soit la mise sur pied de services de raccompagnement comme solution de rechange à la conduite avec facultés affaiblies[4].

4. **Les mesures sociales**. Il s'agit dans ce contexte d'agir sur la structure et la dynamique profonde d'un milieu, ce qui implique souvent des interventions de nature politique ou d'intérêt public. Par exemple :

- la création d'emplois ;
- la rénovation domiciliaire ;
- l'intégration ethnique.

Les mesures communautaires et sociales sont évidemment les plus élaborées et les plus ambitieuses et s'apparentent aux stratégies de promotion de la santé que sont le développement communautaire et l'action politique. En outre, ces deux derniers types de mesures englobent souvent les mesures physiques et culturelles/récréatives dans le cadre des transformations qu'elles impliquent.

Ainsi, la création de lieux de rassemblement pour les jeunes dans des quartiers à problèmes multiples peut être considérée comme une mesure communautaire, voire sociale, d'aménagement du milieu pour le quartier, donnant lieu au développement quotidien de mesures physiques et récréatives pour les jeunes. Ce type de mesures possède un véritable caractère préventif, car il permet d'agir sur les facteurs de risque à la source de plusieurs problématiques : éclatement familial, stress, ennui, isolement, pression à la consommation ou à la délinquance, etc. Des initiatives comme les Maisons de jeunes ou des lieux de rencontre interculturels fournissent des espaces d'expression et d'appartenance à ces populations en permettant l'intégration éventuelle d'autres stratégies préventives, plus directement centrées sur la problématique de l'alcool et des drogues, si besoin est[5].

4. La mise à disposition de moyens alternatifs de transport (taxi, transport en commun) peut aussi être vue comme une mesure physique d'aménagement du milieu. Mais à partir du moment où ils sont structurés, récurrents et bien implantés dans une communauté (on pense, bien sûr, à *Opération Nez Rouge*), les services de raccompagnement constituent bel et bien des mesures de type communautaire.

5. Ainsi en était-il, dans les années 1990, de l'ouverture du Centre Jeunesse du YMCA du Parc à Montréal, au cœur d'une zone multiethnique et à problèmes. Ce centre offrait des espaces aux jeunes musiciens pour pratiquer, de l'équipement sportif et récréatif (gymnase, tables de jeux), des ateliers culturels

Mais à quelle condition de telles mesures peuvent-elles s'avérer efficaces ?

Les conditions d'efficacité de l'aménagement du milieu

La condition centrale d'efficacité des mesures en aménagement du milieu, de par la nature même des changements préconisés, soit l'implantation de ressources et la création de nouvelles dynamiques dans le tissu de vie des individus, est de travailler de concert avec les principaux intéressés. C'est dire que les intervenants doivent passer en mode *agir avec* et impliquer les populations ciblées dans la définition et la réalisation des mesures qui touchent leur milieu et leurs conditions de vie. Cela requiert de l'ouverture, de la flexibilité, de l'écoute et la conviction qu'il est de première importance au plan préventif de développer l'autonomie et la responsabilisation collective (ce qui nous renvoie à la discussion des rapports entre intervention sociale et autodétermination collective, au chapitre 2).

Si cette condition n'est que peu prise en compte ou non respectée, les initiatives relevant de l'aménagement du milieu peuvent vite se transformer en «éléphants blancs», passant complètement à côté des réels besoins et des aspirations des populations en présence. Ces mesures pourront également être perçues avec méfiance, comme des dispositifs de récupération, de diversion, voire de contrôle, déjà répandus dans l'environnement social contemporain.

C'est en raison de l'importance de l'implication et de la participation des acteurs concernés que les activités ou mesures en aménagement du milieu sont particulièrement propices aux approches de type communautaire et d'*empowerment*, mentionnées dans le chapitre portant sur le courant de la promotion de la santé.

Les limites ou les problèmes de l'aménagement du milieu

Travailler à transformer les milieux de vie en tentant de collaborer au maximum avec les populations concernées ne va pas sans rencontrer certaines limites ou poser certains problèmes, dont voici les principaux :

(danse) et de rattrapage scolaire, etc. On peut aussi bien sûr penser à l'immense impact préventif des centres de pédiatrie sociale inaugurés par le Dr Gilles Julien, cela bien que leur visée première ne soit pas la prévention des toxicomanies.

- **Problèmes de reconnaissance.** Les initiatives en aménagement du milieu étant très majoritairement de type promotionnel, non spécifiques à la question des SPA, il est encore aujourd'hui difficile de les justifier comme un investissement en prévention des toxicomanies. Des projets intéressants sont perçus comme trop larges et déconnectés du «vrai problème». Il s'agit malheureusement d'une question de mentalité liée à l'intervention sociale : des actions rapides plutôt que des mesures à long terme, et des gestes visibles, voire spectaculaires, plutôt que des mesures s'intégrant à la vie quotidienne des populations, sont traditionnellement recherchés.

- **Problèmes d'acceptabilité.** Beaucoup de mesures en aménagement du milieu impliquent des choix à caractère politique et philosophique à l'échelle d'un milieu, d'un quartier, d'une institution. Ces changements peuvent déranger et, s'ils ne sont pas soutenus par un certain consensus et des partenariats solides, ne pourront pas être menés à terme par une équipe d'intervenants. On comprend dès lors que l'implication de la population concernée, non seulement garantit une action plus efficace, mais s'avère un facteur de légitimité, dans le cas de mesures délicates ou controversées.

- **Problèmes de financement.** «Aménager» le milieu est généralement plus coûteux que de mettre de l'avant une activité communicationnelle ou éducative ponctuelle et exige des fonds en conséquence. C'est particulièrement vrai pour les mesures communautaires et sociales. Dans ces derniers cas, le degré d'appui du milieu peut encore une fois être un élément clé pour l'organisation d'activités d'autofinancement, par exemple, ou le recrutement de bénévoles issus de la communauté.

- **Problèmes de mobilisation.** Comme l'efficacité et une bonne partie des limites sont liées à l'implication et à la participation de la population cible, l'ultime problème est d'échouer à la mobiliser autour d'enjeux qui pourtant la concernent. À notre époque, cette situation est fréquente, et des habiletés d'animation et d'organisation ne sont certes pas à négliger chez les intervenants, à l'étape de l'implantation et de la gestion du programme dans le milieu, afin de savoir créer cette mobilisation.

Ce à quoi aboutit la démarche : retour à l'exemple type

Pour mettre en rapport les six stratégies et offrir une vision de leur intégration dans le contexte d'un programme, reprenons l'exemple du plan
d'action élaboré au chapitre 7 par l'équipe fictive, à partir de la problématique de l'usage inapproprié d'alcool chez les jeunes hommes de l'Estrie.

L'organisation des moyens d'action et des activités préventives qui en
découlent est présentée au tableau 11.1.

Les huit activités élaborées empruntent une variété de modes parmi
ceux décrits à l'intérieur du cadre stratégique. Les stratégies communicationnelles, présentes dans trois activités, donnent lieu à la présentation
de messages sous forme personnelle, imprimée et multimédias. Les stratégies éducatives, privilégiées elles aussi pour trois activités, sont l'occasion de mises en pratique à travers des exercices à la fois individuels et de
groupe. Finalement, les stratégies environnementales, retenues pour deux
activités, s'incarnent dans des mesures de nature contractuelle (une politique d'établissement), pour le contrôle, et récréatives et communautaires
en ce qui concerne l'aménagement du milieu.

Ainsi que nous le verrons dans le dernier chapitre, les conclusions des
recherches évaluatives sur les meilleures pratiques recommandent : des
approches qui intègrent une panoplie de moyens ou de stratégies de façon
à agir sur plusieurs dimensions du changement ; des approches qui agissent à la fois sur la cible principale et son entourage, de façon à créer un
effet de système ; finalement, des approches qui s'attaquent à des facteurs
de risque et de protection, à différents niveaux de causalité, de façon à
produire un impact global. Tous ces éléments étaient réunis dans le programme qui nous a servi d'illustration.

Vers la mise en œuvre du programme

Dans la démarche méthodologique de base (revoir figure 5.1, p. 101), nous
sommes rendus à la quatrième étape, celle de la mise en œuvre du programme. Dans le contexte de ce manuel, nous ne traitons pas cette étape
dont les opérations d'implantation et de gestion du programme constituent, en soi, tout un programme ! Disons simplement que c'est ici qu'on
entre dans la planification des tâches devant permettre de réaliser concrètement le plan d'action. Ces tâches, notamment, impliquent :

TABLEAU 11.1

Activités du programme en relation avec le choix de stratégies
et les modalités impliquées

Stratégies (moyen d'action)	Modalités (Messages/ Mises en pratique/ Mesures)	Activité et volets
1. Information	Publication et multimédias	Production d'un dépliant (v-1) et d'un jeu vidéo interactif (v-2) sur les équivalences en alcool, distribués dans les écoles secondaires et les maisons de jeunes de la région.
2. Persuasion	Audiovisuel et multimédias	Campagne multimédia régionale sur les stéréotypes masculins liés à la consommation d'alcool et à la conduite automobile. Journaux locaux, affiches et site Internet.
	Présentation en personne	Tournée régionale dans les écoles secondaires présentant des témoignages de jeunes non consommateurs d'alcool, à propos de leur style de vie.
3. Éducation	Exercice individuel (autotest)	Test offert gratuitement dans les endroits de consommation, afin de permettre aux jeunes adultes de pratiquer l'autoévaluation de leur taux d'alcoolémie. Collaboration des policiers et des tenanciers.
4. Développement	Exercice en groupe (débats)	Concours régional de débats contradictoires tenus dans les cégeps sur le thème de la pression des pairs. Prix pour semi-finalistes, finalistes et grand gagnant.
	Exercice en groupe (ateliers)	Série d'ateliers pour les parents d'ados (garçons) sur l'expression et le partage des valeurs entre jeunes et adultes. Activité parascolaire donnée à quatre reprises au cours de l'année.
5. Contrôle	Mesure contractuelle (politique interne)	Mesure restrictive volontaire (ne plus servir à boire aux jeunes déjà trop alcoolisés) appliquée par les serveurs et serveuses des débits d'alcool dans le cadre d'une politique de l'établissement.
6. Aménagement	Mesure récréative et communautaire	Mise sur pied d'un grand rallye régional (v-1) de l'entraide (v-2) pour jeunes conducteurs, d'une durée de 48 heures. Combine habiletés d'orientation, de socialisation et de résolution de problèmes.

- **l'établissement des protocoles** (officialisation des ententes entre les intervenants et les parties impliquées ; clarification des tâches, rôles et responsabilités de chacun) ;
- **l'obtention des ressources** (recrutement du personnel bénévole et rémunéré ; mise à contribution des expertises en place ; obtention de financement supplémentaire, le cas échéant ; location de locaux et d'équipement) ;
- **la surveillance du projet** (*monitoring* des activités et de ceux qui y participent ; contrôle de la qualité du travail ; gestion du budget ; révision du plan d'action, si nécessaire) ;
- **la stabilisation de l'effort** (mise en place des conditions permettant l'arrimage aux ressources et services existants).

Dans le cas où ce sont les membres de l'équipe de prévention qui constituent la principale ressource humaine de mise en œuvre, leur habilitation en regard des stratégies utilisées sera aussi à prendre en considération : maîtrise de la communication publique, de l'animation de groupes et de l'organisation communautaire.

Résumé

*

Au terme de cette troisième section, nous avons maintenant une bonne idée des concepts, de la méthode et des moyens propres à l'intervention préventive. Nous pouvons même énoncer, en une forme synthèse, ce en quoi consiste la prévention des toxicomanies dans le cadre d'un programme conçu à cette fin.

Prévenir, c'est mettre en œuvre des **stratégies** (information, persuasion, éducation, développement, contrôle, aménagement) pour intervenir sur des **cibles** (PAR, EPAR, FPAR, EFPAR) dans le but de provoquer des **changements** (connaissance, attitude, habileté, comportement) à l'intérieur d'un **délai** (à court, moyen ou long terme) afin de contrer l'influence de **facteurs de risque** – ou augmenter l'influence de **facteurs de protection** – à divers **niveaux** (environnement, milieu de vie, hôte, agent) qui sont à la source de l'apparition d'une **situation définie comme indésirable** (d'usage, d'usage problématique ou d'usage inapproprié) en matière de SPA.

Nous en arrivons à la dernière partie de notre parcours : le cadre évaluatif. Dans le chapitre qui suit, nous abordons la cinquième et dernière étape d'une démarche d'intervention préventive : l'évaluation de l'action. Il s'agit là d'une étape souvent fort complexe. Nous nous attachons à en faire comprendre les fondements et la logique, de sorte que, même si la majorité des intervenants ne sont pas eux-mêmes appelés à effectuer une « recherche évaluative », ils sauront de quoi il en retourne.

La compréhension de la nature de l'évaluation et de l'importance des résultats qu'elle fournit permet d'ouvrir d'intéressantes perspectives d'autoréflexion sur les meilleures pratiques et les enjeux de l'intervention préventive dans nos sociétés. Ce sera l'objet du chapitre conclusif de cet essai.

QUATRIÈME PARTIE

CADRE ÉVALUATIF

CHAPITRE 12

Cinquième étape :
l'évaluation de l'action

La dernière étape d'une démarche préventive consiste à faire le bilan de l'action menée, c'est-à-dire à recueillir des informations qui permettent de juger, sur différents plans, de la performance de l'intervention, à savoir les activités mises en œuvre et, par-delà, du programme dans son ensemble[1]. Qu'il s'agisse d'être évalué, de s'autoévaluer ou d'évaluer les autres, porter un jugement comparatif à partir d'informations est aussi commun que le geste d'anticiper ou de faire attention, dans la vie de tous les jours. L'évaluation permet donc également de prolonger notre réflexion sur la dynamique des rapports entre influence et autogestion.

À l'instar de la clarification des besoins et de l'identification des facteurs, l'évaluation d'une action préventive requiert un plan de recherche. Il est alors nécessaire de préciser les questions auxquelles on souhaite répondre, ainsi que les méthodes et techniques qui permettront de recueillir les données en conséquence. La nature des questions posées permet de déterminer trois grands types d'évaluation : l'évaluation de la pertinence, du processus et de l'efficacité. Ces démarches évaluatives présentent des caractéristiques propres quant au moment où elles doivent être conduites, aux indicateurs particuliers à interroger, de même qu'à leur utilité dans le contexte général d'une intervention.

L'évaluation des effets ou de l'efficacité est le type de recherche qu'intervenants ou autorités responsables souhaitent obtenir à la suite d'une action menée dans un milieu, puisqu'elle permet de statuer de la

1. L'évaluation est présentée, logiquement, comme étape conclusive de la démarche parce qu'une majorité des types d'évaluation abordés dans ce chapitre reposent sur une cueillette de données devant être menée après la mise en œuvre du programme. Cela dit, plusieurs de ces évaluations exigent d'être amorcées avant le début ou tout au long de la conception ou, encore, juste avant la mise en œuvre. De ce fait, l'évaluation est un processus transversal qui doit être pris en compte dès qu'une initiative en prévention voit le jour.

« réussite » ou de « l'échec » d'une entreprise en regard des objectifs énoncés. Cette évaluation est un processus pour lequel existent différents plans ou *designs* de recherche, de nature expérimentale ou non, lesquels sont fonction des paramètres mesurés. On rencontre ainsi les plans de recherche fondés sur un cas particulier, sur la comparaison dans le temps et sur la comparaison de groupes. L'évaluation de l'efficacité permet de tirer certaines conclusions sur chacune des activités menées autant que sur le programme général, en relation soit avec les objectifs opérationnels, soit avec le but général fixé lors de la première étape.

L'évaluation : considérations générales

Définition

La première question qui vient à l'esprit est : qu'est-ce que l'évaluation ? Comme nous l'avons fait pour la prévention, voici d'abord une définition simple et générale pouvant s'appliquer pour tous les types d'évaluation, dans l'ordre de l'autogestion comme dans celui de l'influence.

L'évaluation est un processus de comparaison à partir de certaines informations qui permettent de porter un jugement sur une situation donnée.

La définition générale de la prévention comportait trois éléments clés : l'indésirable, l'anticipation et les mesures. De même, la définition de l'évaluation repose sur trois composantes : une base de comparaison, des indicateurs et un jugement conclusif.

Que se passe-t-il lors de l'évaluation de candidats pour l'obtention d'un poste de travail, par exemple ? Un groupe de personnes – les évaluateurs – analysent les candidatures à partir des indicateurs fournis par le questionnaire et/ou l'entrevue de sélection (information). Ils confrontent ces données aux critères d'embauche, implicites ou explicites, préalablement établis (base de comparaison). Ils en tirent des conclusions, favorables ou défavorables, en regard du choix d'un candidat (jugement).

Les questions de justesse

Cet exemple simple, tiré de la vie courante, permet un ensemble de considérations intéressantes sur la nature, les exigences et les contraintes de tout processus d'évaluation. La situation de l'entrevue de sélection rappelle que, pour la majorité d'entre nous, c'est généralement un défi et une source de stress que de faire les frais d'une évaluation extérieure, aussi justifiée soit-elle. Pourquoi? Parce qu'un jugement est porté sur notre «performance», jugement sur lequel nous n'avons aucun contrôle, mais qui peut entraîner des répercussions importantes sur notre avenir, dans un sens comme dans l'autre (échouer ou réussir un examen d'admission, un test d'alcoolémie, une audition pour un spectacle, etc.). C'est pourquoi, tous et chacun, nous sommes très sensibles à la «justesse» des procédures d'évaluation auxquelles nous devons nous soumettre.

La justesse du processus repose sur la justesse de ses composantes: a-t-on recueilli les bonnes informations et/ou toutes les informations qui permettent de poser un jugement comparatif? La base de comparaison est-elle claire, explicite, pertinente? Le jugement conclusif fait-il preuve de rigueur et d'honnêteté? Dans l'exemple qui précède, un candidat pourra avoir été refusé en raison d'une entrevue écourtée, où n'a pas été clairement démontré qu'il possédait les qualités requises pour le poste. La raison en est peut-être que ce candidat avait une vilaine grippe ou que les évaluateurs n'étaient pas en forme ce jour-là, le tout résultant en un déficit d'indices favorables au postulant.

La constituante la plus délicate demeure la base de comparaison. C'est le point de départ et d'arrivée de tout le processus, qui doit être fondé sur des critères explicites et transparents, tant pour les évaluateurs que pour les personnes évaluées. Il arrive cependant que ces critères soient plus subjectifs qu'objectifs ou qu'ils en recouvrent d'autres, implicites et ignorés des gens qui se font évaluer. D'ordinaire, les critères de sélection du ou des candidats lors d'une embauche devraient être clairement spécifiés dans l'offre d'emploi. Imaginons un poste de secrétaire pour lequel plusieurs candidates défilent et qui, finalement, est obtenu par la personne, non la plus qualifiée selon les exigences de l'affichage mais ayant démontré davantage de... *sex appeal*! Nous sommes ici en présence d'un critère non dit, mais pris en compte dans la base de comparaison ayant servi aux évaluateurs pour traiter l'information.

Finalement, l'information recueillie et la base de comparaison auront beau être de la plus grande pertinence, si les responsables de l'évaluation font preuve d'incompétence ou de favoritisme, le processus sera naturellement biaisé. Ainsi en serait-il d'une procédure d'embauche où, sous le respect apparent des règles éthiques en la matière, les responsables font pencher la balance en faveur d'un postulant pressenti, nonobstant de bien meilleures candidatures.

Le tableau suivant résume les critères assurant la justesse d'un processus d'évaluation.

TABLEAU 12.1

Critères assurant la justesse d'un processus d'évaluation en relation avec ses trois composantes

Indicateurs (informations recueillies)	Base de comparaison	Jugement porté
• Exhaustivité • Précision • Fiabilité	• Pertinence • Transparence • Objectivité	• Compétence • Honnêteté

Un processus perpétuel

Nous sommes régulièrement confrontés à des procédures d'évaluation, chaque fois en fait qu'il y a saisie d'informations pour juger de quelque chose nous concernant (tests académiques, bilan médical, rendement au travail, etc.). Par ailleurs, nous passons notre temps à faire de l'évaluation dans la vie de tous les jours, quand nous portons un jugement sur des situations ou des personnes à partir de l'information que nous avons sous la main (ou sous les yeux). Ainsi, lorsque nous croisons des gens ou que l'on nous présente de nouvelles personnes, un processus d'évaluation immédiat se met en branle:

Information
Apparence, gestuelle, expression (verbale, non verbale).

Base de comparaison
Ce qui, inconsciemment ou consciemment, nous attire ou nous rebute ET ce qui est socialement, institutionnellement, culturellement valorisé ou dévalorisé en termes d'apparence, de gestuelle, d'expression.

Jugement
Cette personne me plaît, me déplaît, m'intrigue, m'indispose, etc.

Nous pouvons aller plus loin. Nous sommes constamment en train de nous évaluer nous-mêmes (apparence, compétences) ou alors d'évaluer l'impact que nous avons sur les autres (performance, influence). Par exemple, nous nous levons le matin et nous regardons dans la glace de la salle de bain :

Information
Le reflet de notre visage : teint, traits, rides, qualité de la peau, etc.

Base de comparaison
Objectifs personnels d'apparence et/ou de santé, plus ou moins fortement conditionnés par les attentes sociales et culturelles à cet égard.

Jugement
Nous nous trouvons bien ou moche, ayant bonne mine ou vieillissant trop vite, etc.

Laissant le miroir, nous allons maintenant vers le pèse-personne :

Information
Le poids qui s'affiche.

Base de comparaison
Objectif personnel en termes de santé et/ou d'apparence, plus ou moins fortement conditionnés par les attentes sociales et culturelles à cet égard.

Jugement
Nous trouvons que nous ne perdons pas suffisamment de poids ou pas assez vite, que nous avons fait du progrès ou qu'au contraire nous avons repris ce que nous avions perdu, etc.

Ainsi vivons-nous dans un processus perpétuel d'autoévaluation, d'évaluation de notre environnement et d'évaluation de la part de notre environnement.

Une dynamique entre influence et autogestion

De la même manière que nous l'exposions au second chapitre, il existe une dynamique étroite entre le registre de l'influence et de l'autogestion au regard de l'action d'évaluer. La figure 12.1 illustre la chose.

La façon dont nos parents et nos professeurs nous ont évalués, c'est-à-dire jugés, appréciés, estimés lorsque nous étions enfants, a certainement

FIGURE 12.1

Dynamique entre les ordres de l'influence et de l'autogestion, en relation
avec l'héritage transmis et acquis, pour la pratique de l'évaluation

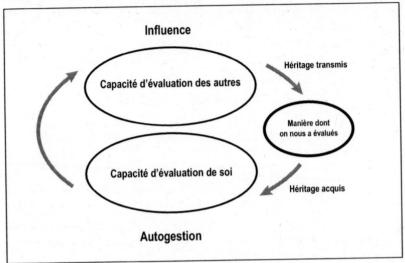

une influence sur la capacité que nous avons aujourd'hui de nous évaluer
à notre juste valeur. Lorsque, pour une raison ou pour une autre, nous avons
dû faire les frais de jugements trop sévères, d'un manque d'appréciation ou
d'appréciations injustes, il y a fort à parier que nous avons hérité de la tendance à nous juger sévèrement ou, au contraire, à nous surestimer, etc. Et,
immanquablement, nous projetons la même attitude sur les autres lorsque
vient le temps de les évaluer: ils ne sont jamais à la hauteur ou alors ne
méritent pas leurs succès, sont sous-estimés, etc.

Ces considérations générales sur l'évaluation nous aident à mettre en
perspective les aspects à la fois délicats et complexes qu'implique ce processus dans le cadre d'une démarche d'intervention dans le milieu. Ainsi
peut-on légitimement se demander: qui conduira l'évaluation des activités
et du programme mis en œuvre par une équipe d'intervenants? À quelles
fins sera menée cette évaluation? De quelle manière s'y prendra-t-on pour
obtenir une évaluation respectueuse du travail effectué, mais sans com-
plaisance par rapport au bilan à en tirer? Qui interprétera les résultats de
l'évaluation? C'est à ces questions que nous tentons de répondre dans les
pages qui suivent.

Les types d'évaluation de l'action

Lorsqu'il est question d'évaluer une action complexe, comme une intervention préventive, cela ne peut se faire intuitivement ou *de visu*, mais nécessite le recours à un plan de recherche. De la même façon que l'opération de clarification des besoins lors de la première étape, et celle d'identification des facteurs lors de la deuxième étape de la conception du programme. L'évaluation est souvent la plus complexe des trois opérations de recherche que comporte la démarche d'intervention, requérant une expertise extérieure à l'équipe[2].

Qui dit plan de recherche dit questions auxquelles on souhaite répondre au moyen de méthodes et techniques permettant d'aller recueillir l'information désirée par les indicateurs pertinents. On se rappelle qu'à l'étape de la définition du problème, on cherchait à connaître les besoins (QUI?, QUOI?, COMMENT?) au travers des indicateurs démographiques, sanitaires et épidémiologiques. À l'étape de l'analyse du problème, la tâche était d'identifier les causes (POURQUOI?), soit les indicateurs étiologiques que constituent les facteurs de risque et de protection. À l'étape de l'évaluation, il s'agit de statuer sur la performance de l'intervention à partir d'indicateurs à différents niveaux. La nature des questions posées (PERTINENCE, PROCESSUS, EFFICACITÉ) détermine le type d'évaluation ou de recherche évaluative à mener.

Il existe plusieurs types de recherches évaluatives correspondant aux questions que l'équipe d'intervention (ou les autorités qui en sont responsables) veulent se poser, avant, pendant et après la démarche. Les méthodes et techniques utilisées afin d'obtenir les données qui permettent de juger la performance varient en fonction du type d'évaluation. Le tableau 12.2 présente, selon le modèle qui vous est déjà familier, un plan de recherche évaluative où sont précisés trois grandes questions ou types de recherche évaluative, permettant d'établir cette performance ainsi que les méthodes et techniques appropriées à chacune. Les questions précisent la base de comparaison à partir de laquelle sera porté le jugement.

2. La recherche évaluative est une spécialité en soi, procédant de méthodologies adaptées au degré de complexité et d'intégration de l'objet étudié : évaluation de programmes, évaluation de services, évaluation de politiques. Dans les universités et les départements de santé publique, des équipes se spécialisent à cette fin ; on retrouve également des firmes en développement organisationnel qui offrent cette expertise.

TABLEAU 12.2

Plan de recherche pour l'évaluation, à trois niveaux, de la performance d'une intervention avec méthodes et techniques correspondantes

MÉTHODES / QUESTIONS	Analyse documentaire		Enquête sur le terrain		
	Documents extérieurs	Documents internes	Sondage/ test	Consultation	Observation
P E R F — PERTINENCE Qu'a-t-on réalisé comme activités et programme par rapport à ce qui existait comme besoins ?	•		•	•	•
O R M A — PROCESSUS Qu'a-t-on réalisé comme activités et programme par rapport à ce que l'on souhaitait réaliser et les moyens dont on disposait ?		•	•	•	•
N C E — EFFICACITÉ Qu'a-t-on réalisé comme changements par rapport à ce que l'on projetait de changer ?			•	•	•

Reprenons chacun des types de recherche pour bien en comprendre la nature et les conditions : moment où il faut la tenir, indicateurs ou sources de données à investiguer, utilité générale dans le cadre d'une intervention préventive, méthodes et techniques privilégiées.

L'évaluation de la pertinence

Base de comparaison
Le programme mis en œuvre en regard des besoins existants.

Quand
Au début de la conception et à la fin de la mise en œuvre.

Indicateurs
Activités réalisées et populations ciblées vs besoins réels en activités à implanter et en populations à desservir, tels que déterminés dans la clarification des besoins.

Utilité
Demande de financement ou de renouvellement des fonds.

Méthodes
Analyse documentaire (documents externes) et enquête terrain pour l'établissement des besoins ; documents internes (plan d'action, cahier de bord) pour la comparaison.

Aussi nommé évaluation des objectifs ou évaluation stratégique, ce type de recherche est pour une bonne part effectué par l'équipe d'intervenants lors de la clarification des besoins qui préside à la définition du problème. De fait, la démarche méthodologique que nous proposons assure d'emblée une pertinence au programme et facilite la demande de financement. Une fois réalisée, la comparaison des activités menées et des populations touchées avec les besoins existants permet de justifier un renouvellement du financement. Dans le cadre de démarches où aucune analyse de besoins n'a été menée, afin de justifier le problème traité et le programme élaboré, une évaluation *a fortiori* de la pertinence pourrait révéler que l'on a été efficient et efficace... concernant un problème qui n'existait pas ! Par exemple, centrer un programme sur la prévention de l'usage de la drogue chez les élèves du primaire, alors que les études démontrent qu'il n'y a aucune prévalence du problème au sein de cette population.

L'évaluation du processus

Base de comparaison
Déroulement de la conception et de la mise en œuvre en regard de la planification projetée et des ressources disponibles .

Quand
Tout au long de la démarche (conception et mise en œuvre).

Indicateurs
Activités menées, populations rejointes, accueil du milieu, fonctionnement de l'équipe vs activités projetées, populations ciblées, accueil anticipé, fonctionnement prévu.

Utilité
Rapports d'étape, ajustements, mise en contexte de l'efficacité.

Méthodes
Analyse de documents internes (cahier de bord, procès-verbaux, correspondance, etc.) et enquête terrain (membres de l'équipe, populations cibles).

Aussi dénommé évaluation de l'efficience, de l'*output* ou formative, ce type de recherche, comme le précédent, est en partie conduit par l'équipe elle-même, mais peut bénéficier de l'expertise d'évaluateurs externes, quand cela est possible. Cette évaluation s'effectue idéalement au long de la démarche, dès le début d'un projet, au moyen de toutes informations accumulées et consignées sur le déroulement en regard des prévisions et des ressources disponibles. Seront pris en compte le climat de travail, les difficultés organisationnelles et financières, l'accueil et la participation aux activités, le taux de satisfaction. L'utilité de ce type d'évaluation est grande, car il constitue la matière première des rapports d'étape qui permettent de vérifier le sérieux et la crédibilité de l'équipe et peuvent être une condition à la poursuite du financement. Il permet de tirer les leçons de ses acquis et de ses erreurs et d'ajuster le tir de façon pragmatique en cours de route : meilleure utilisation des ressources humaines et matérielles, modification de certains éléments du plan d'action à la suite de la réception initiale mitigée ou des difficultés d'implantation.

L'évaluation du processus permet une mise en contexte de l'efficacité de l'action. Par exemple, un programme pourra être pertinent mais avoir été mal présenté, au mauvais moment, aux mauvaises personnes ou par des intervenants ne maîtrisant pas les stratégies de mise en œuvre. Cela en affectera l'efficacité. C'est aussi une façon de rendre compte des conditions de production. Par exemple, à pertinence égale, il sera difficile d'évaluer de la même façon le travail d'une équipe de deux personnes sans contact privilégié et bénéficiant d'une maigre subvention de 1 000 $, et celui d'une équipe de dix fonctionnaires disposant d'un budget de 30 000 $ et d'un réseau important de relations. Finalement, cela permet de connaître la petite histoire d'une démarche de conception et d'implantation, information précieuse pour les futurs intervenants désireux de s'engager dans un processus analogue.

L'évaluation de l'efficacité

Base de comparaison
Changements obtenus en regard des changements escomptés.

Quand
Avant et après la mise en œuvre.

Indicateurs
Connaissances, attitude, habiletés et comportement mesurés vs connaissances, attitude, habiletés et comportement projetés.

Utilité
Rapport final, reproduction et généralisation des succès, évitement des erreurs.

Méthodes
Enquête terrain auprès des populations ciblées (questionnaire, sondage, test, observation).

Aussi nommé évaluation des effets, des résultats ou sommative, ce type de recherche doit absolument être mené par des gens extérieurs à l'équipe et compétents en la matière. Cette évaluation doit bien sûr s'effectuer après (mais aussi, idéalement, avant) la mise en œuvre du projet (nous expliquons pourquoi dans la prochaine partie). On mène ce type d'évaluation au moyen de méthodes d'enquête sur le terrain, en interrogeant la population touchée par l'action, dont on confronte les réponses aux indicateurs de changement contenus dans les objectifs opérationnels. L'utilité de cette évaluation est patente : c'est elle et seulement elle qui permet d'affirmer le succès (ou l'échec) d'une action et la pertinence de la reproduire et de la généraliser. Certaines recherches ont, par exemple, démontré qu'un programme, par ailleurs pertinent et efficient, pouvait s'avérer... sans effet. L'évaluation de l'efficacité demande une procédure plus élaborée et forcément plus coûteuse que les précédentes : c'est pourquoi beaucoup de démarches préventives restent à ce jour sans évaluation de leur efficacité, à laquelle pourra à la rigueur suppléer une évaluation de l'impact[3].

Étant donné l'importance que revêt l'évaluation de l'efficacité dans n'importe quel contexte d'intervention, nous explorons dans la prochaine section les procédures particulières qu'implique ce type de recherche.

L'évaluation de l'efficacité

Lorsqu'il est question d'évaluer l'efficacité d'un programme, il s'agit d'établir si les changements ou résultats obtenus sont conformes aux changements ou résultats visés dans les objectifs opérationnels du plan d'action. Pour ce faire, il y a deux éléments précis à mesurer :

1. Le changement : est-ce qu'il y a eu changement et de quelle nature est-il ?
2. L'attribution du changement : est-ce que ce changement est attribuable de façon spécifique au programme ou bien à d'autres facteurs ?

Idéalement, il faut que la mesure de ces deux paramètres soit établie pour que l'on puisse parler d'une action efficace. Il existe quatre procédures ou *design* de recherche pouvant être utilisés lors d'une évaluation de l'efficacité.

1. Le plan de recherche fondé sur un cas (non expérimental : aucun des deux paramètres n'est mesuré).
2. Le plan de recherche fondé sur une comparaison dans le temps (non expérimental : seul le paramètre du changement est mesuré).
3. Le plan de recherche fondé sur la comparaison de groupe (non expérimental : seul le paramètre de l'attribution est mesuré).

3. Aussi dénommée évaluation des retombées, l'évaluation de l'impact est un sous-produit de l'évaluation de l'efficacité qui tente d'apprécier l'ensemble des effets générés par l'intervention, autant positifs que négatifs. Elle peut ainsi mettre à jour des retombées bénéfiques (une activité menée auprès d'une population se prolonge en mobilisation communautaire et en création d'une ressource) tout autant que nuisibles (une activité de sensibilisation auprès d'un groupe génère une réaction du milieu et la stigmatisation du groupe en question).

4. Le plan de recherche fondé sur la comparaison de groupe et dans le temps (expérimental ou quasi expérimental : les deux paramètres sont mesurés).

Comme les trois premiers *design* ne permettent pas d'établir la mesure des deux paramètres mentionnés, donc de prétendre de façon certaine à l'efficacité d'une intervention, ils sont qualifiés de non expérimentaux. Seul le dernier plan de recherche avec groupes de comparaison (groupes contrôle) répartis dans le temps permet d'établir la mesure des deux paramètres et l'efficacité, d'où l'appellation expérimentale ou quasi expérimentale[4].

Voyons en quoi consiste la procédure de ces quatre plans de recherche. Nous utiliserons une activité tirée de notre programme-type de prévention de la conduite avec facultés affaiblies comme illustration, soit la présentation écrite et médiatique (dépliant et jeu vidéo interactif) sur les équivalences en alcool dans les écoles secondaires et les maisons de jeunes de l'Estrie (hors les grands centres)[5].

Plan fondé sur un cas

Dans un *design* de recherche évaluative fondé sur un cas, tel que le présente la figure 12.2, il s'agit simplement d'aller mesurer après coup (post-test) les effets de notre action auprès d'un échantillon de la population cible.

Il s'agit pour les responsables de l'évaluation de contacter un échantillon de participants des trois écoles et des deux maisons de jeunes ciblés par l'activité (jeunes de 11-17 ans ayant reçu le dépliant et une copie du jeu vidéo), afin de leur faire passer un test de connaissances sur les équivalences en alcool. Si les résultats obtenus répondent à ce qui était visé dans l'objectif opérationnel (*... que 76 % des adolescents de 11 à 17 ans habitant les secteurs ruraux et semi-urbains de l'Estrie soient capables d'identifier les équivalences en alcool des divers types de boissons alcoolisées*), l'action sera « réputée » efficace, sans pourtant que cette efficacité ne soit validée au strict plan scientifique. En effet, rien ne nous dit que les jeunes touchés

4. On parle de quasi expérimental lorsque la sélection du groupe de comparaison ne peut être faite selon un mode entièrement aléatoire.
5. Pour les besoins de la démonstration, imaginons que notre équipe d'intervention ait décidé de dispenser prioritairement cette activité dans la MRC de Magog-Orford, où trois écoles secondaires et deux Maisons de jeunes ont été répertoriées et rejointes (estimation fictive).

FIGURE 12.2

Plan de recherche évaluative de l'action, fondé sur un cas

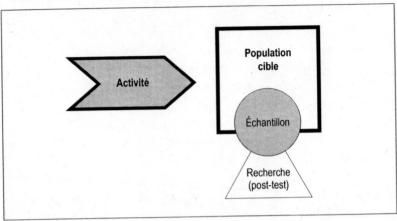

ne connaissaient pas déjà très bien les équivalences en alcool avant même la diffusion de l'activité (paramètre du changement); ou, s'ils étaient peu informés à ce sujet, que leur connaissance s'est plutôt élargie en raison d'une tournée concurrente des policiers dans les écoles ayant abordé la même question durant la même période que l'exposition au programme de prévention (paramètre de l'attribution).

Pourquoi alors utiliser un tel *design*, s'il ne permet pas de preuves concluantes? Simplement parce que c'est la procédure la moins laborieuse et coûteuse et qu'il vaut mieux une appréciation de ce type que pas d'évaluation du tout. C'est d'autant plus vrai dans le cas où la connaissance du contexte dans lequel un programme est mis en œuvre peut suppléer aux éléments de mesure manquants et augmenter l'assurance qu'il y ait eu efficacité. Par exemple, si la clarification des besoins a permis de documenter précisément les lacunes en matière d'information dans un sous-groupe ou une région donnés; ou, dans le cas de milieux fermés ou de régions éloignées, si l'existence de sources d'information concomitantes est peu probable ou carrément inexistante.

Cela dit, il est forcément plus intéressant pour une équipe d'intervenants d'être capable de démontrer qu'il y a eu effectivement changement, ce que permet le second plan de recherche fondé sur la comparaison dans le temps.

Plan fondé sur une comparaison dans le temps

Le *design* de recherche évaluative fondé sur la comparaison dans le temps est souvent connu comme l'évaluation pré-test/post-test. La figure 12.3 en présente l'illustration.

FIGURE 12.3

**Plan de recherche évaluative de l'action,
fondé sur la comparaison dans le temps**

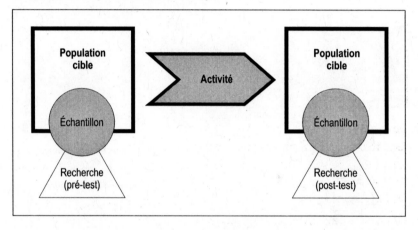

Cette procédure n'est pas si compliquée, mais implique d'être prévoyant puisqu'elle nécessite de mener une enquête préalable auprès de la population cible. Dans l'exemple précédent, cela veut dire aller mesurer, avant la mise en œuvre (pré-test), les connaissances d'un échantillon de jeunes de 11-17 ans des milieux visés et reprendre cette même mesure auprès du même groupe après la tenue de l'activité (post-test). Cette procédure permet immédiatement de constater ou non une différence entre avant et après et d'établir de façon probante s'il y a effectivement eu changement[6].

Reste l'attribution spécifique du changement. Imaginons notre équipe d'intervenants se faire dire par des autorités locales qu'ils n'ont probable-

---

6. Si le taux d'insuccès au test est à peu près identique, avant et après, le programme a été inefficace. Inversement, si le taux de succès au test est à peu près identique, le programme a été inutile. S'il y a une différence significative de succès entre avant et après (par exemple, de moins de la moitié des répondants à plus des trois quarts), l'activité est efficace. Dans le cas où les connaissances mesurées seraient moindres après qu'avant, le programme serait alors réputé nuisible...

ment aucun mérite dans l'augmentation notable de la connaissance des équivalences en alcool chez les jeunes de la région, parce que le gouvernement vient de lancer une grande campagne publicitaire nationale sur le sujet… Aussi, la mesure du second paramètre, l'attribution du changement, peut-elle s'avérer d'un grand intérêt dans un contexte où des populations sont sollicitées par plusieurs initiatives concurrentes de prévention qui, toutes, prétendent faire une différence. Ce qui nous mène au troisième plan de recherche.

Plan fondé sur une comparaison de groupes

Le *design* de recherche évaluative fondé sur la comparaison de groupes est aussi connu comme évaluation au moyen d'un groupe contrôle ou groupe témoin, comme la figure 12.4 nous l'indique.

FIGURE 12.4

Plan de recherche évaluative de l'action, fondé sur la comparaison de groupes

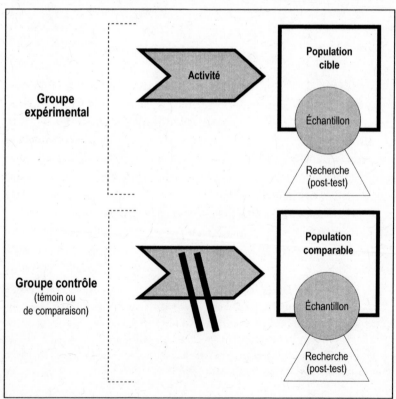

La prise en compte d'un groupe de comparaison dans un *design* de recherche rend cette dernière beaucoup plus sophistiquée et nécessite l'apport de chercheurs qualifiés. Cela implique en effet de sélectionner un groupe d'individus ayant les mêmes caractéristiques sociodémographiques que la population cible, mais à qui ne sera pas offert le programme[7]. On vérifie, après coup (post-test), s'il y a ou non changement dans la même proportion chez l'échantillon témoin et l'échantillon expérimental, ce qui permet d'attribuer spécifiquement les effets au programme. Mais ces effets étaient-ils là avant ? La seule façon d'être totalement assuré de l'efficacité d'une action, c'est de combiner le plan dans le temps et le plan avec comparaison de groupes.

Plan fondé sur une comparaison de groupes et dans le temps

Le *design* fondé sur la comparaison de groupes et dans le temps est la « cadillac » des recherches évaluatives ! La figure 12.5, à la page suivante, nous montre un peu ce à quoi cela peut ressembler.

À la procédure précédente, on ajoute un double pré-test mené dans le groupe expérimental et le groupe contrôle, ce qui assure la mesure du changement. Reprenons notre exemple de départ. Pour réaliser une telle évaluation, les chercheurs doivent, avant la mise en œuvre, constituer un échantillon de participants ayant des caractéristiques comparables au groupe de la MRC Magog-Orford qui sera touché par le programme. Imaginons que l'on tire cet échantillon d'un territoire de MRC de la région de Chaudière-Appalaches, dans lequel on trouve un bassin équivalent de jeunes de 11-17 ans et présentant des caractéristiques sociodémographiques comparables. Cet échantillon témoin est interrogé, avant et après la mise en œuvre du programme, même s'il n'y est pas exposé. Le scénario souhaitable est le suivant : dans les deux pré-tests, les échantillons présentent de faibles scores concernant la connaissance des équivalences en alcool. Après la tenue de l'activité d'information auprès de la population cible de la région de Magog, le post-test révèle qu'il y a eu changement significatif dans l'échantillon expérimental, mais aucun changement dans celui de comparaison, issu de Chaudière-Appalaches. L'activité s'avère, dans ces conditions, concluante et peut être validée efficace.

7. Cette opération est délicate en raison du nombre de variables à prendre en compte et à reproduire.

FIGURE 12.5

Plan de recherche évaluative de l'action, fondé sur la comparaison de groupes et dans le temps

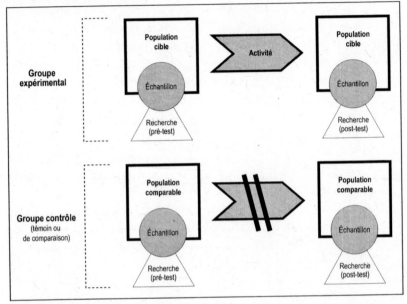

Ajoutons en terminant que tous ces plans peuvent être déployés dans le cadre de recherches longitudinales, c'est-à-dire en tant que mesures répétées dans le temps. Cela est d'un grand intérêt évaluatif et fait partie des recommandations tirées des meilleures pratiques, ainsi que nous le verrons plus loin.

L'efficacité générale d'une intervention

Ce qui précède touche l'efficacité de l'action, soit le résultat des activités mises en œuvre dans le cadre d'un plan ou programme de prévention. C'est une chose de constater qu'une activité est efficace, cela en est une autre d'affirmer que l'intervention préventive ou le programme dans son ensemble le sont également. Deux approches sont ici possibles. Un programme étant un ensemble cohérent d'activités visant des changements particuliers chez des populations cibles, dans la mesure où l'évaluation des effets de chacune des activités est concluante, le programme peut être considéré comme efficace. Dans le cas de notre programme type sur la prévention de l'usage inapproprié d'alcool, qui comporte huit activités distinctes, cela implique huit *design* de recherche évaluative, expérimentaux ou pas, afin de pouvoir tirer des conclusions d'ensemble favorables. Bien entendu, un résultat mitigé pour une ou deux activités permet quand même d'affirmer une efficacité générale, alors que seulement un ou deux résultats probants sur huit conduisent à une conclusion inverse.

L'autre façon de faire est de concevoir un plan de recherche évaluative de l'efficacité générale de l'intervention, partant de la base de comparaison fournie par l'énoncé du but général, lors de la première étape. Si cet énoncé a été fait de façon réaliste, la procédure peut être menée[8]. Ce que l'on mesure alors, essentiellement, c'est le changement du comportement indésirable en regard des SPA chez la population à risque initiale. L'énoncé fictif proposé pour la situation indésirable choisie en guise d'exemple était (revoir, au besoin, la démarche au chapitre 6):

> D'ici trois ans, réduire de 25 % l'incidence de l'usage inapproprié d'alcool (lors de la conduite automobile) chez les hommes de 18-24 ans vivant en Estrie (hors de Sherbrooke).

Le délai de trois ans est celui requis pour compléter la mise en œuvre de toutes les activités planifiées. Ici, le plan de recherche doit obligatoirement établir une comparaison dans le temps, donc reposer sur une évaluation de la situation indésirable avant le début du programme[9]. La dernière figure nous montre à quoi peut ressembler un *design* expérimental de recherche dans pareil contexte.

Reprenons notre exemple de base, en fonction d'un scénario « idéal » : la cueillette préalable (pré-test) de données dans deux régions comparables (Estrie et Chaudière-Appalaches) permet d'établir que la prévalence de l'usage inapproprié d'alcool est autour de 40 % chez les hommes de 18-24 ans vivant hors des grands centres. Une seconde cueillette trois ans plus tard (post-test), après l'implantation du programme en Estrie, révèle

8. À noter que cette procédure est encore plus sophistiquée et exigeante à conduire en raison de la taille des échantillons impliqués.

9. Ce pré-test pourra être fourni par des données épidémiologiques existantes sur le problème, données pouvant s'être avérées à l'origine du financement de la démarche préventive en question.

FIGURE 12.6

Plan de recherche évaluative de l'intervention (ou du programme),
fondé sur la comparaison de groupes et dans le temps

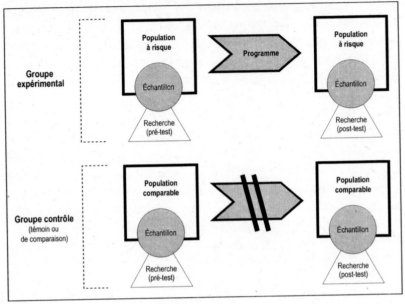

une prévalence moindre dans cette région (autour de 28 %), alors qu'elle est demeurée à peu près inchangée dans Chaudière-Appalaches (37 %). L'intervention est déclarée efficace en regard du but général que l'équipe s'était initialement fixé.

*

Une fois la ou les évaluations complétées, quelles que soient leur nature et la particularité des *design* de recherche retenus, l'analyse des résultats permet de porter un jugement et de tirer des conclusions sur l'intervention et ses artisans. C'est au moment d'interpréter les résultats que ressurgissent souvent les questions «philosophiques» concernant la drogue et les problèmes qui lui sont associés (revoir le tableau 5.2, p. 107, sur la clarification des valeurs). L'interprétation peut également soulever moult questions d'ordre méthodologique et éthique. Qui a commandé quelle évaluation et sur quelles bases de comparaison ont-elles été menées ? Des résultats x permettent-ils de conclure à l'efficacité ou à la non-efficacité d'une entreprise, sans que soit prise en compte une évaluation du processus? L'impact négatif de certaines actions doit-il être souligné, alors que les changements visés ont été atteints? Les évaluateurs externes étaient-ils suffisamment compétents pour la complexité du programme mis en œuvre? Les instruments de cueillette et le traitement des données présentaient-ils des problèmes de validité? etc. Toutes ces questions, qui débordent le cadre de notre présent exposé, renvoient à la «délicatesse» de toute entreprise d'évaluation, telle que nous l'avons soulignée au départ.

Après une récapitulation des faits saillants présentés dans cet essai, le dernier chapitre prolonge la réflexion en abordant les enjeux : bilan des résultats probants tirés des recherches évaluatives en prévention, lesquelles permettent de dresser un portrait des pratiques réputées les meilleures dans le domaine ; exposé des grandes questions de société auxquelles est aujourd'hui confronté notre secteur d'intervention et qui représentent les défis de demain.

CHAPITRE 13

La prévention des toxicomanies : synthèse et enjeux

Le dernier chapitre fait ressortir les faits saillants de cette introduction théorique et méthodologique au champ de la prévention en toxicomanie. Par la suite, il dégage les enjeux auxquels est confronté ce secteur d'intervention, tant sur le plan de son efficacité que de la réflexion sociale qu'il génère.

Synthèse

Cet essai a présenté les aspects théoriques et méthodologiques de la prévention dans le secteur des toxicomanies. Nous avons abordé ce sujet à travers quatre parties distinctes.

Nous avons commencé par la mise en place d'un cadre de référence théorique où il a été possible, dans le premier chapitre, de situer historiquement l'émergence de la prévention en toxicomanie au Québec à travers ses courants constitutifs : réduction de l'offre et de la demande, promotion de la santé et réduction des méfaits. Dans un second temps, nous avons défini les termes et décrit les stades (primaire, secondaire et tertiaire) du continuum de l'intervention, à l'intérieur duquel la taille et la nature des populations visées varient. Bien que la définition de base de la prévention englobe les trois stades du continuum, nous avons délimité l'objet de notre analyse à la prévention (ou intervention de stade) primaire, alimentée des approches contemporaines de la promotion de la santé et de la réduction des méfaits[1].

Le second chapitre a permis d'ajouter une notion transversale d'importance, celle des ordres de la prévention. Il a ainsi été possible de

1. Dans le chapitre sur la réduction des méfaits, nous avons élargi notre propos aux interventions de stade secondaire, ce qui est reconduit dans le bilan des meilleures pratiques en ce domaine.

distinguer l'ordre de l'influence («contrôle» exercé sur des gens) de l'ordre de l'autogestion (capacité d'autocontrôle). Ces deux niveaux d'action se déploient dans les registres du privé et du public, dégageant au total quatre champs ou espaces d'application, en interrelation étroite les uns avec les autres. Ce chapitre a permis d'ouvrir à une réflexion philosophique et éthique concernant les gestes de prévention posés en tant qu'individus, parents, intervenants ou groupes de citoyens. Ces gestes sont à situer à l'intérieur d'un continuum, celui-ci ayant trait aux rapports d'intervention (*agir sur, agir pour, agir avec* et *laisser agir*).

Une fois posés les trois stades et les deux ordres de la prévention, il importait d'en explorer les courants actuels sur le plan des pratiques : la promotion de la santé (chapitre 3) et la réduction des méfaits (chapitre 4). La promotion de la santé apparaît au cours de la décennie 1970 et introduit une rupture par rapport aux façons de voir et de faire antérieures : l'attention est désormais portée sur le développement de la santé, non plus seulement sur sa restauration (intervention curative) ou sur sa préservation (prévention classique). C'est un courant qui vise la responsabilisation et l'autogestion en regard des conditions de la santé, sur le plan individuel autant que collectif. Il ouvre, naturellement, sur les approches communautaires et d'appropriation du pouvoir (*empowerment*) ainsi que sur l'intersectorialité. De ce fait, depuis une trentaine d'années, l'intervention de stade primaire en toxicomanie est une intervention de type promotion/prévention, ayant pour but de construire des forces autant que de contrer des risques.

La réduction des méfaits apparaît, quant à elle, au cours de la décennie 1980, en tant que courant catalyseur d'une pléthore d'initiatives publiques et communautaires ayant jalonné le siècle. La rencontre historique des problématiques toxicomanie et sida en provoque l'avènement historique. Avec la réduction des méfaits, ce sont les principes du pragmatisme et de l'humanisme qui prennent le dessus sur les aspects idéalistes et autoritaires de la «guerre à la drogue», incarnée au cours des mêmes années 1980 par les campagnes nord-américaines de tolérance zéro. La multitude des pratiques aujourd'hui identifiées à la réduction des méfaits couvrent l'ensemble des stades d'intervention, incluant la prévention primaire sous le volet dit de «gestion ou réduction des risques». La prévention actuelle en matière de toxicomanie est dès lors résolument proactive (promotion de la santé) et pragmatique (réduction des méfaits).

La suite du volume a été consacrée aux éléments méthodologiques et aux moyens d'action qui permettent de mener une démarche d'intervention cohérente et mesurable en prévention des toxicomanies. Pour ce faire, nous avons, à partir de ce moment, référé au scénario d'une équipe d'intervenants travaillant sur un problème donné (*l'usage inapproprié de l'alcool – lors de la conduite automobile – chez les hommes de 18-24 ans de l'Estrie*) en guise d'illustration concrète des étapes parcourues.

Les chapitres de la 2ᵉ partie ont décrit le cadre méthodologique des trois premières étapes de la démarche, soit la conception comme telle d'un programme de prévention. Au départ, il faut savoir ce que l'on veut prévenir et pour quelles raisons (chapitre 5 : la définition du problème) ; ensuite, tenter de comprendre comment survient ce problème, de manière à pouvoir le devancer (chapitre 6 : analyse du problème) ; finalement, établir un plan d'action permettant de prévenir l'indésirable à travers l'énoncé d'objectifs de changement et la détermination d'activités pour les atteindre (chapitre 7). Ces activités sont apparentées aux moyens d'action qui découlent des changements projetés à l'intérieur des objectifs opérationnels.

Le cadre stratégique (3ᵉ partie) a présenté les moyens ou stratégies de mise en œuvre, au nombre de six (information, persuasion, éducation, développement, contrôle et aménagement du milieu) et regroupés en trois classes : communicationnelle (chapitre 8), éducative (chapitre 9) et environnementale (chapitres 10 et 11). Pour chacune des stratégies, ont alors été mis en relief les caractéristiques et la nature des activités déployées, les conditions d'efficacité et les limites ou problèmes pouvant découler de son utilisation. Ces chapitres illustrent la variété des messages, mises en pratique et mesures faisant office d'« activité » préventive, du simple dépliant à l'organisation d'un événement communautaire, de l'établissement d'un code de conduite aux mises en situation de groupes. Cette variété permet d'atteindre des visées préventives dans une perspective de réduction des risques aussi bien que de promotion de la santé.

Enfin, suivant l'étape d'implantation non traitée dans cet essai, l'étape conclusive de toutes entreprises est l'évaluation de l'action (chapitre 12) qui, avec le présent chapitre, constitue le cadre évaluatif de la démarche (4ᵉ partie). L'évaluation consiste à établir un bilan, positif ou négatif, de la performance de l'intervention, afin d'en tirer des conclusions pour l'action future. De façon prioritaire, ce bilan de performance doit

concerner l'efficacité des actions et du programme; de façon complémen-
taire mais tout aussi utile, il permettra de statuer sur la pertinence et le
bon déroulement (processus) des actions et du programme.

Nous proposons maintenant un tour d'horizon des principes d'efficacité éprouvés en matière de prévention des toxicomanies, ainsi qu'une
réflexion sur les enjeux culturels et sociaux actuels que soulève la pratique
de la prévention en général et, plus spécifiquement, en matière d'usage et
d'abus de SPA.

Enjeu I : l'efficacité de la prévention

Plusieurs revues de sciences humaines se sont penchées au cours des
vingt-cinq dernières années sur les conditions d'efficacité des programmes
et des activités de prévention et sur les meilleures pratiques en ce domaine,
tant en Amérique du Nord qu'au Québec. Les conclusions des recherches
évaluatives permettent aujourd'hui de présenter un certain nombre de
principes fondamentaux à l'appui des actions préventives, principes qui
sont, bien sûr, partie intégrante de la démarche méthodologique proposée
dans les précédents chapitres. En relation avec chacune des étapes de cette
démarche, voici, résumés, les faits saillants concernant l'efficacité des
actions en prévention des toxicomanies[2].

La définition du problème

La clarté de l'objectif ou du but général d'une intervention est de première
importance pour entreprendre une action efficace. Cette clarté de l'énoncé
de départ repose sur la nécessaire clarification des valeurs et du point de
vue des intervenants en rapport aux questions d'usage et d'abus de psychotropes. Elle repose également sur une clarification rigoureuse des
besoins sociaux existants en matière de prévention, à partir de données
récentes et probantes.

À cet égard, les études indiquent qu'il est plus réaliste de viser la
prévention de l'usage problématique que la prévention de tout usage
(abstinence) auprès des jeunes. Chez cette même population, le sous-

---

2. Soulignons que la vaste majorité des recherches évaluatives sur l'efficacité
de la prévention concerne les programmes pour jeunes et adolescents.

groupe des 12-14 ans serait le plus réceptif aux initiatives de prévention. Dans la même logique, en matière d'alcool, il est préférable de cibler les consommateurs à risque avec un objectif de limitation de l'usage inapproprié, plutôt que de viser une prévention universelle de l'usage.

L'analyse du problème

Les études contemporaines recommandent, bien sûr, de fonder la prévention sur la connaissance des facteurs de risque et de protection documentés. À l'intérieur des facteurs de risque répertoriés, la précocité du début de la consommation ressort comme un élément central concernant la population jeune. Il en va de même des phases du développement psychosocial de l'adolescent et de la nature des perceptions avantages/ risques des jeunes concernant l'usage des SPA. La prise en compte des facteurs de protection et du ressort psychologique[3] apparaît une voie particulièrement prometteuse.

Dans un autre ordre d'idées, la priorisation de facteurs génériques[4] semble garante de succès, en ce qu'elle permet une action préventive plus vaste, touchant à plusieurs problématiques et liant la toxicomanie à des questions plus larges et connexes comme celles de la santé mentale et de la délinquance.

La planification de l'action

C'est à cette étape que les recommandations d'études sont les plus nombreuses, sans doute en proportion des faiblesses notées à ce chapitre : peu ou pas d'articulation entre le but général, l'étape d'analyse et la planification de l'action ; absence d'objectifs opérationnels ou objectifs vagues, centrés sur les moyens plutôt que sur les résultats ; peu d'articulation entre la planification comme telle et l'implantation effective dans le milieu.

Il est préconisé d'énoncer des objectifs réalistes, fondés sur une situation locale (groupe et territoire précis d'intervention) et qui soient

---

3. On parle dans certains ouvrages de facteurs de résilience.
4. Facteurs de risque ou de protection propres à plusieurs problématiques. Par exemple, l'impulsivité masculine en bas âge prédisposant tout autant à la prise indue de psychotropes qu'à la commission d'actes délinquants.

interreliés. Sur le plan des cibles, une action systémique est garante de meilleure efficacité : par exemple, concernant les jeunes, l'action visant des tiers significatifs, dans une perspective famille-école-communauté. Concernant les changements projetés, il y a unanimité sur la nécessité : de délaisser les programmes univariés (donc, à une seule stratégie) au profit de programmes visant simultanément des changements sur le plan des connaissances et des compétences (jeunes) ; de dépasser le simple accroissement des connaissances pour aller vers le développement de nouveaux comportements par des mesures d'aménagement du milieu (jeunes à risque) ; d'allier des changements à tous les niveaux (connaissance, attitude, habileté, comportement).

Cet impératif en faveur de programmes multivariés se traduit par de nombreuses considérations concernant les stratégies ou moyens d'action : l'efficacité est clairement établie du côté de l'action multistratégique. Ainsi, le recours aux uniques stratégies communicationnelles (information, persuasion) ou au seul contrôle est limité et entraîne des risques élevés d'effets boomerang. L'utilisation de campagnes de persuasion médiatiques a généralement un effet de cristallisation ou de renforcement des attitudes existantes. Dans le cas du contrôle, les études indiquent que c'est la mesure réglementaire de l'augmentation du prix de vente qui possède le plus d'efficacité, bien qu'au-delà d'un certain seuil, elle présente des risques de contre-productivité. Par ailleurs, la combinaison des stratégies communicationnelles et éducatives contribuerait efficacement à retarder le début de la consommation, chez les jeunes, chez les élèves du primaire, le recours à des stratégies « promotionnelles », non spécifiques à la question drogue, donne de meilleurs résultats. Enfin, comme nous en avons déjà souligné l'importance, c'est l'implication active et répétée dans des activités (sous forme de discussions, d'interactions) qui garantit le réel développement de compétences.

La mise en œuvre du programme

Même si nous ne traitons pas directement de cette étape, plusieurs considérations sur la façon de « livrer » le programme dans le milieu renvoient aux conditions d'efficacité que nous avons exposées dans l'analyse des différentes stratégies. Ainsi, dans le cadre de stratégies communicationnelles s'adressant à de jeunes publics, la crédibilité des sources est-elle cruciale : cette dernière est assurée ou accrue lorsqu'il est tenu compte des perceptions des jeunes à l'égard des SPA ; lorsque également les messages véhiculés, implicitement et explicitement, sont clairs et exempts d'ambiguïté. Pour les activités de nature éducative, la compétence et l'autorité des animateurs sont essentielles. Enfin, la participation des jeunes à l'élaboration et à la mise en œuvre de programmes les concernant est un gage établi de leur réussite.

Les autres conditions de meilleures pratiques à ce stade de la démarche sont les suivantes : nécessité d'une collaboration et d'une concertation entre les acteurs impliqués, en provenance de divers secteurs ; nécessité d'une action suffisamment durable et intense dans le temps ; pertinence de rattacher le programme à d'autres efforts locaux et, éventuellement, de viser son intégration aux activités ou services courants d'organismes existants.

L'évaluation de l'action

Le principal constat au regard de l'évaluation de l'action préventive est qu'elle fait encore trop souvent défaut, particulièrement dans une perspective longitudinale (évaluation répétée dans le temps pour juger du caractère permanent des résultats obtenus). En dépit d'une amélioration à ce chapitre depuis les années 1980, les projets et programmes de prévention se retrouvent encore trop souvent dans ce cercle vicieux : moins présents en recherche et évaluation que d'autres types de programmes, ils sont également moins retenus dans l'élaboration des politiques et des plans d'action. C'est l'évaluation soutenue et systématique de l'efficacité des programmes qui fournit la base à partir de laquelle il est possible d'influencer les politiques publiques.

Outre cela, l'évaluation du déroulement de la démarche et de ses retombées en termes de coûts/avantages (processus et impact) s'avère des plus utiles pour guider les intervenants et leur permettre des choix en fonction de leurs moyens et des conditions particulières d'implantation qu'ils rencontrent. La tendance récente adoptée par Santé Canada dans le contexte des fonds octroyés pour des projets de prévention à travers le pays est d'ailleurs de favoriser les évaluations de processus qui permettent de documenter les savoir-faire développés par les intervenants sur le terrain.

En bref, *la prévention efficace des problèmes liés à l'usage des SPA*, c'est :

- un objectif de départ clair (valeurs)
- reposant sur une démonstration de pertinence (besoins)
- et l'appui d'une analyse systématique (causes)
- lesquelles permettent de déboucher sur un plan systémique et multi-stratégique d'action (opérationnalisation)
- dont l'implantation concertée avec les acteurs du milieu doit viser
- la plus grande intensité et continuité au plan local.

L'efficacité de la réduction des méfaits

Le courant de la réduction des méfaits et son champ de pratiques parti-culières (revoir chapitre 4) ont fait l'objet de nombre de recherches éva-luatives spécifiques. Trois types de constats se dégagent de la documentation en regard de l'efficacité de la prévention des comportements à risque associée à l'injection de drogues. Ces constats s'élargissent aux retombées concernant la diminution de la criminalité et l'amélioration des conditions de vie, au plan physique et psychologique, chez la population des usagers de drogues.

Les interventions éprouvées

Deux types d'intervention ont été fréquemment et rigoureusement éva-luées et ont démontré leur efficacité : les programmes d'échanges de seringues et les traitements de substitution. Dans le premier cas, la pro-vision de matériel propre a démontré sa capacité à prévenir la transmission du VIH et à réduire les risques de transmission du VHB et du VHC. Dans le second cas, les traitements de substitution (à la méthadone et, dans certaines conditions, à la buprénorphine) ont démontré leur efficacité pour la rétention des narcomanes en thérapie, la diminution de l'usage d'héroïne de rue et, conséquemment, des risques de transmission du VIH, de surdoses et de criminalité associés à la dépendance aux opiacés.

Les interventions prometteuses

Quatre types d'intervention s'avèrent prometteurs, en ce sens que des recherches supplémentaires sont requises pour en arriver à des évidences probantes à leur sujet; le rapport coûts/bénéfices de leur utilisation est moins intéressant et quelquefois incertain en comparaison des mesures éprouvées; leur développement doit être maintenu, mais se faire avec prudence. Les programmes de prescription d'héroïne, d'abord, s'avéreraient bénéfiques sur le plan sanitaire et social pour les usagers de longue date ayant échoué d'autres types de traitement. Les SCS, en second lieu, semblent efficaces pour attirer les usagers les plus marginalisés et vulnérables, limiter les surdoses et les comportements à risque de transmission du VIH, de même que pour faciliter l'accès à une diversité de soins et aux traitements en toxicomanie. Les changements politiques relatifs aux diverses formes de dépénalisation du cannabis apparaissent ne pas entraîner d'impacts négatifs (augmentation des niveaux d'usage), tout en faisant une différence significative sur les méfaits et coûts sociaux associés à la criminalisation des usagers. De la même manière, le *testing* des drogues, malgré une variabilité des modèles et des contextes d'implantation, n'est pas associé à des impacts négatifs (accroissement de la consommation et du trafic des drogues), mais présenterait des bénéfices intéressants : a) en combinaison avec des pratiques d'IEC comme mesure de protection publique; b) en combinaison avec le travail de proximité pour sensibiliser des populations difficiles à rejoindre.

Les interventions restant à évaluer

Les mesures d'IEC et le travail avec et par les usagers nécessitent des recherches évaluatives de leur efficacité spécifique, bien qu'ils se révèlent le plus souvent faire une différence positive dans le succès d'autres mesures auxquelles ils sont intimement associés (échange de seringues, SCS et *testing*, par exemple). Quant aux approches motivationnelles, si leur efficacité a été démontrée dans de nombreux contextes d'intervention curative, leur potentiel dans le cadre particulier d'interventions en réduction des méfaits est en voie d'être confirmé.

Ici encore, un principe général d'efficacité se dégage : les politiques et programmes de réduction des méfaits doivent mettre en œuvre une panoplie d'interventions plutôt que des mesures isolées. Et pour en arriver à une planification efficace, le questionnement stratégique suivant s'impose dorénavant : quelles interventions selon quelle combinaison, à quelle intensité et selon quelle couverture, permettent d'atteindre un seuil d'efficacité satisfaisant ?

Enjeu II : la prévention et la société

Dans cette dernière section, nous discutons des enjeux propres à l'exercice de la prévention, ce qui permet de mettre en relation critique certains des éléments précédemment avancés : rapports entre transformation de soi et transformation des autres, entre intervention publique et privée, rapports entre action proactive et action réactive, entre santé collective et limitation des dégâts, rapports entre la prévention des problèmes et leur traitement.

Favoriser l'autonomie des personnes et l'autodétermination des collectivités

Nous vivons au sein d'organisations sociales et de cultures possédant les ressources techniques et le niveau d'éducation permettant de mieux comprendre la nature des problèmes sociaux et les déterminants d'une meilleure santé collective, et qui rendent ainsi possibles des actions proactives, créatives, émancipatrices. Pourtant, et peut-être plus que jamais, c'est l'état de crise qui dicte les programmes. Dans le contexte des sociétés modernes, le curatif et le coercitif ont toujours préséance sur le préventif et le promotionnel, les politiques publiques étant trop souvent mises en place à court terme ou en catastrophe, pour pallier les urgences sur tous les fronts.

Dans ce contexte, le danger est réel d'un retour à une prévention de type autoritaire, entre les mains de nouveaux experts dans l'art de « comment se comporter pour éviter d'avoir des problèmes et d'en créer à la société » ! Cette prévention, friande de contrôle et de persuasion à grande échelle, efficace essentiellement à court terme, représente bien une réaction de panique pour empêcher le pire devant la prolifération de situations de désordre et de chaos (comme en temps de pandémie). Pourtant, le travail de prévention au plan collectif se doit d'être tout autre, aujourd'hui indissociable des pratiques promotionnelles de prise en charge par le milieu,

qui visent un travail sur les conditions de vie, le contexte socioécono-
mique, la réduction des inégalités entre très riches et très pauvres. Cela
implique la nécessité d'être à l'écoute des gens, d'agir avec eux, de créer
des réseaux concertés, de devenir des partenaires plutôt que des agents
de contrôle ou des dépisteurs de substances. C'est la voie qui garantit des
changements à long terme et un renversement de la vapeur. C'est donc
une lutte entre deux démarches : voir large, partir des milieux et impliquer
les gens, plutôt que de voir petit, partir en croisade et conformer les gens.

Un renversement est pourtant en train de se produire à un niveau
plus fondamental, celui de la conscience des individus, lesquels se donnent
des moyens pour croître vers une plus grande autonomie dans le contexte
d'une société en crise. L'engagement envers soi-même et à mieux se
connaître, à faire preuve de discernement et de vigilance dans la façon de
conduire son existence, à prendre du recul et à exercer son jugement
critique par rapport aux attentes de la société et à la gestion des affaires
humaines, tout cela est définitivement dans l'air du temps. Ces pratiques
sont de plus en plus valorisées comme voie de recouvrement et d'exercice
de son pouvoir, à une époque de globalisation et de massification sans
précédent. Puisque nous savons qu'il existe une dialectique étroite entre
le déploiement de contrôles extérieurs et le développement de la capacité
d'autogestion au sein d'une population, un des enjeux préventifs majeurs
de notre siècle est et restera sans doute le suivant : faire pencher cette
dynamique entre conscience et culture du côté d'un accroissement de
l'autonomie des personnes et de l'autodétermination des collectivités.

Pour y arriver, il importe que la compréhension des problèmes liés
aux SPA et à la toxicomanie soit resituée sur un horizon plus vaste : celui
de l'inégalité de la distribution du pouvoir dans la société et du sentiment
d'impuissance généralisé qui en résulte ; celui de la transmission intergénérationnelle d'un capital familial et social « déficitaire » ; celui de la
santé mentale et de la quête de sens dans une culture de consommation
hyper médiatisée ; celui des multiples fractures auxquelles sont confron-
tées les populations contemporaines (jeunes/adultes ; hommes/femmes ;
riches/pauvres ; Nord/Sud ; humains/environnement ; etc.). La prise en
compte des déterminants socioculturels (du bien-être comme du mal-
être), des facteurs de risque et de protection de l'environnement devrait
revêtir davantage d'importance et venir radicaliser l'étiologie biopsycho-
sociale actuelle. Une approche préventive globale implique de considérer

et de travailler, à partir de ces facteurs intégrateurs, les «causes des causes» comme les appelait un des pères de la prévention, le psychiatre George Albee[5].

La promotion de la santé et la réduction des méfaits

La promotion de la santé et la réduction des méfaits sont les courants théoriques et pratiques qui ont dynamisé et renouvelé la pratique de la prévention en toxicomanie au cours des derniers trente ans. Intelligemment combinés, ces courants représentent également l'avenir de toute entreprise viable de prévention pour les prochaines décennies. Promotion de la santé et réduction des méfaits sont éminemment complémentaires pour faire face aux problèmes concrets dont il faudra limiter l'incidence dans notre secteur. En guise de dernier tableau, nous présentons une façon de voir le mariage entre ces deux courants.

TABLEAU 13.1

Complémentarité des attributs de la réduction des méfaits et de la promotion de la santé pour agir en prévention

Réduction des méfaits	Promotion de la santé
Prendre les gens là où ils en sont	*Changer les choses là où ça compte*
Tolérance	Engagement
Considérer l'être humain en face de soi	Considérer le potentiel de développement humain autour de soi
Jouer sur les ressemblances	Réduire les inégalités
Créer des liens de confiance	Créer des liens de solidarité
Pragmatisme	Volonté de changement
Amoindrir et gérer les risques	Construire des forces
Éducation, accompagnement, conscientisation	Aménagement, action politique, organisation communautaire

L'idéalisme, jadis investi dans la guerre à la drogue et le salut des consommateurs, doit être converti en réalisme et en tolérance, qui seuls

---

5. Albee, G. W. (1983). Psychopathology, Prevention and Just Society. *The Journal of Primary Prevention*, 4, 1: 5-39.

permettent aux individus d'apprendre à se responsabiliser, partant de *là où ils en sont*, et à développer leur pouvoir de décision et d'action en matière de santé. Par ailleurs, l'énergie de réforme, de lutte et de changement qui nous habite et qui doit contribuer au mieux-être de la société peut être canalisée à changer les choses *là où ça compte*: s'attaquer aux causes profondes, aux origines véritables du mal de vivre, en développant des projets qui permettent de se responsabiliser socialement et d'être solidaire avec autrui. C'est en faisant preuve, à la fois d'humanisme, devant les risques et les problèmes auxquels la société est confrontée, et d'activisme, dans la lutte pour une meilleure qualité de vie collective, que l'on créera un monde où le besoin d'évasion sera peut-être moins pressant et, à défaut, résultera en moins de conduites dangereuses.

*

En éducation, ce n'est pas tant la somme et la variété des connaissances acquises par les étudiants qui font un bon pédagogue, mais bien le fait qu'il ait réussi à transmettre le goût d'apprendre. Nous croyons pareillement qu'en prévention, ce n'est pas tant la quantité de techniques et de mesures déployées, fussent-elles évaluées efficaces, qui font les meilleures interventions, mais bien le fait que les intervenants aient pu susciter, à travers des actions et un programme, le désir des populations de se prendre en main et d'exercer dorénavant un contrôle sur leur existence.

Nous ne pouvons que souhaiter que cet exposé sur la prévention, au-delà de la somme des connaissances transmises, vous ait apporté le goût d'une prévention qui soit un peu plus du côté de l'art de se gouverner, comme personne et comme collectivité, et qu'également vous en sortiez avec le désir de transmettre ce goût, de la façon la plus efficace possible, à d'autres.

Prévenir est un exercice fondamental, c'est la «science» de l'auto-direction. Sur un plan d'autogestion, le dessein ultime de la prévention devrait être de développer, le plus universellement possible, la capacité d'adaptation au changement permanent qui est, qu'on le veuille ou non, la substance même de notre vie en ce monde. Sur un plan d'autodétermination collective, notons cet exergue, à l'entrée d'un grand musée national, à l'effet que «le développement de la faculté d'anticipation dans l'histoire de l'humanité aura été le moteur du progrès des civilisations»...

RÉFÉRENCES

ALBEE, G. W. (1983). «Psychopathology, Prevention and Just Society». *The Journal of Primary Prevention, 4*, 1: 5-39.

AMERICAN PSYCHOLOGICAL ASSOCIATION ZERO TOLERANCE TASK FORCE (2008). «Are Zero Tolerance Policies Effective in the Schools? An Evidentiary Review and Recommendations». *American Psychologist, 63*, 9: 852-862.

ANGEL, P. (1987). *L'éducation et les drogues. Prévenir.* Paris,Unesco, p. 33-34, 72-75.

BANTUELLE, M. et DEMEULEMEESTER, R. (2008). *Comportement à risque et santé: agir en milieu scolaire. Programmes et stratégies efficaces.* Réseau francophone international de prévention des traumatismes et de promotion de la sécurité. Institut national de prévention et d'éducation pour la santé, 130 p.

BEAUCHESNE, L. (2006). *Les drogues: légalisation et promotion de la santé.* Montréal, Bayard.

BEAUCHESNE, L. (2005). *Drogues, mythes et dépendance. En parler avec nos enfants.* Montréal, Bayard. 100 p.

BLANCHET, L., LAURENDEAU, M.-C., PAUL, D., SAUCIER, J.-F. (1993). *La prévention et la promotion en santé mentale.* Boucherville, Gaëtan Morin, 158 p.

BOVAY, M.-D. (1989). «Définition de la prévention». *L'Intervenant, 6*, 4: 9-12.

BOZZINI, L., RENAUD, M., GAUCHER, D. et LLAMBIAS-WOLFF (dir.) (1981). *Médecine et société. Les années 80.* Montréal, Éditions coopératives Albert Saint-Martin, 554 p.

BRISSON, P. (2000). «Développement du champ québécois des toxicomanies au XXᵉ siècle». *L'usage des drogues et la toxicomanie, vol. III* (P. BRISSON dir.), Boucherville, Gaëtan Morin: 3-44.

BRISSON, P. (1998b). «La réduction des dommages dans le domaine des drogues. Une approche fondée sur le réalisme et le respect des personnes». *Porte ouverte, IX*, 1: 9-11.

BRISSON, P. (1997). *L'approche de réduction des dommages: sources, situation, pratiques.* Montréal, CPLT. 110 p.

BRISSON, P. (1996). «Prévenir le mal de vivre à l'orée de l'an 2000: réduction des dommages et promotion de la santé collective». *L'intervenant, 12*, 3: 13.

BRISSON, P. (1995). «La réduction des dommages: considérations historiques et critiques». *L'écho-Toxico, 6*, 2: 2-4.

BRISSON, P. (1992). « Prévention des toxicomanies et promotion de la santé : des stratégies de contrôle aux pratiques d'autodétermination ». *Psychotropes, VII*, 3 : 59-64.

BRISSON, P. (1990). *Programme régional en prévention de l'alcoolisme et des toxicomanies et en promotion de la santé*. Montréal, CSSSMM.

BRISSON, P. et FALLU, J. S. (2008). « Réduction des dommages, science et politique : d'hier à demain ». *L'intervenant, 24*, 3 : 9-15.

BRISSON, P. et MORISSETTE, C. (sous la direction de) (2003). « Réduction des risques et des méfaits ». *Drogues, santé et société, 2*, 1, 294 p.

BROCHU, S. (2007). « Nos réponses face à l'abus de drogues chez les jeunes ». *Toxicomanie au Canada : Pleins feux sur les jeunes*. Ottawa, Centre canadien de lutte contre l'alcoolisme et les toxicomanies, p. 22-29.

BROCHU, S. (2006). *Drogue et criminalité. Une relation complexe*. 2ᵉ édition. Montréal, Presses de l'Université de Montréal, 237 p.

CAPLAN, G. (1964). *Principles of preventive psychiatry*. New York, Basic Book.

COIE, J. D., WATT, N. F., WEST, S. G., HAWKINS, J. D., ASARNOW, J. R., MARKMAN, H. J., RAMEY, S. L., SHURE, M. B. et LONG, B. (1993). « The Science of Prevention. A Conceptual Framework and Some Directions for a National Research Program ». *American Psychologist, 48*, 10 : 1013-1022.

COLLECTIF (1987). « Hier et aujourd'hui : réflexions sur vingt-cinq ans de changements ». *Promotion de la santé*, Ottawa, Santé et Bien-être social Canada, 26, 2, automne : 2-6 et 15.

COMITÉ DE LA SANTÉ MENTALE DU QUÉBEC (1985). *La santé mentale des enfants et des adolescents. Vers une approche globale*. Québec, Ministère des Affaires sociales, Direction générale des publications gouvernementales.

CORMIER, D., BROCHU, S., BERGEVIN, J.-P. (1991). *Prévention primaire et secondaire de la toxicomanie*. Montréal, Éditions du Méridien, 251 p.

COURTWRIGHT, D. T. (2008). *De passion à poison. Les drogues et la construction du monde moderne*. Traduction de Catherine Ferland. Québec, PUL.

DEDOBBELEER, N. (1987). « Quelques réflexions sur la promotion de la santé ». *Sciences de la santé publique*, Montréal, Université de Montréal, 7, 3, mai-juin : 6 et 41.

DEMERS, A. (2000). « Les Québécois et l'alcool : mesures du phénomène et conséquences pour la prévention ». *L'usage des drogues et la toxicomanie, vol. III* (P. BRISSON dir.). Boucherville, Gaëtan Morin, p. 229-246.

EPP, J. (1986). « La santé pour tous : plan d'ensemble pour la promotion de la santé ». *Promotion de la santé*, Ottawa, Santé et Bien-être Canada, 25, 1 et 2.

EVANS, R., BARER, M. et MARMOR, T. (1994). *Why Are Some People Healthy and Others Not?* New York, A. de Gruyter.

KAPFERER, J.-N. (1978). *Les chemins de la persuasion. Le mode d'influence des média et de la publicité sur le comportement.* Paris, Bordas.

LABONTÉ, R. (1993). *Community Health and Empowerment: Notes on the New Health Promotion Practice.* Health Promotion Centre, Toronto, University of Toronto.

LALONDE, M. (1976). *Nouvelles perspectives de la santé des Canadiens.* Ottawa, Gouvernement du Canada.

LAMARCHE, P. (1988). « Éléments d'une démarche en prévention ». *L'usage des drogues et la toxicomanie* (P. BRISSON dir.). Boucherville, Gaëtan Morin, p. 315-336.

LAMARCHE, P. et NADEAU, L. (2000). « Toxicomanie et misère persistante ». *L'usage des drogues et la toxicomanie, vol. III* (P. BRISSON dir.). Boucherville, Gaëtan Morin, p. 103-118.

LAMARCHE, P., NADEAU, L., DE CHAMPLAIN, A. et RENEY, J. (1988). « Le Bar ouvert : évaluation d'une expérience en prévention ». *L'usage des drogues et la toxicomanie* (P. BRISSON dir.). Boucherville, Gaëtan Morin, p. 469-476.

LASCOUMES, P. (1977). *Prévention et contrôle social.* Genève, Masson.

LAZARUS, A. (1989). « Tous prévenus. (*L'esprit des drogues*) ». *Revue Autrement,* 106 : 87-96.

LOW, K. (1994). « Les jeunes, les drogues et la dépendance : éléments d'une prévention radicale ». *L'usage des drogues et la toxicomanie, vol. II* (P. BRISSON dir.). Boucherville, Gaëtan Morin, p. 295-321.

LOW, K. (1979). « La prévention ». *Connaissances de base en matière de drogue,* 5. Ottawa, Groupe de travail fédéral-provincial sur les problèmes liés à l'alcool, 61 p.

MAAG, V. (2004). « Dépénalisation du cannabis : expériences en Europe occidentale, aux États-Unis et en Australie ». *Drogues, santé et société,* 2, 2 : 333-345.

MALHERBE, J.-F. (1994). *Autonomie et prévention. Alcool, tabac, sida dans une société médicalisée.* Montréal, Artel Fides, 190 p.

MARTIN, C. et ANCTIL, H. (1989). « La promotion de la santé : une perspective pratique ». *Santé Société,* Collection Promotion de la santé, n° 1, Québec, Direction des communications, Ministère de la Santé et des Services sociaux : 5-11 et 32.

MAYER, R., OUELLET, F. (2001). *Méthodologie de recherche pour les intervenants sociaux.* Boucherville, Gaëtan Morin.

MINISTÈRE DE LA SANTÉ ET DES SERVICES SOCIAUX (2006). *Unis dans l'action. Plan d'action interministériel en toxicomanie.* Québec, Gouvernement du Québec. 80 p.

MINISTÈRE DE LA SANTÉ ET DES SERVICES SOCIAUX (2001). *Pour une approche pragmatique de prévention en toxicomanie. Orientations, Axes d'intervention, Actions.* Québec, Gouvernement du Québec. 57 p.

MINISTÈRE DE LA SANTÉ ET DES SERVICES SOCIAUX ET INSTITUT NATIONAL DE SANTÉ PUBLIQUE (2009). *Liste officielle des centres d'accès au matériel d'injection au Québec (distribution, vente, récupération)* Québec, Gouvernement du Québec.

MRAZEK, P. J., et HAGGERTY, R. J. (1994). Reducing risks for mental disorders: Frontiers for preventive intervention research. Washington, National Academy Press.

NADEAU, L. et BIRON, C. (1998). *Pour une meilleure compréhension de la toxicomanie.* Québec, Presses de l'Université Laval. 142 p.

NINACS, W. A. (2003). *L'empowerment et l'intervention sociale.* Montréal, Centre de documentation sur l'éducation des adultes et la condition féminine.

PAGLIA, A. et ROOM, R. (1999). «Preventing Substance Use Among Youth: A Literature Review and Recommendations». *Journal of Primary Prevention,* 20: 3-50.

PINEAULT, R. et DAVELUY, C. (1995). *La planification de la santé. Concepts, méthodes, stratégies.* Montréal, Éditions Nouvelles, p. 23.

RENAUD, M. (1984). «Les «progrès» de la prévention». *Revue internationale d'action communautaire,* 11, 51: 35-44.

RILEY, Diane (1994). «La réduction des dommages liés aux drogues: politique et pratiques». *In* P. BRISSON (dir.): *L'usage des drogues et la toxicomanie,* volume II (129-150). Boucherville, Gaëtan Morin.

RITTER, A. et CAMERON, J. (2006). «A Review of the Efficacy and Effectiveness of Harm Reduction Strategies for Alcohol, Tobacco and Illicit Drugs». *Drug and Alcohol Review,* 25: 611-624.

ROSENFELD, E. (1983). *Le livre des extases. 250 façons de connaître les paradis artificiels sans drogues.* Verviers, Marabout (éd. originale, The New York Times Book, 1973).

RUTTER, M. (1990). «Psychosocial resilience and protective mechanisms». *Risk and protective factors in the development of psychopathology.* (J. ROLF, A. S., MASTEN, D., CICCHETTI, K. H., NUECHTERLEIN, S. WEINTRAUB, dir.). New York, Cambridge Press: 181-213.

SAMEROFF, A. J. et M. J. CHANDLER (1975). «Reproductive risk and the continuum of caretaking causality. *Review of child development research,* (F. D. HOROWITZ dir.), 4, Chicago, University of Chicago Press: 187-244.

SAMEROFF, A. et B. H. FIESE (1990). «Transactional regulation and early intervention». *Handbook of early childhood intervention,* (S. J. MIKELS et J. P. SHONKOFF, dir.) Cambridge, Cambridge University Press: 119-149.

SANTÉ CANADA (2009). *Atelier sur l'évaluation des projets traitant de l'usage et de l'abus de drogues. Cahier du participant.* Ottawa.

SANTÉ CANADA (2001). *Prévention des problèmes attribuables à la consommation d'alcool et d'autres drogues chez les jeunes.* Un compendium des meilleures pratiques. Ottawa, Approvisionnement et Services, 316 p.

SANTÉ CANADA (1996). *Pour une compréhension commune: une clarification des concepts clés de la santé de la population.* Ottawa, Approvisionnement et Services.

SANTÉ ET BIEN-ÊTRE SOCIAL CANADA (1987). *Sept étapes pour mieux promouvoir la santé,* Ottawa, Direction de la promotion de la santé: 1-15.

SROUFE, L. A., et RUTTER, M. (1984). « The domain of developmental psychopathology ». *Child Development,* 55, 17-29. Chicago, University of Chicago Press.

TORJMAN, S. (1986). *Prévention dans le domaine des drogues. Programme de formation* (Monographies 1). Comité national de planification, Fondation de la recherche sur la toxicomanie. Ottawa, Approvisionnement et Services Canada, 102 p.

VITARO, F. et CHARBONNEAU, R. (2005). «La prévention de la consommation abusive ou précoce de substances psychotropes chez les jeunes ». *La prévention des problèmes d'adaptation, Tome II* (Frank VITARO et Claude GAGNON dir.), Québec, PUQ: 335-376.

VUYLSTEEK, K. (1984). «Toxicomanie et prévention primaire». *Précis des toxicomanies* (J. BERGERET et J. LEBLANC dir.). Paris, Masson et Presses de l'Université de Montréal: 207-208.

ZINBERG, N. E. (1984). *Drug, Set and Setting. The Basis for Controlled Intoxicant Use.* New Haven, Yale University Press.

LISTE DES SIGLES

AITQ   Association des intervenants en toxicomanie du Québec

CACTUS Centre d'action communautaire auprès des toxicomanes utilisateurs de seringues

CAMI   Centres d'accès au matériel d'injection

CECM   Commission des écoles catholiques de Montréal

CHUM   Centre hospitalier universitaire de Montréal

CPLT   Comité permanent de lutte à la toxicomanie

CQCS   Centre québécois de coordination sur le sida

CQLD   Centre québécois de lutte aux dépendances

CRAN   Centre de recherche et d'aide pour narcomanes

CTHM   Concertation Toxicomanie Hochelaga-Maisonneuve

DPT   Direction des produits thérapeutiques

DSC   Départements de santé communautaire

DSDC   Développement social des communautés

DSP   Départements de santé publique

EFPAR   Entourage de la future population à risque

EPAR   Entourage de la population à risque

EPT   Éducateurs en prévention des toxicomanies

FPAR   Future population à risque

GRIP   Groupe de recherche et d'intervention psychosociale

IEC   Information, éducation, communication

IMB   Intervention motivationnelle brève

INSPQ   Institut national de santé publique du Québec

ITSS   Infections transmissibles sexuellement et par le sang

LAD   Loi sur les aliments et drogues

LRDS   Loi réglementant certaines drogues et autres substances

NAOMI   North American Opiates Medication Initiative

OMS   Organisation mondiale de la santé

OPTAT   Office de la prévention et du traitement de l'alcoolisme et des toxicomanies

PAR   Population à risque
RIS   Réseaux intégrés de services
SAAQ   Société de l'assurance automobile du Québec
SALOME   Study to Assess Longer-Term Opioid Medication Effectiveness
SCS   Sites de consommation supervisés
SNC   Système nerveux central
SPA   Substances psychoactives
TRIP   Toronto Raver Info Project
UDI   Usagers de drogues par injection
VHC   Virus de l'hépatite C
VIH   Virus de l'immunodéficience humaine

LISTE DES FIGURES

LISTE DES TABLEAUX

TABLE DES MATIÈRES

QUATRIÈME PARTIE
CADRE ÉVALUATIF

AUTRES TITRES DISPONIBLES DANS LA COLLECTION PARAMÈTRES

LES DICTIONNAIRES DE LA LANGUE FRANÇAISE AU QUÉBEC
De la Nouvelle-France à aujourd'hui
Sous la direction de Monique C. Cormier et Jean-Claude Boulanger

LES DICTIONNAIRES LAROUSSE
Genèse et évolution
Sous la direction de Monique C. Cormier et Aline Francoeur

LES DICTIONNAIRES LE ROBERT
Genèse et évolution
Sous la direction de Monique C. Cormier, Aline Francœur
et Jean-Claude Boulanger

DIVERSITÉ ET INDÉPENDANCE DES MÉDIAS
Sous la direction d'Isabelle Gusse

DROGUE ET CRIMINALITÉ
Une relation complexe
Serge Brochu

L'ÉCRITURE JOURNALISTIQUE
SOUS TOUTES SES FORMES
Sous la direction de Robert Maltais

ÉLÉMENTS DE LOGIQUE CONTEMPORAINE
François Lepage

EMPLOI ET SALAIRE
Jean-Michel Cousineau

L'ENTREPRENEURIAT FÉMININ AU QUÉBEC
Dix études de cas
Louise St-Cyr, Francine Richer, avec la collaboration de Nicole Beaudoin

ÉQUATIONS DIFFÉRENTIELLES
Mario Lefebvre

L'ÉTHIQUE DE LA RECHERCHE
Guide pour le chercheur en sciences de la santé
Hubert Doucet

ÉTHIQUE DE L'INFORMATION
Fondements et pratiques au Québec depuis 1960
Armande Saint-Jean

L'ÉVALUATION : CONCEPTS ET MÉTHODES
Sous la direction d'Astrid Brousselle, François Champagne, André-Pierre
Contandriopoulos et Zulmira Hartz

LA FACE CACHÉE DE L'ORGANISATION
Groupes, cliques et clans
Luc Brunet et André Savoie

LE JOURNALISME RADIOPHONIQUE
Dominique Payette, avec la collaboration d'Anne-Marie Brunelle

JUSTICE ET DÉMOCRATIE
Christian Nadeau

LE LEADERSHIP PARTAGÉ
Edith Luc

LEXICOLOGIE ET SÉMANTIQUE LEXICALE
Notions fondamentales
Alain Polguère

MÉTHODES DE PLANIFICATION EN TRANSPORT
Yves Nobert, Roch Ouellet et Régis Parent

LES MEURTRIERS SEXUELS
Analyse comparative et nouvelles perspectives
Jean Proulx, Maurice Cusson, Eric Beauregard et Alexandre Nicole

LE MODÈLE LUDIQUE
Le jeu, l'enfant avec déficience physique et l'ergothérapie
Francine Ferland

MUSIQUE ET MODERNITÉ EN FRANCE
Sous la direction de S. Caron, F. de Médicis et M. Duchesneau

LE PAYSAGE HUMANISÉ AU QUÉBEC
Nouveau statut, nouveau paradigme
Sous la direction de Gérald Domon

PAYSAGES EN PERSPECTIVE
Sous la direction de P. Poullaouec-Gonidec, G. Domon et S. Paquette

LA POLITIQUE COMPARÉE
Fondements, enjeux et approches théoriques
Mamoudou Gazibo et Jane Jenson

POLITIQUE INTERNATIONALE ET DÉFENSE AU CANADA ET AU QUÉBEC
Kim R. Nossal, Stéphane Roussel et Stéphane Paquin

POUR COMPRENDRE LE NATIONALISME AU QUÉBEC ET AILLEURS
Denis Monière

PRÉPARER LA RELÈVE
Neuf études de cas sur l'entreprise au Québec
Louise Saint-Cyr et Francine Richer

LES PROBLÈMES ORGANISATIONNELS
Formulation et résolution
Yves-C. Gagnon

LA PSYCHOCRIMINOLOGIE
Apports psychanalytiques et applications cliniques
Dianne Casoni et Louis Brunet

LA PSYCHOLOGIE ENVIRONNEMENTALE
Jean Morval

PUBLICITÉS À LA CARTE
Pour un choix stratégique des médias publicitaires
Jacques Dorion et Jean Dumas

QUESTIONS DE CRIMINOLOGIE
Sous la direction de Jean Poupart, Denis Lafortune et Samuel Tanner

LA RADIO À L'ÈRE DE LA CONVERGENCE
En collaboration avec la chaîne culturelle de Radio-Canada

RAISONNEMENT ET PENSÉE CRITIQUE
Introduction à la logique informelle

LE RÉGIME MONÉTAIRE CANADIEN
Institutions, théories et politiques
Bernard Élie

LA RELIGION DANS LA SPHÈRE PUBLIQUE
Sous la direction de Solange Lefebvre

SAVOIR ENTREPRENDRE
Douze modèles de réussite
Études de cas
Louis Jacques Filion

SÉDUIRE PAR LES MOTS
Pour des communications publiques efficaces
Jean Dumas

LA SOCIOCRIMINOLOGIE
Stéphane Leman-Langlois

STATISTIQUES
Concepts et applications
Robert R. Haccoun et Denis Cousineau

LE SYSTÈME POLITIQUE AMÉRICAIN
Sous la direction de Michel Fortmann et Pierre Martin

TÉLÉRÉALITÉ
Quand la réalité est un mensonge
Luc Dupont

LES TEMPS DU PAYSAGE
Sous la direction de Philippe Poullaouec-Gonidec, Sylvain Paquette
et Gérald Domon

LA PSYCHOLOGIE ENVIRONNEMENTALE
Jean Morval

LES PSYCHOTROPES
Pharmacologie et toxicomanie
Sous la direction de Louis Léonard et Mohamed Ben Amar

LA SANTÉ DES ADOLESCENTS
Sous la direction de Pierre-André Michaud *et al.*

LA THÉRAPIE FAMILIALE APPRIVOISÉE
Claude Villeneuve et Angeles Toharia

LES TROUBLES LIÉS AUX ÉVÉNEMENTS TRAUMATIQUES
Dépistage, évaluation et traitements
Sous la direction de Stéphane Guay et André Marchand